ASIE
DU SUD-EST

CAP AVENTURE

CAP AVENTURE

ASIE
DU SUD-EST

Cap Aventure

Présidence
Antoine Gallimard
Direction
Philippe Rossat,
assisté de Sylvie Lecollinet
Direction éditoriale
Nicole Jusserand,
assistée de Malika Boualem

Droits internationaux
Gabriela Kaufman,
assistée de Michèle Vassaux
Édition et fabrication
Catherine Bourrabier
Gestion
Olivier Berret,
*assisté d'*Agnès Clerc
Graphisme et maquette
Yann Le Duc
assistée de Virginie Lafon

Partenariat
Marie-Christine Baladi,
Manuèle Destors,
Jean-Paul Lacombe (commercial)
Presse
Blandine Cottet

ASIE DU SUD-EST

Responsable de collection
Sophie Lenormand
Édition française
Solène Bouton,
Tiphaine Cariou,
assistées de Carolina Dias,
Astrid Voizard
Traduction
Bruno Krebs
Lecteurs-correcteurs
Sylvie Louis-Combet,
Agathe Roso
Maquette couverture
Alain Gouessant, Olivier Lauga,
Vanessa Guyomard

Les erreurs ou omissions involontaires qui auraient pu subsister dans ce guide malgré nos soins et les contrôles de l'équipe de rédaction ne sauraient engager la responsabilité de l'Éditeur.

Les adresses sélectionnées – sites, hébergements, restaurants, loueurs – font l'objet du choix personnel de l'auteur. Aussi, les descriptions et commentaires peuvent contenir des éléments subjectifs qui ne reflètent pas toujours les opinions de l'Éditeur, ni celles du voyageur.

Les régions couvertes dans ce guide peuvent être sujettes à des troubles politiques, économiques ou à des perturbations climatiques. Il est vivement recommandé aux voyageurs de contacter, avant de partir, le ministère des Affaires étrangères, l'ambassade ou consulat du pays, les tour-opérateurs, les compagnies aériennes, etc., pour s'informer des dernières formalités et tenir compte des avertissements et des conseils prodigués.

Si soigneusement qu'il ait été établi, ce guide n'est pas à l'abri de changements de dernière minute. Faites-nous part de vos remarques, informez-nous de vos découvertes personnelles : nous accordons la plus grande importance au courrier de nos lecteurs.

Guides Gallimard – Nouveaux-Loisirs
5, rue Sébastien-Bottin 75007 Paris

Adventure Travellers, Southeast Asia

Cartes noir et blanc : Advanced Illustration, Congleton, Cheshire

Dépôt légal : janvier 2002
Numéro d'édition : 05452
ISBN 2-74-240889-4
Gravure couverture : France Nova Gravure, Paris.
Imprimé et relié à Turin, Italie, par G. Canale & C. S.P.A. Décembre 2001

Sommaire

PRÉPARATIFS

Exotisme, mystère, la fascination qu'exerce l'Asie du Sud-Est sur les voyageurs ne date pas d'aujourd'hui. Forêts vierges impénétrables, volcans aux réveils redoutables, grottes aux allures de cathédrales englouties... Décor grandiose, qui vit l'éclosion des cultures les plus riches et les plus anciennes. Des cités jadis prospères ne sont plus aujourd'hui que ruines étouffées par une végétation toute puissante. Mais contrairement à l'orgueilleuse Angkor, les peuples, eux, se sont adaptés, d'une manière ou d'une autre, à une modernité galopante. Ici des métropoles industrieuses élèvent leurs gratte-ciel, tandis qu'ailleurs certaines régions vivent coupées du monde et du temps. Visiter ces lieux magiques, c'est un peu retrouver son enfance, Tarzan, l'Île au Trésor, ou la nostalgie d'un passé colonial aboli, mais descendre le Mékong, sillonner la baie de Halong en kayak, pénétrer le Triangle d'Or à moto, ou plonger sur les épaves des Philippines, c'est aussi comprendre un pays, aller à la rencontre de ses habitants, pêcheurs, tisserands ou anciens coupeurs de têtes. Vous êtes à la recherche de nouvelles sensations ? Découvrez l'Asie du Sud-Est à travers de nombreuses randonnées thématiques et des activités plus passionnantes les unes que les autres.

À droite *Plage de Hat Tham Phra Nang, Thaïlande.*
Ci-dessus *Tablée d'orangs-outans, Sepilok, Sabah, Bornéo.*

Les auteurs

Ben Davies

Écrivain-voyageur et photographe réputé, B. Davies a décrit et photographié presque tous les coins d'Asie. Depuis qu'il s'est fixé en Asie, dans les années 1990, il est le rédacteur adjoint d'*Asiamoney*, et collabore avec une myriade de journaux et magazines, de l' *International Herald Tribune* au *Vogue Singapore*. Il a écrit pour de nombreux ouvrages sur la Thaïlande, l'Indonésie ou les Philippines. Son dernier livre de photos, *Isaan, Forgotten Provinces of Thailand,* a été édité par Luna Publications.

Jill Gocher

Journaliste-photographe australienne, J. Gocher a passé l'essentiel de sa vie à voyager. Cette "môme de militaire" s'est prise d'une vive passion pour l'Asie lors d'un séjour à Penang. Elle a publié trois ouvrages chez Times Publishing à Singapour : *Ciberon*, qui décrit la vie d'un petit sultanat de Java, *Indonesia, the Last Paradise*, et *Australia – the Land Downunder*. Elle a également contribué, par ses écrits et ses photos, à des centaines de livres, de magazines et de guides de voyages.

Jill est la rédactrice de *Swesone*, petit magazine de bord publié par Yangon Airways, la compagnie aérienne du Myanmar. Et si elle sait apprécier le luxe des voyages à l'ancienne, elle préfère surtout s'éloigner du monde moderne, à la recherche d'un environnement et de cultures authentiques.

Sam Hart

La responsable de nos "Pages Bleues" travaille comme journaliste indépendante depuis 1996. S. Hart collabore avec *The Guardian*, *Young Telegraph*, *Big Issue* et *Nursing Times*. Elle a également fait de la radio et de la recherche pour la TV. Après avoir longuement sillonné l'Asie du Sud-Est, elle est maintenant reporter à *Big Issue* et enseigne l'anglais aux réfugiés kurdes.

Christopher Knowles

Après avoir écumé la planète en tant que guide de tourisme, spécialiste des voyages en train à travers l'Europe, l'ex-Union soviétique et la Mongolie, C. Knowles a écrit de nombreux ouvrages sur Shanghai, la Chine, le Japon, Moscou et Saint-Pétersbourg, la Toscane et les Costwolds. Il dirige également une agence spécialisée dans la randonnée.

Simon Richmond

Les montagnes russes de Blackpool, sa ville natale anglaise, furent pour S. Richmond l'occasion de ses premières sensations fortes. Il travaille actuellement comme journaliste à Londres et à Tokyo. Ses articles ont paru dans de nombreux journaux anglais, et dans le *Sydney Morning Herald*, *The Australian* et *Australian Financial Review*. Aujourd'hui basé à Sydney, en Australie, il passe le plus clair de son temps à voyager et à collaborer avec les guides Lonely Planet et Rough Guides.

Comment utiliser ce guide

Un guide en trois parties :

LES PRÉPARATIFS 6-17

Ces premières pages rassemblent les informations générales ainsi que les conseils pratiques relatifs aux pays traités dans le guide.

L'agenda (➤ page de garde) Présenté sous forme de tableau, il vous permet, en un clin d'œil, de repérer la meilleure période de l'année pour faire l'un des 25 périples sélectionnés.

Les auteurs (➤ 8) Ils ont sillonné pour vous un ou plusieurs pays et vous livrent ici leurs carnets de route. Leurs récits révèlent une passion commune, celle de l'aventure.

La carte (➤ 10-11) Elle illustre la région couverte par le guide. Chaque pays est repéré par un code couleur.

Le carnet pratique (➤ 12-15) Il fournit les renseignements utiles pour entrer et vivre dans les pays sélectionnés.

Bien préparer son voyage (➤ 16-17) Cette rubrique donne la liste des vêtements et des accessoires à ne pas oublier et rappelle des conseils de sécurité.

Attention ! Avant de partir, renseignez-vous sur la situation du pays auprès du ministère des Affaires étrangères, de l'office de tourisme ou d'un tour-opérateur.

LES PÉRIPLES 18-256

Partie principale du guide dans laquelle les auteurs relatent leurs périples : 25 aventures qui vous feront découvrir la vie autochtone, la faune et la flore d'une région ou d'une contrée, plus ou moins connue ; vous donneront aussi un avant-goût des différentes activités possibles sur place. Chaque récit est précédé d'un tableau (ci-contre) qui indique l'**échelle de difficulté**, la **gamme de confort** rencontrée sur le parcours, et l'**équipement spécialisé** requis.

Partir en solo Pour ceux qui souhaitent organiser eux-mêmes leur voyage, se rapporter à la page pratique qui clôt chaque périple. Ces informations sont complémentaires aux "Pages Bleues", situées en troisième partie.

Les prix sont donnés à titre indicatif en US $: montants et au taux de change du moment.

1 **Échelle de difficulté** Sans aucun souci, si vous en avez vraiment envie.

Sans trop de difficultés, il vous suffit juste de posséder certaines compétences de base.

Motivé, vous avez une bonne forme physique et quelques notions techniques.

Excellente condition physique, et beaucoup de volonté – âmes sensibles s'abstenir*.

Pour les amateurs de sports engagés – challenge physique et mental* !

**Seule une partie du parcours présente une réelle difficulté. Une option plus facile peut être proposée.*

Gamme de confort (du plus sommaire au plus luxueux) Les étoiles indiquent le degré de confort auquel vous pouvez vous attendre. Il ne s'agit pas seulement de l'hébergement mais de l'expédition dans son ensemble (climat, trajet, logement, repas, etc.).

Équipement spécialisé Conseils sur l'équipement à emmener avec soi, du matériel de plongée aux vêtements, en passant par le matériel photographique.

LES PAGES BLEUES 257-320

Véritable annuaire, les "Pages Bleues" répertorient par pays tour-opérateurs et prestataires de service :

- Les pages **Contacts** dressent la liste des organismes spécifiques aux 25 expéditions, dont ceux présentés dans les récits.
- Les pages **Activités** proposent une sélection des sports et loisirs possibles par région, et les adresses et informations nécessaires pour organiser votre voyage.

Un **Index général** et un **Index géographique** se trouvent en fin de guide.

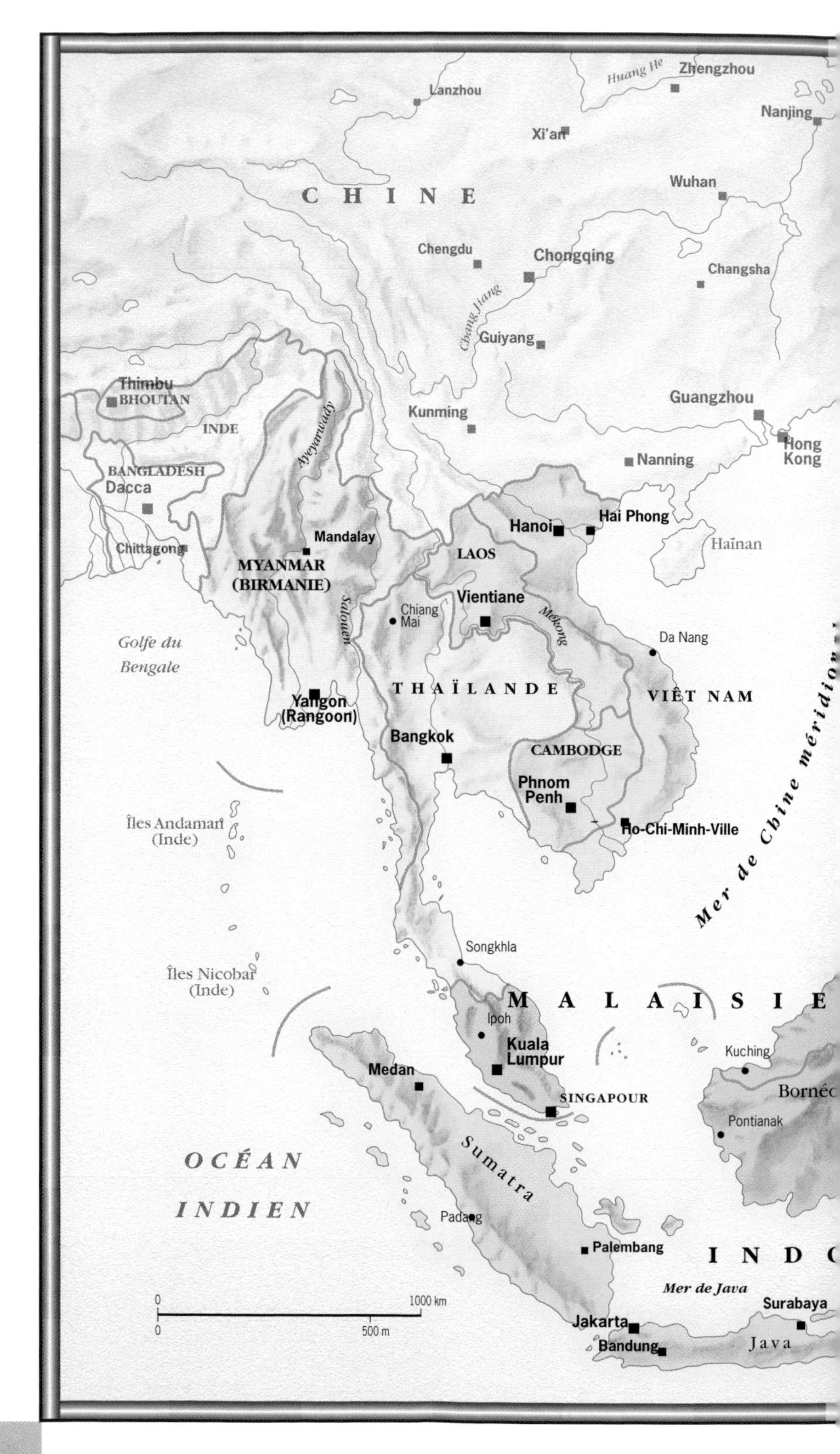

Huang He
Zhengzhou
Lanzhou
Nanjing
Xi'an
Wuhan
CHINE
Chengdu
Chongqing
Changsha
Chang Jiang
Guiyang
Thimbu
BHOUTAN
INDE
Kunming
Guangzhou
Hong Kong
Nanning
BANGLADESH
Dacca
Ayeyarwady
Hanoi
Hai Phong
Chittagong
Mandalay
LAOS
Hainan
MYANMAR (BIRMANIE)
Vientiane
Salouen
Chiang Mai
Mekong
Golfe du Bengale
Da Nang
THAÏLANDE
VIÊT NAM
Yangon (Rangoon)
Bangkok
CAMBODGE
Phnom Penh
Îles Andaman (Inde)
Ho-Chi-Minh-Ville
Mer de Chine méridionale
Songkhla
Îles Nicobar (Inde)
MALAISIE
Ipoh
Kuala Lumpur
Kuching
Medan
Bornéo
SINGAPOUR
Pontianak
Sumatra
OCÉAN INDIEN
Padang
Palembang
INDO
Mer de Java
0
1000 km
Surabaya
0
500 m
Jakarta
Bandung
Java

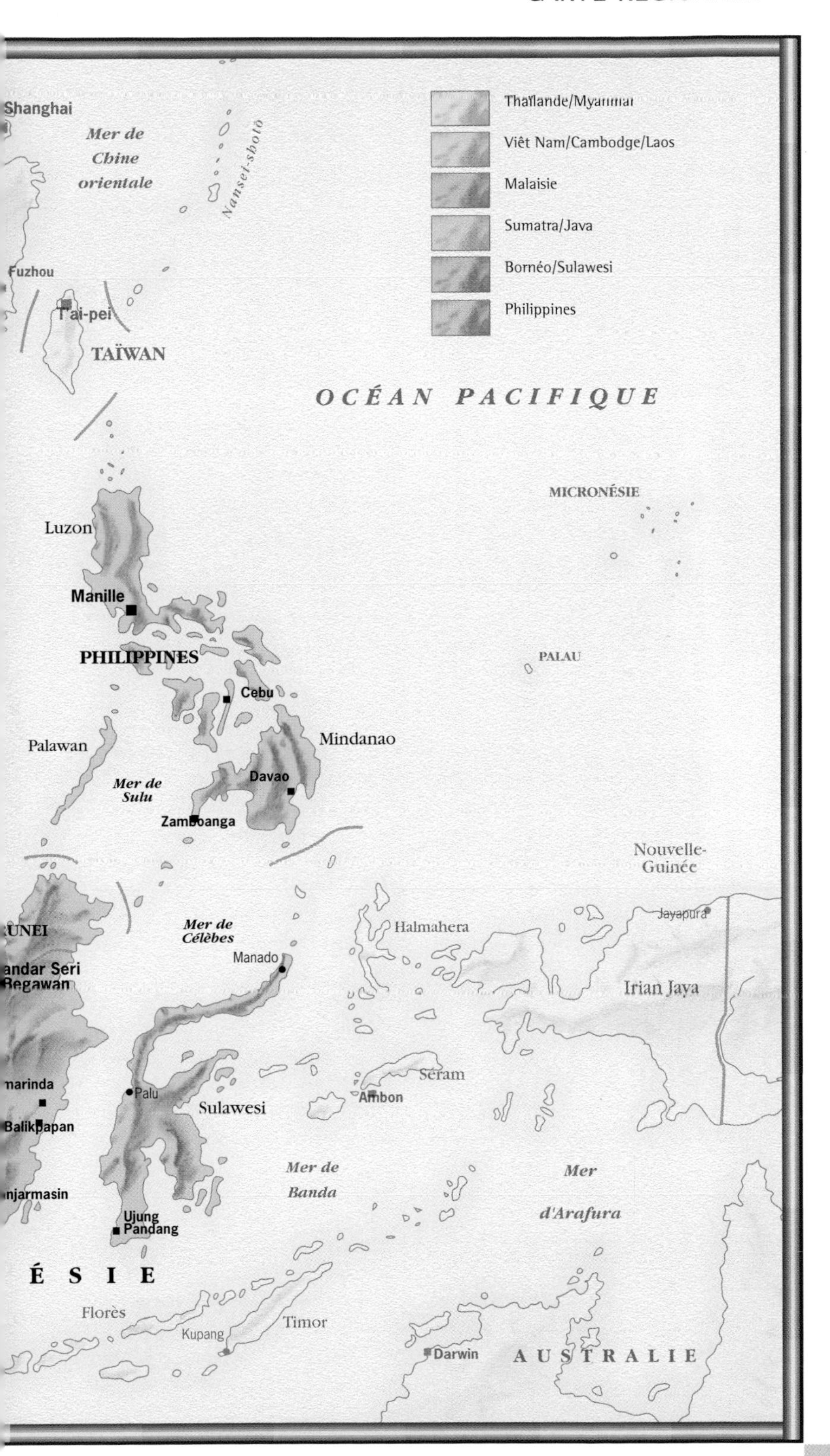
Thaïlande/Myanmar
Viêt Nam/Cambodge/Laos
Malaisie
Sumatra/Java
Bornéo/Sulawesi
Philippines
Shanghai
Mer de Chine orientale
Nansei-shotō
Fuzhou
T'ai-pei
TAÏWAN
OCÉAN PACIFIQUE
MICRONÉSIE
Luzon
Manille
PHILIPPINES
PALAU
Cebu
Mindanao
Palawan
Mer de Sulu
Davao
Zamboanga
Nouvelle-Guinée
Halmahera
Jayapura
Mer de Célèbes
Manado
Irian Jaya
Seram
Ambon
Palu
Sulawesi
Balikpapan
Mer de Banda
Mer d'Arafura
Ujung Pandang
É S I E
Florès
Timor
Kupang
Darwin
AUSTRALIE

Carnet pratique

Argent

Conservez tous reçus d'opérations de change et de notes d'hôtels : des contrôles à l'entrée comme à la sortie peuvent avoir lieu.

Cartes bancaires

Les Visa et MasterCard (la plus répandue) vous permettent de retirer des espèces presque partout.

Espèces

Les dollars sont toujours plus faciles à échanger. Ils vous permettront aussi de régler vos notes d'hôtels ou vos achats.

Mise à disposition

Une solution en cas d'absolue nécessité (perte, vol…). Renseignez-vous auprès de votre banque avant de partir pour connaître les modalités.

Traveller's checks

Moyen le plus sûr de disposer d'argent en permanence. Ils sont souvent acceptés comme argent liquide et s'échangent facilement dans les banques et grands hôtels. Les plus reconnus : Visa, American Express et Thomas Cook. Une commission est retenue à l'achat (env. 1,20%). Vous aurez cependant l'assurance de recouvrement en cas de perte ou de vol.

MONNAIES LOCALES

Cambodge	Riel = 100 sen 10 000 riel (100 sen) = 2,6 $
Indonésie	Rupiah = 100 sen 10 000 rupiah = 1,12 $
Laos	Kip = 100 cents 10 000 kip (100 cents) = 1,3 $
Malaisie	Ringgit = 100 sen 10 Ringgit = 2,63$
Myanmar	Kyat = 100 pya 10 kyat = 1,50 $
Philippines	Peso = 100 centavos 100 pesos = 1,95 $
Thaïlande	100 Baht = 100 satang 100 baht = 2,22 $
Viêt Nam	Dông (pas de pièces) 100 000 dông = 7,3 $

Assurances

Assurez-vous d'être couvert pour les sports dits "à risques", en général exclus des polices ordinaires. Les séjours supérieurs à trois mois sont souvent considérés comme des expatriations : pensez à vérifier la validité de votre contrat.

Frais médicaux

Ayez toujours sur vous les cartes de groupe sanguin et d'allergies, et les coordonnées de votre assurance pour accélérer la prise en charge.

Licences sportives

Contactez votre fédération : certaines licences, reconnues à l'étranger, vous couvriront en cas d'accident, de dégât de matériel et de responsabilité civile.

Rapatriement sanitaire

Vérifiez bien que vous ne bénéficiez pas déjà d'une assistance par le biais de votre carte de crédit, votre mutuelle ou votre assurance automobile.

Formalités

Faites des photocopies de tous vos documents (passeport, billet d'avion...).

Passeport

Sa validité doit être supérieure à six mois à compter de la date de retour. Emportez des photocopies (avec photos d'identité), que vous aurez pris soin de faire certifier conforme.

Visas

Comptez deux mois pour l'obtention de vos visas :

Cambodge Obligatoire : délivré gratuitement par l'ambassade ou sur place contre une taxe de 20 $.

Indonésie Aucun visa exigé. Autorisation de séjour : deux mois. Attention ! Pour Bornéo, Timor et l'Irian Jaya, visas obligatoires à prendre sur place.

Laos Visa de 15 jours délivré par l'ambassade (25 € env.) ou par le service d'immigration à Vientiane (30 $).
Malaisie Pas de visa pour un séjour de moins de trois mois.
Birmanie Visa de 28 jours (25 € env.).
Philippines Pas de visa pour un séjour inférieur à 21 jours.
Thaïlande Pas de visa pour un séjour inférieur à 30 jours.
Pour de plus amples informations, visitez le site des Affaires étrangères : www.france.diplomatie.fr/voyageurs

Langues

La communication sera parfois difficile dans certaines zones reculées. Mais il est rare de ne pas trouver quelqu'un qui parle des rudiments d'anglais. Faites l'effort de prononcer quelques mots dans la langue locale grâce à un guide de conversation.
Cambodge khmer
Indonésie bahasa indonésien, anglais, néerlandais, plus 250 dialectes !
Laos lao, français, vietnamien, meo
Malaisie bahasa malais, anglais, chinois, iban et tamil
Myanmar myanmar (birman), anglais
Philippines anglais, philippin, cebuano
Thaïlande thaï, anglais, chinois, lao, khmer, malais
Viêt Nam vietnamien, français, anglais

Santé

Un carnet de santé traduit dans les langues des pays que vous visiterez facilitera toute intervention médicale.

Avant de partir

Les vaccinations obligatoires varient selon le pays visité. Accordez-vous six semaines pour effectuer les vaccins nécessaires. Indispensable, un traitement préventif contre le paludisme, qui sévit dans tous les pays cités de ce guide.
Sites à consulter :

- www.medisite.fr (*fiches-destinations, infos pratiques, conseils personnalisés*)
- www.travelhealth.fr (*pour créer son carnet de santé en ligne et le traduire en huit langues*)

Sur place

Des règles d'hygiène élémentaires éviteront des troubles gastriques : se laver les mains ; boire de l'eau en bouteille ou la purifier avec un filtre ou des tablettes que vous trouverez en pharmacie. Attention aux glaçons, jus de fruits frais et glaces. Laver et éplucher légumes et fruits. Éviter les aliments crus (poissons) et boire du lait uniquement bouilli. Consommer des repas fraîchement cuits ; votre viande devra toujours être très cuite.

DÉCALAGES HORAIRES

	T.U. 12 h (Temps universel)	France, Belgique, Suisse (heure d'été*)	Québec
Cambodge	+ 7 h	+ 5 h	+ 13 h
Viêt nam	+ 7 h	+ 5 h	+ 13 h
Laos	+ 7 h	+ 5 h	+ 13 h
Thaïlande	+ 7 h	+ 5 h	+ 13 h
Indonésie : Sumatra, Java, O & Central Kalimantan, Bangka, Billiton, Madura	+ 7 h	+ 5 h	+ 13 h
Indonésie : Bali, Florès, S & E Kalimantan, Sulawesi, Sumbawa,Timor	+ 8 h	+ 6 h	+ 14 h
Indonésie : Aru, Irian Jaya, Kai, Moluques, Tanimbar	+ 9 h	+ 7 h	+ 15 h
Malaisie : péninsule Malaise, Sarawak, Sabah	+ 8 h	+ 6 h	+ 14 h
Myanmar	+ 6 h 30	+ 4 h 30	+ 12 h 30
Philippines	+ 8 h	+ 6 h	+ 14 h

(*) heure d'hiver : ajouter une heure

L'agenda du voyageur

OCTOBRE | NOVEMBRE | DÉCEMBRE | JANVIER | FÉVRIER | MARS

Droite *Femmes hmong, Viêt Nam*

À gauche *Le mont Sinabung, dans le nord de Sumatra*

Quand partir

AVRIL	MAI	JUIN	JUILLET	AOÛT	SEPTEMBRE

Ci-contre *Au cœur du Triangle d'Or, Thaïlande*

À gauche *En pirogue sur le Nam Ou, Laos*

À droite *Arrêt de bus, Attapeu, Laos*

À gauche *Barrière de corail, Bunaken, Indonésie*

Bien préparer son voyage

Quoi prendre

Préférez emporter vos affaires dans un sac fourre-tout solide, volumineux et facile à manier ou, si vous partez en randonnée de plusieurs jours, dans un sac à dos. En plus de ce bagage principal, prévoyez un bagage à main que vous garderez sur vous dans l'avion et dans lequel vous pourrez transporter vos papiers et objets importants, une précaution en cas d'égarement de votre valise. Ce petit sac vous sera également utile en ville ou lors des excursions. Tentez de vous limiter à ces deux bagages pour faciliter vos déplacements en transports publics.

Les indispensables

- ❑ Lampe torche et piles de rechange.
- ❑ Crème solaire.
- ❑ Chapeau et lunettes de soleil.
- ❑ Sac étanche pour objets de valeur.
- ❑ Moustiquaire.
- ❑ Jumelles et boussole.
- ❑ Couteau multifonctions.
- ❑ Sac de couchage. Il vous servira notamment d'oreiller ou de couverture pendant les longues attentes dans les gares ou dans les ports, ou encore à l'hôtel si la literie vous paraît suspecte.
- ❑ Cadenas pour fermer les sacs de voyage.
- ❑ Bonde universelle de lavabo (très utile pour laver ses habits ou faire sa toilette quand l'eau est rationnée).
- ❑ Nécessaire à couture.
- ❑ Pince à épiler.
- ❑ Réveil à pile.

Vêtements

Ne prenez pas une quantité astronomique de vêtements : choisissez-les selon les régions que vous allez visiter et les activités que vous allez pratiquer : les températures peuvent changer du tout au tout. Renseignez-vous auprès de l'organisateur sur les accessoires qui vous seront fournis sur place (combinaison en Néoprène...). Le choix de votre garde-robe sera aussi dicté par des considérations d'ordre culturel.

- ❑ Plusieurs vêtements légers, faciles à superposer ou à ôter selon la température.
- ❑ Des habits de couleurs claires, couvrant bras et jambes, pour vous protéger des moustiques.
- ❑ Une tenue imperméable.
- ❑ Un pull en polaire.
- ❑ Une paire de chaussures de marche faites à vos pieds pour les randonnées.
- ❑ Des tongs que vous pourrez garder sous la douche dans les campements.
- ❑ Une paire de gants en cuir pour toute activité.
- ❑ Un maillot de bain.

Toilette et pharmacie

- ❑ La plupart des affaires de toilette (shampooing, crème de rasage, serviettes hygiéniques...) s'achètent facilement dans les grandes villes.
- ❑ Procurez-vous une trousse de premiers soins que vous compléterez selon vos besoins (désinfectant, paracétamol, antidiarrhéique, pommade contre les piqûres et les brûlures, sparadraps anti-ampoules...).

Matériel photographique

- ❑ Faites provision de pellicules avant de partir (en surestimant votre consommation). On en trouve dans les grandes villes, mais les conditions de conservation ne sont pas excellentes partout. Évitez les mauvaises surprises et achetez-les avant de partir.
- ❑ Si vous prenez un appareil numérique, prévoyez cartouches, batteries et un adaptateur pour la recharge.

S'informer

Quelques précautions de base, une dose de bon sens et de prudence, et un minimum d'informations vous permettront de profiter au mieux de votre voyage.

Drogues et autres pièges

- ❑ Le transport de drogues illicites peut vous attirer les plus graves ennuis. Si vous êtes arrêté, vous ne vous en tirerez pas avec une simple amende ou la confiscation des produits : vous pouvez y perdre votre liberté pour de longues années. Dans les pays qui appliquent toujours la peine de mort, le trafic de drogue est bien souvent puni par cette sentence.
- ❑ Si vous achetez des souvenirs, rappelez-vous que des lois internationales peuvent interdire les importations suivantes : objets fabriqués à partir de certains animaux, objets à caractère pornographique, armes offensives et drogues. Certains pays demandent des certificats pour la prescription de médicaments, d'autres opèrent un contrôle très sévère sur l'importation d'alcool.
- ❑ N'acceptez jamais de passer une frontière avec les bagages d'autrui, quelle que soit la personne qui vous le demande ou la somme proposée.

Sécurité

La plupart des agressions spontanées sont liées à l'argent : en règle générale, n'exhibez rien qui puisse tenter.

- ❑ Déposez l'essentiel de votre argent au coffre de l'hôtel et ne laissez rien traîner dans votre chambre, quel que soit le standing de l'établissement.
- ❑ Préférez transporter vos espèces dans un sac banane ou une bourse, portée autour du cou. Vous pourrez dissimuler le tout sous vos vêtements.
- ❑ Munissez-vous d'un petit porte-monnaie, facile d'accès, pour ne pas avoir à fouiller dans vos vêtements et à sortir tout votre argent pour des achats courants.
- ❑ Évitez les signes extérieurs de richesse. Une montre ou un bijou peuvent représenter plusieurs mois de salaire dans le pays que vous visitez.
- ❑ Sachez aborder les inconnus avec prudence.
- ❑ Ne vous trompez pas de période. Dans certains pays, mieux vaut éviter les élections, les pèlerinages ou les fêtes religieuses.
- ❑ Ne croyez pas tout ce qu'on vous raconte : n'hésitez pas à poser des questions et à demander les quartiers à éviter.
- ❑ Prenez le temps de découvrir, de jour, l'endroit où vous êtes, avant de vous y aventurer de nuit. Ne buvez pas trop : votre sécurité dépend de votre sobriété.
- ❑ Laissez une copie de votre itinéraire et les numéros de vos contacts à des amis ou à des proches.

Us et coutumes

- ❑ Adoptez une tenue décente en toute circonstance, particulièrement les femmes, qui doivent éviter de trop dévoiler leur corps, surtout dans des pays où la religion n'admet pas le port de vêtements courts.
- ❑ Ne heurtez pas les susceptibilités locales et gardez vos opinions pour vous. Dans certains pays, des discussions anodines touchant à la religion ou la politique peuvent s'avérer lourdes de conséquences.
- ❑ Soyez respectueux des pratiques religieuses (alimentaires, sites...) et des codes de conduite à respecter.

Jouez franc-jeu

- ❑ Soyez franc avec les organisateurs : ils vous proposeront des circuits adaptés à vos capacités.
- ❑ Prenez vos responsabilités et sachez vous faire entendre plutôt que de vous laisser influencer par le groupe.
- ❑ N'hésitez pas à poser des questions sur les points de sécurité qui vous soucient. Un bon organisateur ne se vexera jamais de devoir vous répondre.

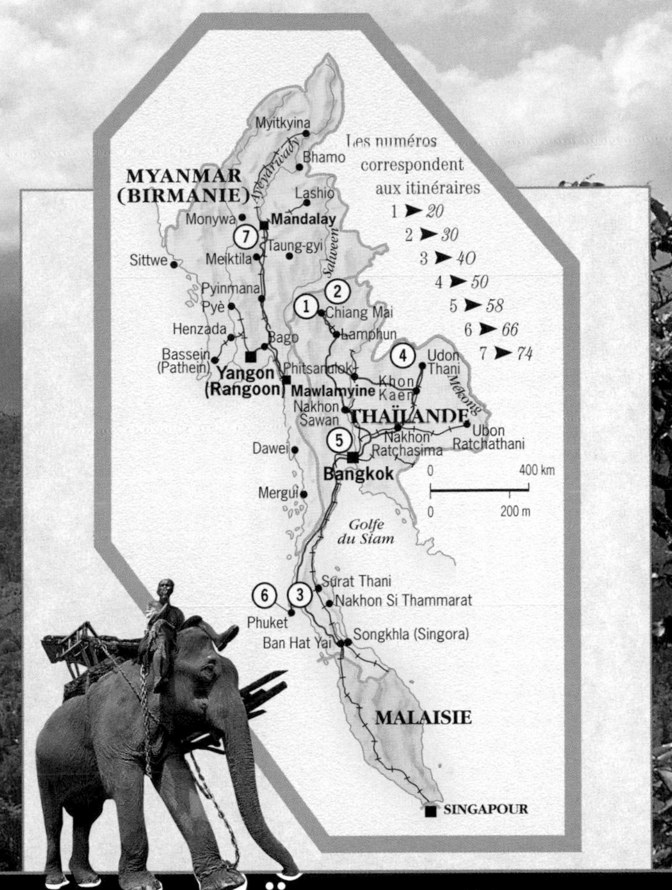

THAÏLANDE • MYANMAR

Reine des destinations touristiques en Asie du Sud-Est, la Thaïlande offre au voyageur quatre destinations bien contrastées : le sud avec ses plages et ses îles balayées de soleil ; au nord, les montagnes, les tribus des collines et le mythique Triangle d'Or ; les plaines fertiles du centre, “bol de riz” de l'Asie ; et au nord-est, l'aride Isan, avec ses ruines khmères baignées par le majestueux Mékong. Dénominateurs communs : le bouddhisme, la monarchie et une démocratie stable ; partout des gens accueillants, adeptes du *mai pen rai*, attitude nonchalante devant la vie. Situation plus difficile pour les populations souriantes du beau et mystérieux Myanmar voisin (l'ancienne Birmanie), dont les trois quarts vivent aux abords du grand fleuve Ayeyarwady. Remonter celui-ci en bateau à vapeur constitue une voie royale vers Mandalay et un excellent moyen de découvrir ce pays extraordinaire et méconnu.

Collines de Mae Hong Son, la “Cité des brouillards”.

1 Visite chez les tribus des collines

par Ben Davies

La visite des tribus des collines nichées dans les montagnes verdoyantes qui longent la frontière du Myanmar (Birmanie) m'a fait découvrir un peuple fascinant. Ce trek de trois jours – marche, randonnée à dos d'éléphant et rafting – implique, outre l'esprit d'aventure, un grand respect de l'individu et des coutumes indigènes.

Tout au nord de la Thaïlande, dans un environnement sauvage de montagnes, de précipices et de vallées boisées, se cache l'un des peuples les plus mystérieux du royaume. Les tribus des collines, ou *chao khao* comme on les appelle officiellement, comprennent neuf groupes, notamment les Karen, les Lahu, les Lisu, les Akha, les Hmong et les Yao, au total environ 500 000 habitants. Elles sont arrivées vers la fin du XIXe siècle et le début du XXe siècle, émigrant du Tibet, de Birmanie et de Chine méridionale.

Les opérateurs de trekking qui fleurissent un peu partout aujourd'hui intègrent systématiquement à leur programme une visite chez les tribus des collines. Mais il est encore possible de sortir des sentiers battus et de combiner le tour des tribus avec du rafting, de la spéléo, du VTT ou une randonnée à dos d'éléphant.

Selon les groupes et l'itinéraire emprunté, les treks demandent environ trois à quatre heures de marche par jour. Pour une approche moins sportive et plus détendue, prenez votre propre guide ou faites une partie du chemin à moto.

Si vous tenez à votre confort, une seule solution : prendre le circuit qui vous conduit à la Lisu Lodge, à 50 km de Chiang Mai (► 259) – cottage de bambou et magnifique décor de montagne. Sinon, vous dormirez au sein des villages tribaux, dans une hutte de bambou rudimentaire, sur des nattes posées à même le sol. Hôtels simples et chambres d'hôte à Pai et à Soppong ; hôtels de luxe à Mae Hong Son, Chiang Mai et Chiang Rai.

Pellicules photo : prévoyez large. Indispensables : chapeau de soleil ou bob, crème solaire et chaussures de randonnée ; cape ou poncho imperméable si vous voyagez durant la mousson.

Première partie du voyage : cinq heures éprouvantes de bus dans un décor grandiose de montagnes, entre **Chiang Mai** (► 32) et la ville de **Pai**, à l'extrême nord-ouest. Vous trouverez des villages *chao khao* plus près de Chiang Mai ou de **Chiang Rai**, mais très fréquentés par les touristes. En poussant plus au nord, l'expérience sera plus authentique.

À Pai, j'ai choisi un circuit de trois jours, organisé par l'une des petites agences qui se pressent autour du marché de la **rue Rangsiyanun**. Départ le lendemain matin, en compagnie d'une thérapeute américaine au chômage et d'une Hawaïenne mordue de voile. Direction Soppong, en pick-up. Une étape au village de Lisu nous permet de prendre notre jeune guide et son interprète lahu, avant de nous arrêter un peu plus loin sur la route et de plonger dans la forêt.

Légendes des collines

Selon une légende yao, le premier homme serait né d'un chien nommé Pan Kou qui, s'étant débarrassé d'un tyran cruel, aurait reçu la main d'une princesse chinoise en récompense.

Les légendes abondent en Thaïlande du Nord et se transmettent de génération en génération. Chez les Karen, l'une des plus anciennes tribus des collines, on croit que si un villageois tombe malade, il faut interroger l'esprit responsable, le *pi*, en étudiant des grains de riz. Une fois identifié, on va l'attirer dans un panier avec des offrandes de poulet épicé, puis refermer le couvercle par surprise, et enterrer le panier dans la forêt.

L'animisme joue aussi un rôle important chez d'autres tribus. Les Akha ont toujours adoré le soleil et la lune, tandis que les Hmong, deuxième tribu la plus importante, honorent l'esprit du ciel, créateur de l'univers.

N'espérez quand même pas être le premier à découvrir les hommes des collines. La plupart ont l'habitude des touristes, et leurs costumes traditionnels cèdent rapidement le pas aux jeans et aux tee-shirts. Mais un trek dans les collines du Nord ne se résume pas à la rencontre des tribus. C'est aussi une aventure, la découverte de superbes paysages et, avec un bon guide, l'occasion d'expérimenter un mode de vie radicalement différent.

QUELQUES TUYAUX

- ❏ Ne partez pas seul ou sans guide dans les villages tribaux.
- ❏ Vêtements légers et confortables pour la marche.
- ❏ Ôtez vos chaussures avant d'entrer dans une maison.
- ❏ Respectez les croyances tribales ; ne touchez pas et ne photographiez pas les lieux ou objets de culte.
- ❏ Ne délivrez jamais de médicaments occidentaux, sauf si vous êtes compétent et familier du terrain.
- ❏ Évitez de donner de l'argent. Proposez plutôt un petit cadeau : carte postale, stylo, carnet…
- ❏ Demandez toujours l'autorisation avant de photographier les gens et, s'ils refusent, respectez leur souhait.
- ❏ Souvenez-vous que la consommation d'opium est un délit puni par la loi.

Chez les Lahu

Un étroit sentier taillé entre des massifs de bambou et des pousses de teck conduit à **Pa Mon Nok**, village de 30 familles lahu nni perché haut dans les collines et qui offre un saisissant décor de montagnes à l'arrière-plan.

Quittant la route principale, il nous a fallu deux heures d'une ascension laborieuse pour y arriver, pressés par notre guide, un villageois lahu de la région.

Quelques fragiles huttes de bambou entourent une cour boueuse où s'égaillent poulets, cochons et chevaux. Une échelle nous fait pénétrer dans l'une de ces constructions rudimentaires, couronnée d'un panache de fumée. Dans la pénombre, on distingue tout juste quelques ustensiles de cuisine illuminés par les rais de lumière qui filtrent à travers les cloisons de bambou. Notre guide discute avec un ancien, et nous voici invités à nous asseoir en tailleur devant l'âtre, tandis que notre interprète nous raconte l'histoire des Lahu.

Probablement originaires du Tibet, les premiers Lahu sont arrivés en Thaïlande à la fin du XIXe siècle. On en dénombre aujourd'hui 30 000, répartis entre quatre groupes (ou couleurs) distincts : les Lahu Nni, ou Lahu rouges, les Lahu Na (Lahu noirs), les Lahu jaunes et les Lahu blancs. Plus pauvres que les autres tribus, ils pratiquent la culture sur brûlis (y compris celle, intensive, du pavot), abandonnant leurs terres au fur et à mesure qu'ils se déplacent pour défricher de nouvelles zones forestières.

Les Lahu n'ont pas la richesse des Karen, ni les splendides costumes des Lisu. En revanche, ce sont les meilleurs chasseurs des tribus des collines, et ils connaissent l'art de concasser le riz avec d'énormes pilons de bois. Ils maîtrisent également des techniques d'irrigation

sophistiquées, utilisant un réseau d'aqueducs en bambou.

Assis devant un plat de *khao niau*, riz gluant agrémenté de peau de poulet et de saucisses douces (apportées par notre guide), nous partageons notre repas avec deux femmes et un enfant, tâchant de communiquer par quelques signes et des sourires maladroits, avant de prendre discrètement congé.

Hors des sentiers battus

Quittant Pa Mon Nok, nous marchons maintenant vers l'ouest, en contournant la colline. Feuillages persistants et palmes luxuriantes nous prodiguent leur ombrage. Plus loin, de vastes secteurs de forêts s'ouvrent sur des champs de maïs et de citrouilles, baignés dans la douce lumière de cette fin de journée.

La beauté du paysage transforme ce trek en une expérience quasi initiatique. Orchidées sauvages, papillons "feuilles mortes" (*Terinos clarissa*) et végétation tropicale nous plongent dans un autre monde,

À gauche *À dos d'éléphant : vue imprenable, confort relatif.*
À droite *Sentiers ombragés, mais glissants en toutes saisons.*
Ci-dessous *Descente de la Pai en radeau.*

ORCHIDÉES

Plus de 1000 espèces d'orchidées fleurissent dans le nord de la Thaïlande. Le prince Tivakornwongpravat les introduisit au Siam il y a cent ans. Les plus célèbres variétés actuelles sont : la *Sirikit* (du nom de la reine) et l'orchidée bleue, ou *Vanda caerulea*, qui ne pousse qu'en altitude. Si vous n'en avez pas vu durant votre trek, allez visiter les serres d'orchidées de Chiang Mai (à l'extérieur de la ville).

à des millions de kilomètres de la ville pourtant voisine de Pai.

Le soir est proche lorsque nous arrivons à **Baan Pa Mon Nai**. Ce village prospère, d'une cinquantaine de familles lahu nni, occupe une vaste clairière entourée d'arbres. En été, comme dans beaucoup d'autres villages du Nord, on peut y accéder en 4x4. Mais aujourd'hui, en pleine saison des pluies, la piste est impraticable et la marche reste le seul mode de transport.

Nous pénétrons à l'intérieur d'une simple hutte, au bout du village : pièce spacieuse, sol en bambou et nattes de fibres en guise de lits, près d'un foyer de braises. En contrebas, de l'autre côté d'une cour boueuse, une autre hutte abrite des pompes à eau rudimentaires et une grande bassine de fer destinées à la lessive.

PAVOTS ET OPIUM

La nuit est tombée. Coassements des grenouilles arboricoles, stridulation des cigales. Des cochons fouillent dans la boue de la clairière. Seul autre bruit, à distance, le choc rythmé d'un pilon concassant le maïs.

Les Lahu ne se sont pas toujours contentés de riz et de maïs. Cultivé sur les plus hautes pentes, au-dessus de 1 500 m, l'opium demande peu de soins et apporte aux villageois des bénéfices considérables. Parvenues à maturité (de début janvier à fin mars), les fleurs sont coupées, et on laisse alors geler sur pied la résine qui s'écoule des tiges. La gomme ainsi produite est ensuite grattée et enveloppée dans des pétales séchés de pavot ou des feuilles de bananier. Elle peut être vendue brute à des passeurs chinois ou secrètement acheminée dans des raffineries pour y être transformée en héroïne.

Mais vous avez peu de chance de tomber sur un champ de pavots rouges ou blancs en Thaïlande du Nord. Le gouvernement – et notamment le roi – encourage les populations à se reconvertir dans la culture de la tomate ou du chou. Et si vous rencontrez un cultivateur *chao khao*, vous le verrez bien plus sûrement s'occuper de framboises que de pavots.

À l'aube, humide et brumeuse, nous reprenons notre marche, sur un réseau de sentiers glissants à travers la forêt. Nous croisons des Hmong ou des Karen transportant leurs paniers géants de champignons sauvages, qu'ils cuisineront dans d'énormes chaudrons. Un vieil homme part à la chasse aux oiseaux avec son mousquet rouillé. En début d'après-midi, nous atteignons le village karen de **Baan Meung Phen**.

TREKS EN TOUS GENRES

Les trekkers partent généralement de Chiang Mai ou de Chiang Rai, mais vous avez tout intérêt à vous éloigner un peu de ces centres très fréquentés. Vous trouverez d'excellentes opportunités de trekking à l'est dans la province de Nan ; quant aux tribus des collines de Pai, de Soppong et de Mae Hong Son, elles sont beaucoup moins sollicitées par les touristes. Forfaits aventures plus faciles et trekking de luxe dans la région de Tha Thon et de Mae Malai. Réserver à l'avance (➤ 311).

AU MENU

N'espérez pas vous délecter de menus gastronomiques et pantagruéliques au cours de votre trek. En général, le guide achète viande et légumes le jour du départ et les cuisine à midi ou le soir, accompagnés de riz ou de nouilles. Recettes locales : porc épicé en lamelles, ou *larb*, saucisse douce et peau de poulet. Si vous ne pouvez vraiment pas vous passer de sandwichs à l'occidentale, emportez-en avec vous, mais n'en donnez pas aux enfants, vous encourageriez la mendicité. Bouteilles d'eau, thé chaud, café et bière sont en vente dans les villages les plus importants.

CHEZ LES KAREN

Très rares sont les peuples qui ont porté l'art du tissage aussi haut que les Karen. Comme d'autres tribus des collines, ils utilisent des métiers étroits, auxquels ils travaillent assis par terre, jambes tendues. Ils confectionnent toutes sortes de vêtements très colorés, corsages, sarongs et chemises, qu'ils portent combinés avec une extraordinaire profusion de perles et de bracelets.

Tout comme les Suay, peuple du nord-est de la Thaïlande, les Karen sont renommés pour la domestication des éléphants. Leur technique traditionnelle remonte aux temps où ils habitaient les jungles birmanes. Ils sont également réputés pour leur redoutable alcool. Dans les villages, quand une jeune Karen vient de se marier, son premier travail consiste à faire bouillir une tournée d'alcool de riz pour sa nouvelle famille.

La nuit est tombée. On nous présente des bols de nouilles, avec des œufs et du riz. Rassasiés, nous nous étendons sur des matelas installés sous un porche, séparés de nos hôtes par un simple paravent d'osier.

À DOS D'ÉLÉPHANT

Rapide petit déjeuner (toasts et café), et voici nos trois éléphants qui nous attendent avec leurs *mahout* (cornacs). Au moment de grimper sur cette montagne de muscles et de chair, une certaine appréhension me saisit. Mais ce roi de la jungle n'est pas domestiqué depuis des siècles sans raison, et son intelligence comme sa sensibilité sont légendaires. Et même si certains vivent jusqu'à cent ans, la fermeté de leur pas ne flanche jamais.

En Thaïlande, la passion de l'éléphant plonge ses racines très loin dans l'histoire. L'espèce la plus réputée du royaume, l'éléphant blanc, était réservée au roi. Ces animaux aux yeux et aux ongles blancs jouissaient d'un statut quasi religieux et le roi engageait poètes et cuisiniers pour s'occuper d'eux dans les jardins du palais. Un poète alla même jusqu'à comparer le ronflement de l'éléphant blanc au tintement des cloches.

Précautionneusement, j'ai posé mon pied sur la trompe de l'éléphant agenouillé, pour me hisser, grâce à la poigne du *mahout*, jusqu'au siège de bambou fixé sur notre royal véhicule. Une fois en marche, le monde entier semble se balancer d'un côté puis de l'autre, comme si vous rentriez chez vous après une soirée (beaucoup) trop arrosée. Et avec la hauteur, la moindre pente prend curieusement des allures de montagne russe.

Quittant la clairière du village karen, la piste serpente le long d'une rivière, d'où surgit une succession de paysages envoûtants. D'innombrables papillons blancs et jaunes passent, voletant parmi les arbres. Ici un énorme gecko, là un buffle d'eau émergent des taillis, tandis que les souimangas s'envolent à notre approche, ébouriffant les orchidées nichées dans les massifs de bambou.

En sortant de la forêt, nous trouvons le soleil déjà haut. Les *mahout* ont fort à faire pour empêcher les éléphants de dévorer toute la végétation à leur

Ci-dessus *Maison traditionnelle lahu na et (encadré) famille lahu nni dans sa cabane de bambou, district de Soppong.*
Ci-dessous *Femme padang, tribu des Karen : les anneaux de métal enfoncent peu à peu les clavicules.*

portée. Enfin, après deux heures de marche, nous faisons halte : nos montures s'agenouillent, et nous retrouvons avec plaisir la terre ferme.

Descente en radeau

Si vous partez en trekking durant la mousson, méfiez-vous de créatures particulièrement peu ragoûtantes : les sangsues, sortes de petites chenilles qui pullulent après la pluie et prospèrent dans les arbres et sur les sentiers, guettant au passage le malheureux

voyageur. Une fois leur proie repérée, elles se propulsent au sol avec une vitesse incroyable, grimpent sur vos chevilles et vous sucent le sang jusqu'à ce que, rassasiées, elles vous abandonnent. Seul moyen de vous protéger : porter un pantalon et des chaussettes épaisses – ou, mieux, éviter de voyager durant la mousson.

La triste notoriété des sangsues ne date pas d'hier : au XIXe siècle, le célèbre naturaliste français Henri Mouhot estimait qu'avec les moustiques, les sangsues constituaient le pire fléau des tropiques. Dans ses *Voyages en Indochine*, il évoque ces "milliers d'insectes cruels

[qui] vous sucent le sang nuit et jour. J'aimerais encore mieux avoir à combattre les bêtes sauvages de la jungle."

Nous repartons en pleine chaleur du soleil de midi, suivant une piste qui mène à la rivière. Un radeau de bambou nous y attend. Avant d'embarquer, n'oubliez pas d'envelopper votre argent et votre appareil photo dans un sac étanche, que vous pourrez accrocher à un piquet de bambou. À bord, évitez de bouger et répartissez votre poids de manière à ne pas faire pencher le radeau.

Nous descendons ainsi la rivière pendant une heure et demie, poussés par un courant paisible, à travers un paysage de collines déboisées et de roches calcaires. Mais le niveau baisse (nous sommes en août), et nos barreurs, à l'avant et à l'arrière, s'évertuent à nous écarter des rochers au passage de rapides bouillonnants. À la fin des pluies, en septembre et octobre, cet étroit cours d'eau deviendra un torrent impétueux propulsant le radeau jusqu'à Tham Lawd en moins de 40 minutes.

Cathédrale souterraine

Deux sites majeurs attirent les touristes vers la ville de **Soppong** : la magnifique grotte de **Tham Lawd**, située à 8 km au nord, près de la rivière ; et les villages lisu qui parsèment les environs.

Tham Lawd ferait partie d'un immense réseau de grottes, le plus vaste peut-être de toute l'Asie du Sud-Est – mais dont seule une partie est visible. Les roches de cette caverne impressionnante prennent toutes sortes de formes étranges : ici une tête d'éléphant, là une grenouille, ailleurs une… soucoupe volante. Des stalactites pendent du plafond qui, à certains endroits, dépasse la hauteur d'une cathédrale.

La première grotte mène à une seconde, plus hallucinante encore. Pour gagner la troisième, béante au fond des ténèbres, il faut franchir une rivière par un petit bac.

Nous ressortons étourdis par l'ampleur du spectacle, plissant les yeux face à l'intense lumière du dehors. Notre aventure s'achève ici, au terme du troisième jour, et notre groupe se sépare. Les femmes retournent à Pai. Quant à moi, je m'apprête à emprunter l'extraordinaire route qui mène à **Mae Hong Son**, la "Cité des brouillards" (➤ 37).

ART ET ARTISANAT

Vous trouverez chez les tribus des collines une gamme extraordinaire d'objets et de costumes : portefeuilles shan magnifiquement cousus, sacs hmong, passementeries lisu, bijoux akha. La plupart sont en vente et, si vous êtes intéressé, essayez plutôt de les acheter aux villageois eux-mêmes – et n'oubliez pas de marchander. Tout le monde y gagnera : vous payerez beaucoup moins cher et l'argent ira vraiment à l'artisan.

Vélo, kayak et 4x4

Si la visite des tribus des collines ne vous inspire pas, ce voyage dans les régions nord de la Thaïlande peut se combiner avec bien d'autres activités d'aventure : randonnées à VTT dans les collines voisines de Pai (pistes abruptes et sinueuses, mais superbes), randonnées à moto (➤ 30), kayak et itinéraires de découverte en 4x4. Vous pouvez recourir à une agence, ou tout simplement louer un VTT ou un véhicule tout-terrain dans les grandes villes. Mais si vous décidez de partir par vos propres moyens, renseignez-vous au préalable : les régions frontalières sont parfois agitées. Enfin, sachez que Thai Adventure (➤ 259) propose un parcours de rafting en eaux vives de deux jours sur la Pai.

PARTIR EN SOLO

QUAND PARTIR

Pour le trekking, la meilleure période se situe entre fin octobre et fin février : paysages verdoyants, rivières hautes et températures fraîches, entre 21 °C le jour et 5 °C la nuit. La chaleur devient pénible entre mars et fin mai, et l'essentiel de la végétation se réduit à des broussailles brunâtres. La température peut monter jusqu'à 40 °C (30 °C en moyenne). La saison des pluies s'installe de juin à octobre (pluies diluviennes en septembre), embourbant les pistes où les sangsues prolifèrent.

SE DÉPLACER

Vols fréquents de Bangkok à Chiang Mai, Chian Rai et Mae Hong Son, d'où partent des bus réguliers pour Pai – quatre à cinq heures d'une route de montagne en lacet. Trains-couchettes de Bangkok à Chiang Mai (compter 11 heures). Si vous avez prévu de prendre un train ou un vol en particulier durant la haute saison ou au moment d'un festival, réservez à l'avance.

S'ORGANISER

Vaste choix de tours-opérateurs à Chiang Mai, Chiang Rai, Mae Hong Son et Pai. Tous proposent des treks pour les villages des collines, de l'excursion d'une demi-journée aux circuits d'une semaine, plus exigeants. Plusieurs opérateurs combinent également trekking et randonnée à VTT, rafting en eaux vives, randonnée à dos d'éléphant avec toutes sortes d'aventures abordables (► 259). En général les prix incluent l'hébergement, les transports et acheminements, et les principaux repas. Avant de vous engager pour un forfait, vérifiez que le guide qui vous accompagnera dans les villages parle non seulement thaï et anglais, mais aussi l'un des dialectes des collines. Vérifiez également que l'opérateur possède une licence valide. Enfin, assurez-vous que votre groupe ne dépassera pas cinq ou six personnes, si vous voulez préserver le caractère authentique de ce trek.

SÉCURITÉ

Il est formellement déconseillé de partir dans cette région en trekking par ses propres moyens, et d'aborder les villages des collines sans guide. Les risques sont réels. Par ailleurs, votre incapacité à communiquer avec les villageois et votre méconnaissance de leurs traditions peuvent les perturber, et même vous attirer des ennuis.

SANTÉ

- ❑ Ne buvez que de l'eau en bouteille. Prévoyez une moyenne de deux litres par jour
- ❑ Lavez et épluchez les fruits, ne consommez aucun légume cru
- ❑ Emportez une petite trousse de secours (sparadrap, antiseptique, et comprimés anti-dysenterie)
- ❑ Vaccin contre l'hépatite et protection contre la malaria conseillés : consultez votre médecin avant de partir

NE PAS OUBLIER

- ❑ Vêtements chauds pour les mois de novembre à février
- ❑ Bonnes chaussures de randonnée
- ❑ Casquette, chapeau et crème solaire
- ❑ Sac étanche pour garder vos affaires de valeur au sec
- ❑ Pantalon pour le soir (contre les moustiques)
- ❑ Moustiquaire, enduite si possible de produit anti-moustiques
- ❑ Lotion anti-moustiques
- ❑ Papier toilette
- ❑ Allumettes et lampe torche
- ❑ Menue monnaie et petites coupures pour les boissons et les objets d'artisanat
- ❑ Sac de couchage léger (éventuellement) pour dormir dans les villages tribaux

DANSES AVEC LES TRIBUS DES COLLINES

Les villageois dansaient jadis pour fêter les premières pousses, la fin des récoltes, ou même la mort d'un parent. De nos jours, ces danses s'adressent surtout aux touristes. Il faut d'abord convenir d'un prix avant le début de la cérémonie. Si le procédé vous indispose, expliquez que la marche vous a fatigué, ou proposez de chanter quelque chose aux enfants du village. Pour assister à des danses tribales de grande envergure, renseignez-vous auprès des grands hôtels de Chiang Mai, Chiang Rai ou Mae Hong Son.

2 L'équipée sauvage

par Ben Davies

Spectaculaire décor de collines, de forêts et de montagnes, légendaire royaume du Lan Na et sulfureuse aura du Triangle d'Or... Jamais une moto ne vous aura mené aussi loin des foules et du quotidien que durant ce périple de six jours dans le nord de la Thaïlande.

Peu de paysages se prêtent mieux que la Thaïlande du Nord à une expédition à moto. Dans cette région verdoyante, flanquée à l'ouest par le Myanmar (Birmanie) et à l'est par le Laos, les montagnes s'élèvent jusqu'à 2 595 m, surplombant des vallées aux rivières bondissantes, aux cascades enchanteresses et aux escarpements de calcaire : panoramas à couper le souffle, uniques dans toute l'Asie du Sud-Est.

Sillonné par un excellent réseau routier, le Nord, qui couvre un tiers du pays, a son histoire propre. L'antique Lan Na, "Royaume des millions de rizières", fut l'un des berceaux de la civilisation thaïe. Fondé au VIIIe siècle par le roi lao Cankaraja, le Lan Na prospéra durant plus de 500 ans autour de sa capitale, Chiang Mai. Son annexion par le Siam, en 1796, marqua la fin d'un long chapitre de l'indépendance du Nord.

Ci-dessus *Les rizières en terrasses ont remplacé la culture de l'opium, près de Mae Salong.*
Ci-contre *Les joies du tout-terrain.*

Circuit réservé aux personnes ayant déjà une bonne expérience de la moto. Si vous n'êtes pas sûr de pouvoir flirter avec les virages en épingles à cheveux, à des kilomètres de toute habitation, mieux vaut soit vous joindre à un circuit organisé (► 295), soit choisir le parcours de trois jours, de Chiang Mai à Mae Hong Son, Mae Sariang et retour.

Les hôtels et les guest houses confortables ne manquent pas tout au long de la route. Mais prévoyez d'arriver à destination bien avant le soir. Hébergement simple et sans prétention à Pai et Soppong, établissements de luxe à Mae Hong Son, Chiang Mai et Chiang Rai.

Les trails de 250cc sont parfaitement adaptées à ce voyage de 950 km. Boutiques de location à Chiang Mai ou Chiang Rai (► 260). 125cc également disponibles partout, mais elles manquent de puissance et surchauffent sur les longues distances. Vous trouverez des stations-service dans les villes et des jerricanes à vendre dans les boutiques de villages. En cas de panne, contactez votre centre de location qui se chargera d'organiser le rapatriement de la moto par camion.

J'avais déjà visité ces régions à plusieurs reprises, et j'avais même écrit des guides sur le sujet, mais je voulais revenir en explorer les zones les plus reculées. C'est ainsi que j'ai débarqué à **Chiang Mai**, par un après-midi pluvieux de juillet, pour me lancer dans ce voyage à moto.

PRÉPARATIFS DE VOYAGE

Louer une moto à Chiang Mai est presque aussi simple qu'acheter un ticket de bus. Vous n'avez pas besoin de présenter votre permis (même si la loi l'exige), et tant que vous arrivez à démarrer le moteur et à partir sans chavirer au premier tournant, personne n'ira mettre en doute vos compétences.

Ne vous laissez pas pour autant gagner par le laisser-aller général des loueurs de Tapae Gate : vérifiez soigneusement que la moto est en bon état de marche, contrôlez les freins, les feux, les pneus, l'huile, et demandez ce qui se passe si vous ramenez la moto en retard – ou pire, si vous ne la ramenez pas du tout.

Avant de quitter Chaing Mai, ne manquez pas de visiter **Bor Sang**, situé 9 km à l'est de la ville. Ce village s'est bâti une renommée mondiale grâce à la fabrication de parapluies en papier de mûrier teints de toutes les couleurs de l'arc-en-ciel. Et si vous avez le temps, allez jeter un coup d'œil au temple de **Wat Doi Suthep** (16 km au nord-ouest), construit au XIVe siècle sur la colline où l'un des éléphants blancs préférés du roi Keu Naone mourut.

Je passe la nuit à l'hôtel Montri (à côté de J. J. Bakery, les meilleures glaces de la ville), et je retrouve le lendemain matin mon compagnon d'équipée Francis Middlehurst, expert en bois de teck. Chevauchant nos Honda 250 rutilantes, nous passons Chang Puak ("Porte de l'éléphant blanc") pour prendre la route 107, direction Mae Rim et Chiang Dao.

LA PETITE SUISSE

Émergeant du grondement des motos, des klaxons des tuk-tuks (les scooters à trois roues) et du vrombissement de camions antiques, une évidence me frappe. Vous trouverez difficilement pires conducteurs et plus irresponsables que les Thaïs. Quoi qu'il arrive en face, ils doublent. Et ne tiennent absolument aucun compte du code de la route (voir encadré). Point positif pour le motard expérimenté : il s'adapte assez vite et finit même par s'amuser dans cette jungle anarchique. Mauvais point pour le débutant : s'il voulait tranquillement apprendre à conduire, il s'est trompé de pays.

La 107 écoule son trafic visqueux, filant vers le nord au long des stations-service, des usines et des chantiers de construction. Mais peu à peu la circulation diminue, et ce morne paysage de banlieue cède le pas à des prairies puis, plus loin encore, à des falaises de calcaire drapées d'une végétation verdoyante.

Peu après **Chiang Dao** (68 km), la route bifurque. La 107 continue vers

CODE DE LA ROUTE

Sur les routes sinueuses de Thaïlande, imprégnez-vous de quelques principes de base, et apprenez à prévoir l'imprévisible chez les conducteurs thaïs (outre le fait qu'ils ignorent les plus élémentaires règles du code de la route). Pour eux, le plus gros véhicule est toujours prioritaire. En bref, si un camion (ou même une voiture) dépasse en face et fonce sur vous, peu importe qui a le droit pour lui, écartez-vous. Si vous n'obéissez pas à ce principe de base, vous risquez l'accident mortel. La traîtrise de certains virages et la raideur des pentes sont également responsables d'une véritable hécatombe routière.

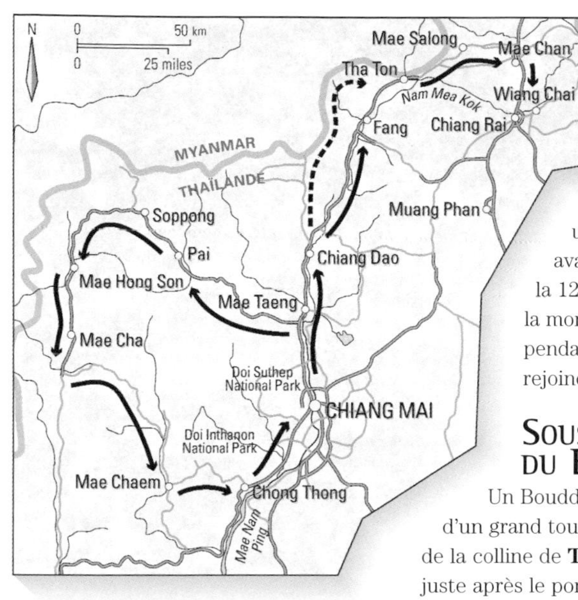

Itinéraire à moto, au départ de Chiang Mai.

Tha Ton, 108 km plus au nord. Mais à gauche, la 1178 offre un itinéraire plus intéressant, quoique plus long (emportez une carte ou prenez un guide), traversant les collines Shan jusqu'à la région de montagne surnommée localement "petite Suisse".

Au long de cette route assez impressionnante qui suit la frontière birmane, passant par Arunothai, puis Sinchai, quelques panneaux typiquement thaïs viennent nous distraire. Hormis les classiques zigzags et autres camions inclinés indiquant une forte pente, on voit un homme recevant un rocher sur la tête (attention : glissements de terrain), et plus loin, un autre symbole montrant un éléphant errant sur la route – au cas, assez improbable, où l'un de ces dignes pachydermes viendrait à prendre la 1178 pour un raccourci.

Des bornes kilométriques jalonnent la route, excellente initiative, si elles n'étaient malicieusement libellées en thaï.

Lorsque nous arrivons à **Doi Ang Khang**, le ciel a viré au noir, et les nuages se déchirent : grosse averse. La route se fait plus étroite, nous devons doubler au pas des chevaux sauvages et un cortège de mules avant de prendre à droite la 1249, qui redescend la montagne en abrupts lacets pendant 20 km avant de rejoindre la 107.

Sous la protection du Bouddha

Un Bouddha blanc géant coiffé d'un grand toupet doré campe au flanc de la colline de **Tha Ton**. Démarrant juste après le pont, un étroit sentier en ciment (praticable à moto) nous conduit au Wat Tha Ton : en contrebas, magnifique paysage de rizières, avec la rivière Kok et ses méandres étincelants dans le lointain.

D'origine thaï yai ou shan, Baan Tha Ton, comme l'appellent les habitants, va nous servir de base pour explorer la région. Nous passons la nuit à la Thaton Lodge, charmant hôtel de style chalet suisse situé sur les berges de la rivière. Shane, le propriétaire, est un ancien mercenaire irlandais. Il organise des parcours de rafting et des sorties en bateau sur la Kok, mais aussi des treks jusqu'aux minorités ethniques locales.

Dans le Nord, Tha Ton est bien connu pour ses spécialités culinaires,

VERSION COURTE

Pour faire plus court et plus facile, suivez la boucle qui vous conduira de Chiang Mai à Mae Taeng, Pai, Mae Hong Son et Mae Sariang, pour revenir à Chiang Mai. En trois à quatre jours de moto, vous aurez ainsi pu admirer quelques-uns des plus beaux paysages du royaume.

notamment la soupe à la panse de porc, et (si vous souhaitez vraiment pousser l'aventure jusque-là) la salade au sang de cochon, ou *luy*.

Le lendemain, nous nous délectons d'un petit déjeuner plus conventionnel (œufs au bacon) sur le balcon qui surplombe la rivière. Après quoi nous enfourchons nos machines pour prendre la spectaculaire 1089 en direction de Mae Salong.

LES ROUTES DE L'OPIUM

Les routes du nord de la Thaïlande offrent un confort assez surprenant. Asphaltées le plus souvent, elles s'agrémentent même de belles lignes blanches bien visibles. Cet état des routes est intimement lié à la présence de la drogue dans la région. Car c'est pour réduire la culture de l'opium, envahissante dans les zones les plus isolées, que le gouvernement américain et les agences de lutte contre les stupéfiants ont financé la construction de ces routes, qui leur permettent de mieux contrôler cette zone. Quant à la circulation, elle se réduit à de rares camions bringuebalants et à quelques buffles.

Grâce à ces aménagements, la route qui mène jusqu'à Mae Salong (aujourd'hui rebaptisé Santikhiri) permet d'admirer, sur 40 km, des paysages idylliques de montagnes sauvages et de vallées vertigineusement abruptes, semées de villages lahu, lisu et akha, les tribus des collines.

Presque aussi fascinante que son décor, l'histoire de **Mae Salong** : en 1949, après la victoire des communistes en Chine, les troupes rescapées de l'armée du Kouo-min-tang (KMT, parti nationaliste chinois), commandées par Tuan Shiw-Wen, trouvèrent refuge en Birmanie. Expulsées dans les années 1960, elles se tournèrent

Étape dans l'un des villages tribaux et (encadré) hospitalité et sourire bien caractéristiques de la région.

vers la Thaïlande. Le KMT s'engagea à s'opposer à la progression du communisme, en échange de quoi ses membres purent s'installer dans cette région frontalière où les réfugiés subsistèrent grâce à la culture et à la contrebande de l'opium.

L'influence chinoise se reconnaît facilement à l'architecture (notamment les extravagantes maisons des esprits), tout comme à la cuisine du Yunnan (essayez les nouilles de riz, ou *khanom jiin*). Et sur le marché du matin, vous

Ci-contre *Le bouddha doré du Wat Tha Ton. L'ascension jusqu'au temple est récompensée par une vue superbe sur la vallée de la rivière Kok.*

trouverez même le très énergétique vin de vipère (supposé aphrodisiaque) ou la liqueur de vésicule de serpent, élixir de jouvence à la chinoise.

Au-delà du Triangle d'Or

Lorsque nous quittons Mae Salong, le soleil est déjà haut et baigne la campagne d'un halo doré. Nous suivons la 1234 jusqu'à une route de montagne en lacet, qui ouvre de superbes perspectives sur la Birmanie et toute la région communément surnommée le "Triangle d'Or".

Dans les années 1980, l'une des grandes batailles de la guerre de l'opium fut livrée un peu à l'est de Mae Salong. Le matin du 21 janvier 1982, 800 membres de la police des frontières attaquèrent le quartier général du chef de guerre Khun Sa, près du village de Baan Hin Taek. Ils utilisèrent des mortiers, des mitrailleuses et des hélicoptères de combat. Les quelque 8 000 hommes de Khun Sa répliquèrent avec des lance-roquettes, mais durent finalement se replier de l'autre côté de la frontière birmane, emmenant avec eux 200 mules chargées d'héroïne.

La région semble avoir depuis retrouvé un calme relatif. De Baan Hin Taek (rebaptisé Ban Thoed Thai), un réseau de pistes en terre sillonne les collines jusqu'à la frontière. Mais ne partez pas sans guide sur ces pentes escarpées et dangereuses.

Une alternative plus sûre consiste à continuer sur la route principale (la 1234) jusqu'au croisement signalant Doi Tung sur la gauche. Situé sur cette montagne hautement vénérée, un temple du Xe siècle, le **Wat Phra That Doi Tung**, contiendrait un morceau de la clavicule gauche du Bouddha. Grâce à cette relique inestimable (sans doute la plus ancienne du royaume du Lan Na), les pèlerins viennent de toute la Thaïlande du Nord frapper à chacune des cloches du temple. (N'oubliez pas de laisser une offrande de 5 à 10 bahts.)

De Doi Tung, une route excellente nous fait longer des collines en terrasses jusqu'à Mae Cham puis Chiang Rai (48 km), où nous prenons nos quartiers de nuit au délicieux Saen Poo Hotel, véritable paradis pour le motard épuisé qui, après s'être délecté de son confort, peut passer une bonne soirée au night-club.

Légende du Nord

Chiang Rai aurait été fondé à l'emplacement même où l'un des éléphants préférés du roi Mengrai se serait arrêté, faisant trois tours devant la rivière avant de tomber sur les genoux. Le roi vit là un présage, et ordonna la construction d'une grande cité sur les berges de la Kok. Chiang Rai ne lui apporta cependant pas un bonheur tout à fait éternel : 50 ans plus tard, en 1317, il mourut frappé par la foudre.

Chiang Rai doit sa notoriété au moins autant à la proximité du Triangle d'Or qu'à son histoire plus ou moins apocryphe. Des dizaines d'agences de trekking ont vu le jour autour du Wangcome Hotel, le long de Premwipak Road. Elles organisent des circuits de découverte des tribus des collines, mais aussi des excursions en bateau jusqu'au fameux campement d'éléphants de Ban Ruammit (une heure en aval de la Kok).

Avant de quitter la ville, allez admirer le **Wat Ngam Muang**. Dans ce temple, perché sur une petite colline en surplomb de la ville et de la rivière, vous verrez un monument en brique qui contient les cendres du roi Mengrai. Plus à l'est, sur la Trairat Road, le célèbre **Wat Phra Keo** abrite l'un des plus grands bouddhas de la période Lan Na (XIIIe-XVe siècle).

Ragaillardis par une bonne nuit au Saen Poo, nous repartons de bon matin pour faire les 300 km qui nous séparent de Pai, via Mae Taeng. Voyage superbe, mais éprouvant – compter un minimum de six heures.

Les esprits de la route

Dans le Nord, les gens des collines entretiennent une superstition étrange. Ils pensent que des esprits, les *phi*, hantent les routes et tout spécialement le détour des épingles à cheveux, où ils décident de la destinée des véhicules qui arrivent. Dans les pentes vraiment abruptes, vous trouverez des maisons des esprits garnies de fleurs et même de verres de whisky apportés en offrande par des villageois prudents.

De Mae Taeng jusqu'à Pai et Mae Hong Son (la 1095), la route s'agrémente de quelque 150 virages en épingle à cheveux, mais aussi, en contrepartie, de cascades, forêts et montagnes grandioses, villages des tribus des collines et parcs nationaux.

Parcourir ces routes sinueuses vous plonge dans un univers presque irréel. Un habitant des collines passe, chaussé de jambières noires, avec des boucles d'oreilles grosses comme des pommes, un panier de choux sur le dos. Un pick-up nous croise, avec sa cargaison de moines dont les robes orange flottent dans le vent. Et par deux fois nous doublons des camions surchargés – à bord, des éléphants –, qui rejoignent sans doute quelque base de trekking.

Pai (► 20) est une ville charmante, déployée dans un vaste cirque de montagnes. Nous passons la nuit aux Rim Pai Cottages, après nous être régalés de *gaeng khia wan gai* (poulet au curry) dans l'un des nombreux restaurants qui bordent le marché.

Le lendemain, nous poursuivons notre route sur la très belle 1095, passant Soppong (prendre à droite pour aller admirer l'impressionnante grotte de Tham Lawd) avant d'arriver à Mae Hong Son, la Cité des brouillards.

La Cité des brouillards

Nichée dans une vallée verdoyante, au pied de collines et de montagnes couvertes de forêts, cette paisible capitale de province offre une étape idéale : repos pour la journée, découverte des tribus des collines voisines, ou visite des célèbres tribus des longs-cous, les Padang (à organiser avec un opérateur local).

Pour apprécier **Mae Hong Son** dans toute sa beauté radieuse, il faut se lever à l'aube, partir au hasard des rues dans la subtile lumière du matin et s'arrêter devant le paisible lac Chong Kham, au centre-ville. Sur ses rives, vous découvrirez deux célèbres temples de style birman : le Wat Chong Klang, du XIXe siècle, avec ses *chedi* blanc et or caractéristiques, et le temple shan voisin, plus ancien, le Wat Chong Kham, dont le bouddha assis est très révéré.

Plus haut sur la montagne (en prenant la petite route à l'ouest

Conseils d'expert

Si vous louez une moto :

- ❏ Vérifiez les pneus, l'huile, les freins et les phares avant de partir.
- ❏ Prenez une assurance sérieuse.
- ❏ Si vous roulez en groupe, ne restez pas trop près les uns des autres, mais essayez de maintenir un écart de 50 m environ.
- ❏ Partez tôt le matin et prévoyez toujours d'arriver à destination vers 16 h pour pouvoir organiser votre hébergement avant la nuit.
- ❏ Pour votre sécurité, ne roulez jamais de nuit.
- ❏ Évitez de rouler seul dans les zones rurales.
- ❏ Portez un casque de moto et de vraies chaussures (sandales à proscrire absolument).
- ❏ Prenez la carte de la Thaïlande du Nord de B&B pour connaître le réseau des routes récentes.
- ❏ Et n'oubliez pas que les Thaïs conduisent – normalement – à gauche.

de la ville) vous découvrirez le Wat Phra That Doi Kong Mu, qui domine des paysages de toute beauté. Le spectacle est encore plus superbe le matin, quand une mer de nuages se forme sur la vallée.

Nous passons la journée à explorer les environs de Mae Hong Son, notamment la grotte de **Tham Pla**. Le lendemain, nous repartons pour entamer notre dernière étape : 70 km sur la 108 avant de prendre à gauche sur la 1263. Superbe point d'orgue à notre équipée que cette route qui contourne le Mae Surin National Park, passant quelques villages hmong, karen ou shan et traversant des paysages de montagne au caractère sauvage. Quelques secteurs sont encore en travaux, mais la vue qu'offre cet itinéraire compense largement les petits inconvénients rencontrés.

À **Mae Cham**, vilain petit bourg de marché, la 1192 nous conduit à travers les majestueuses montagnes du Doi Inthanon National Park (2 565 m), semées de cavernes et cascades (à voir plutôt durant la saison des pluies). De **Chong Thong**, la 108 nous ramène après 47 km à Chiang Mai où s'achève notre périple.

Sur la route, province de Chiang Rai : le 250cc s'avère bien utile dans certaines côtes.

PARTIR EN SOLO

Quand partir

Meilleure période pour parcourir le nord de la Thaïlande en moto : durant la saison sèche, de fin octobre à fin mai. Temps frais entre novembre et février, et brumes matinales. Entre mars et mai, les températures peuvent atteindre 40 °C. Saison des pluies entre juin et octobre (éviter surtout septembre) : les routes deviennent alors glissantes et, parfois, extrêmement dangereuses.

Se déplacer

Vols Bangkok-Chiang Mai assez fréquents. Le train-couchettes de nuit est confortable et bon marché (11 heures). Comptez entre 10 et 12 heures, même itinéraire, si vous prenez un car VIP. Aéroport également à Chiang Rai. Si vous avez un planning précis à respecter, train ou avion, en haute saison ou durant la période d'un festival important, réservez bien à l'avance auprès d'une agence locale ou internationale.

S'organiser

Si vous venez en Thaïlande pour la première fois, sans connaître ni la langue, ni les routes, mieux vaut peut-être vous joindre à un circuit organisé (➤ 260). Vous en apprendrez plus sur la culture locale, et vous pourrez mieux profiter de votre voyage en toute sécurité.

Hébergement

Hôtels et guest houses abondent dans toutes les grandes villes, et il est inutile de réserver à l'avance, sauf en haute saison, si vous désirez vous arrêter dans un hôtel en particulier.

Louer une moto

Grand choix de motos de location à Chiang Mai et Chiang Rai. La Honda trail 250cc est parfaitement adaptée aux pentes raides du Nord. Si vous prenez moins puissant, vous aurez des problèmes dans les collines. Avant de louer, inspectez soigneusement la machine, car toute dégradation vous sera facturée au retour. Vérifiez que l'assurance vous couvre bien, et louez un casque (vous devrez laisser une caution et votre passeport). Les sacs se fixent à l'arrière avec des tendeurs.
Vous trouverez facilement de l'essence (*naman* – demandez du super) dans les stations-service et dans les boutiques de village. En cas de panne, contactez le loueur.

Sécurité

Rouler à moto dans le Nord ne pose pas de problèmes particuliers, mais il faut toujours voyager à deux ou trois minimum, en cas de panne ou d'accident. Certains secteurs du circuit décrit plus haut sont très exigeants : ils ne présentent pas de véritable difficulté pour un motard expérimenté, mais les débutants auront tout intérêt à choisir un itinéraire plus court et plus facile.

Santé

- ❑ Emportez une trousse de secours (sparadrap, bandes, antiseptique et comprimés anti-dysenterie)
- ❑ Prenez une assurance médicale et derapatriement pour vous couvrir efficacement en cas d'accident
- ❑ En cas d'urgence, contactez n'importe quel grand hôtel (qui vous mettra en rapport avec un médecin parlant anglais), ou votre ambassade ou consulat à Bangkok

Ne pas oublier

- ❑ Permis de conduire international
- ❑ Adresse et numéro de téléphone du loueur
- ❑ Petite trousse de secours
- ❑ Gants de moto
- ❑ Lexique thaï-français
- ❑ Billets en petites coupures pour l'essence, les sandwichs ou les boissons
- ❑ Sacs en plastique pour garder vos affaires au sec
- ❑ Lunettes de soleil, crème solaire
- ❑ Papier toilette

FESTIVALS DU NORD

La région est réputée pour ses festivals hauts en couleur et parfois exubérants. Les dates varient d'une année sur l'autre. Ne manquez pas, au mois d'avril, Songkran (la fête de l'Eau et de la Purification) et, début novembre, le merveilleux Loi Krathong. Mais fêtes des Fleurs, ordinations de moines, fêtes bouddhiques et concours de beauté se succèdent également tout au long de l'année.

3 Kayak et escalade à Phang Nga

par Simon Richmond

Surgissant de la jungle, des mangroves et des eaux miroitantes du littoral, les tours rocheuses de Phang Nga campent le cadre spectaculaire de ce voyage en kayak autour des îles. Et sur la plage paradisiaque de Railay, leurs murs vertigineux défient les grimpeurs du monde entier.

On ne choisit pas son port dans la tempête. Mais l'îlot rocheux de **Ko Thalu** (la baie de Phang Nga en compte près de 40) n'a vraiment rien d'engageant. C'est mon troisième jour d'exploration de la baie en canoë et en kayak de mer, et une grosse pluie persistante est venue changer nos plans. Un milieu unique au monde s'offre maintenant à nos yeux : une grotte, où l'on vient récolter les nids de salanganes (sortes de martinets) utilisés dans la célèbre recette des "nids d'hirondelles". À l'entrée de la grotte, quatre hommes au teint basané se reposent sur des plates-formes en bambou d'aspect fragile, appuyées à une corniche en hauteur surplombant les flots. Ce sont les *chao ley*, ou gitans de la mer, originaires des îles Andamans. Des semaines durant, ils fouillent les recoins les plus obscurs de la grotte à la recherche de nids, surnommés "or blanc" en raison des prix exorbitants que ce mets très prisé atteint sur les marchés. L'enjeu financier est considérable, et ces hommes gardent toujours un fusil près d'eux, en cas de visites inamicales. Mais la cueillette est heureusement terminée, et leur chef à barbe blanche veut bien autoriser notre petit groupe à pénétrer dans la grotte.

Impossible de distinguer les salanganes dans l'obscurité, mais nous les entendons voleter, guidées par l'écho qui renvoie leurs appels cliquetants. Un seul faisceau de lampe torche illumine des milliers de mouches et les échafaudages de bambou qui s'élèvent à 50 m jusqu'au plafond de la grotte. Les cueilleurs escaladent ces fragiles structures pour atteindre les nids. Les oiseaux confectionnent ceux-ci avec leur salive, qui durcit en une sorte de caoutchouc brun, en forme de coupe.

Sur le sol de la grotte, nous foulons un épais tapis de fientes d'oiseaux et de bambou pourri (les cueilleurs

Le maniement de la pagaie en kayak s'apprend assez vite, mais les manœuvres dans les étroits chenaux de la mangrove demandent une certaine dextérité. Le kayak n'est pas de tout repos, surtout si vous vous aventurez au large. Prenez votre temps, vous apprécierez mieux le paysage. L'escalade de falaise demande une excellente condition physique, et la chaleur n'arrange rien. Mais dans l'ensemble il s'agit plus d'acquérir une technique que d'utiliser la force brute pour se hisser.

★★ Attendez-vous à quelques courbatures et à des éraflures aux genoux après vos premières escalades. Crème solaire et bob indispensables. Prévoyez également un pantalon si vous voulez protéger un peu vos jambes.

Tout le matériel du kayak est fourni. Apportez seulement de la crème solaire, un maillot de bain (un masque, un tuba et des palmes pour la plongée), et la boisson de votre choix. Vous trouverez tout le matériel d'escalade en location à Railay, mais si vous pratiquez déjà, mieux vaut apporter au moins votre baudrier, votre sac de magnésie, et bien sûr vos chaussons (ceux loués sur place sont souvent sales et usés).

superstitieux ne retirent jamais leurs vieilles perches de la grotte) qui grouillent d'horribles blattes rouges. D'autres déchets, comme des piles électriques et des canettes de boissons énergétiques, montrent qu'un certain degré de d'occidentalisation s'immisce dans cet univers intemporel.

La lumière pénètre par une autre issue, où les salanganes se faufilent chaque jour pour aller chercher leur nourriture. Au crépuscule, elles se pressent si nombreuses par ce passage qu'il serait impossible de se tenir là où nous sommes. Les gitans de la mer sacrifient chaque année à cet endroit une carcasse de buffle, pour étancher la soif de sang des esprits de la grotte.

Karsts et "hong"

Grottes et tunnels émaillent les karsts, îlots de calcaire et de jungle qui caractérisent les provinces de Phang Nga et de Krabi (voir encadré). Lorsque le plafond d'une grotte s'effondre, laissant la lumière envahir le centre du karst, des plantes vivaces et uniques comme le *pralahoo* et le palmier cycas s'y établissent, créant une véritable serre tropicale. Les Thaïs appellent ces oasis cachées des *hong* (salles). Beaucoup ont leur sol au niveau de la mer ou en dessous et se transforment en lagons à marée haute, quand les flots se précipitent par l'entrée de la grotte.

Il faut explorer ces îlots et leurs *hong* en kayak ou en canoë, approche douce idéalement adaptée à cet environnement très délicat. Si vous manquez de temps, partez pour l'une des nombreuses excursions à la journée qui font le tour de la baie de Phuket ou de Krabi. Mais attendez-vous à trouver beaucoup de monde aux abords des îles les plus connues : les canoës font alors la queue pour attendre la marée haute qui leur permettra de se faufiler jusqu'aux *hong*. Mieux vaut choisir un circuit plus long, comme les croisières de trois ou six jours proposées par SeaCanoe (organisation à l'origine de cette forme d'écotourisme, et seul opérateur local de kayak de mer vraiment compétent).

Malheureusement le temps ne promet rien de bon lorsque j'emprunte le ponton branlant de **Laem Phrao**, à l'extrémité nord de Phuket, pour embarquer sur l'*Urida 1*, base flottante de ma croisière de trois jours dans les îles et les mangroves d'Ao Phang Nga. J'y retrouve Kendrick, médecin originaire du Colorado, et expert en kayak de mer sur les eaux nettement moins hospitalières de l'Alaska.

À bord, les membres de l'équipage sont nettement majoritaires : Jarearn, guide enthousiaste, son collègue Rambo (ainsi surnommé en raison de son passé militaire), Baht, le capitaine, Ian, le mécanicien, et Fon, le cuisinier, nous accueillent. Présentations faites, nous mettons le cap sur la baie, où les rochers, dont certains dépassent les 400 m, émergent lentement des vapeurs brumeuses en ombres grises et émeraude, un peu comme sur un Polaroïd.

Paradis secrets

Nous approchons de notre premier lagon, le plus célèbre, situé à l'intérieur de l'île **Ko Hong**. Aujourd'hui, Jarearn va nous emmener à la pagaie dans le canoë gonflable. L'entrée d'un *hong*,

La naissance des karsts

Formés voici 30 millions d'années, lors du choc titanesque des plaques du sub-continent indien et de l'Asie, les pitons de calcaire de Phang Nga et de Krabi sont les vestiges d'une ancienne chaîne de montagnes qui s'étendait de la Chine à Bornéo. Ces karsts ont été façonnés et sculptés par des siècles de mousson et par les variations du niveau de la mer. Le terme vient du Karst, une région calcaire de la côte dalmate (ex-Yougoslavie), et définit aujourd'hui toutes les formations de ce type à travers le monde.

étroit passage aux murs hérissés et couronnés de stalactites, demande une véritable adresse et une bonne connaissance des conditions locales. La marée doit atteindre juste le bon niveau pour permettre d'y pénétrer en sécurité. Parfois, les passagers doivent s'aplatir contre le canoë, où le toit de la grotte vient pratiquement leur érafler le nez. L'expérience en vaut la peine, mais les claustrophobes risquent de passer un mauvais quart d'heure.

Ce sentiment d'oppression s'évanouit dès l'entrée du *hong*, univers ensoleillé et luxuriant où les parois rocheuses se drapent d'arbres et de plantes obstinément agrippées à la moindre fissure. Le guide nous a recommandé le silence pour préserver toutes nos chances d'apercevoir des oiseaux

Ci-dessus *Les karsts de la baie de Phang Nga, encadrés par l'entrée d'une grotte et (encadré) groupe de kayakistes passant sous les voûtes à pic.*
Ci-contre *Échafaudages de bambou dressés pour atteindre les nids de salanganes.*

comme le calao casqué (*Anthracoceros albirostris*), le héron pourpré (*Butorides striatus*), le milan sacré (*Haliastur indus*), ou encore l'aigle-pêcheur (*Haliaetus leucogaster*). Mais de toute façon, confronté à une telle splendeur, on reste naturellement muet.

Nouvel aspect de la vie marine lorsque la marée descend, révélant les sols vaseux des *hong* : dans l'après-midi, suite à un excellent déjeuner et à une sieste obligée pour cause d'averse, nous nous aventurons à pied dans un autre lagon, où les arbres de la mangrove déploient toute la gloire

de leurs ramures, comme d'étranges sculptures modernes. Parmi leurs racines voûtées, des crabes violonistes, chacun brandissant son unique et grosse pince orange, sortent et rentrent dans leurs trous de vase.

Encore associée à l'image de James Bond (➤ 44), **Ko Khao Phing Kan** voit ses plages étroites envahies de touristes et d'échoppes-souvenirs toute la journée. Mais il est 17h quand nous abordons, et presque tous les visiteurs sont repartis : nous pouvons ainsi admirer en toute tranquillité une immense roche clivée, merveille géologique, et le mini-karst de Ko Tapu ("île de l'Ongle").

Pour finir la journée, petit tour de canoë dans la **Bat Cave**, royaume pestilentiel de chauves-souris frugivores,

de Railay, et il participe en vedette au spectacle de pyrotechnie donné la nuit sur la plage. Il m'a conseillé de commencer par une demi-journée, plutôt qu'une journée complète. De toute façon, la plupart des débutants ont les muscles douloureux après quelques heures d'escalade, et ils n'en apprennent pas plus en une journée.

Mon cours commence à 8h : température supportable et marée basse pour accéder au mur One-Two-Three. Jack, mon moniteur, me montre comment faire des nœuds sur une corde. Puis il plonge les doigts dans son sac de magnésie, et le voilà parti sur le mur, sans chaussures, progressant avec l'agilité d'un singe. J'essaye de

mémoriser ses gestes mais, une fois à l'œuvre, j'ai besoin de toute ma concentration pour ne pas tomber.

En dessous, Jack m'encourage de la voix, me dit de repérer les endroits marqués à la magnésie, qui m'indiquent où placer mes doigts. Il me conseille aussi de prendre mon temps, de chercher les meilleures prises où placer mes pieds et mes mains avant de les déplacer, d'essayer de me détendre, de m'arrêter de temps à autre et de profiter de la vue. Je me sens incroyablement

Ci-contre et en haut à gauche *Stage d'escalade sur le mur de One-Two-Three, plage d'East Railay.* Ci-dessous *Comme 007 : un bateau de touristes se faufile entre les piliers calcaires de la baie de Phang Nga, en direction de la "James Bond Island".*

fier d'atteindre le dernier piton – et un peu moins de savoir que la seule issue maintenant est de redescendre.

L'empreinte du Bouddha

Pour ceux qui souhaitent monter au ciel et admirer les falaises sans s'affronter aux murs de Railay, tout espoir n'est pas perdu. Mais il faut d'abord revenir à Krabi, et savoir que la quête de l'empreinte du Bouddha, au sommet d'un karst de 600 m (8 km au nord de Krabi), nécessite tout de même de verser quelques gouttes de sueur.

Direction Wat Tham Sua, ou "temple de la grotte du Tigre", ainsi nommé parce qu'un rocher affecte la forme d'une patte de tigre. À l'entrée de la grotte, un bouddha géant de couleur rose vous accueille, ainsi qu'un squelette dans sa vitrine – destiné à vous rappeler le caractère transitoire de l'existence. Première possibilité : suivre le sentier circulaire qui passe sous les portraits psychédéliques de Kuan Yin, déesse chinoise du pardon, et conduit à une vallée où vivent moines et nonnes, dans de petits chalets de bois (*kuti*) abrités à l'entrée de nouvelles grottes.

Pour ma part, je décide de prendre le chemin qui mène à l'**empreinte du Bouddha** : 1 272 marches au total, et je regrette amèrement de n'avoir pris qu'une seule bouteille d'eau. L'ascension n'a rien d'une promenade de santé, avec ses zigzags interminables qui ne laissent apercevoir le sommet qu'au tout dernier moment. Mais une fois en haut, la sueur, le cœur qui bat et le souffle court s'évanouissent comme par enchantement devant le panorama circulaire qui se déploie sous mes yeux.

De ce perchoir en ciment, j'aperçois les karsts en mer, mais aussi ceux situés à l'intérieur des terres, cernés par le ruban brun des rivières qui les contournent en méandres, et, plus loin, les alignements réguliers des plantations d'hévéas. Ce panorama si caractéristique de la Thaïlande du Sud me captive un long moment, quand je remarque en contrebas l'empreinte d'un pied humain sur un bloc de calcaire mis en évidence. Le Bouddha est peut-être bien monté ici, après tout.

La grotte de la Princesse

À l'intérieur, un temple honore la mémoire d'une malheureuse princesse qui, voici très longtemps, se noya dans la baie. Les riverains pensent que l'esprit de la princesse hante cette grotte et gouverne leur destinée sur les flots. À chaque pleine lune, ils viennent lui apporter des offrandes de fruits et de fleurs et, durant la cérémonie, lui demandent sa bénédiction.

Les grottes et les lagons de Railay

Si l'escalade ne vous tente pas, reste encore l'exploration des nombreuses grottes de Railay. Sur la pointe nord de la plage d'East Railay, et facilement accessible, **Diamond Cave** (la grotte aux Diamants) doit son nom aux dépôts scintillants de calcite qui en recouvrent certaines roches. La légende rapporte que deux amants maudits, poursuivis par leurs proches, vinrent s'y réfugier. Une passerelle traverse la grotte, illuminée par endroits, notamment la cascade et une salle spectaculaire, hérissée de stalactites et de stalagmites.

La plus jolie plage de la péninsule, **Ao Phra-Nang** (ou Hat Ham Par Nag), abrite également la Princess Cave. Les plus audacieux auront peut-être envie d'escalader les rochers du fond de la grotte pour aller découvrir le verdoyant et secret **lagon de la Princesse**. Mais renseignez-vous d'abord auprès des gens du coin : trouver le bon accès n'est pas évident, et mieux vaut ne pas vous y risquer seul, surtout durant la mousson, le terrain devenant boueux et dangereux. Par ailleurs, il vous faudra attendre la marée haute, autrement le lagon reste à sec.

PARTIR EN SOLO

QUAND PARTIR

Meilleure période : entre novembre et avril. Durant la mousson (en été), les pluies incessantes et la boue risquent de vous gâcher le voyage. À Railay, les prix d'hébergement explosent en haute saison, décembre et janvier.

SE DÉPLACER

Principal point d'accès international pour Phang Nga et Krabi : l'île de Phuket, qui possède un aéroport sur sa côte nord-ouest. Liaisons directes également par car de Bangkok, mais trajet interminable : mieux vaut prendre l'avion si vous en avez les moyens. Hormis le bus (voir ci-dessous), autre solution pour traverser la baie, plus agréable : prendre un ferry de la ville de Phuket à Ko Phi Phi le matin, puis le bateau de l'après-midi pour Krabi. Également valable pour le retour.

Les agences de Phuket et de Patong proposent des voyages en bus climatisés pour Krabi (300 bahts / 8 $ l'aller). Trajet de trois heures, un peu moins si vous vous arrêtez à la petite ville de Phang Nga, point de départ des croisières en bateaux "longue-queue". Essayez Sayan Tour ou Mr Kaen Tour, à la station de bus. L'excursion d'une demi-journée coûte 200 bahts (5 $) par personne (minimum de 5 personnes) ; la journée complète : 500 bahts (12 $) déjeuner inclus. Alternative plus chic (mais aussi plus chère) : East West Siam propose des croisières sur sa jonque chinoise traditionnelle.

EXCURSIONS EN KAYAK

SeaCanoe (➤ 262, 298) offre les meilleures prestations. Excursions à la journée : environ 2 500 bahts (70 $) par personne ; croisière de 3 jours, 550 $; six jours, 990 $. Si vous avez déjà fait du kayak, tentez l'expédition de six jours : 10 à 15 km de kayak par jour, sans bateau escorte.

Santana (➤ 262), autre agence réputée, propose des excursions à la journée dans la baie de Phang Nga à partir de 85 $, des croisières de deux jours à partir de 170 $, et des circuits de trois jours combinant trek de jungle et excursions en canoë dans le parc national de Khao Sok à partir de 260 $.

ESCALADE

Les "longue-queue" partent toute la journée du quai principal de Krabi pour Laem Phra-Nang (45 min) et s'arrêtent à la plage d'East Railay ; 5 min de marche et un isthme étroit vous séparent alors de West Railay.

Fiez-vous aux opérateurs établis de longue date, tel Tex Climbing (➤ 262), près de Coco House, King Climbers, derrière Ya-Ya's, ou encore Pra-Nang Rock (➤ 261), à l'extrémité nord de la plage d'East Railay.

Les stages d'une demi-journée à trois jours, location de matériel incluse, coûtent de 500 bahts (14 $) à 3 000 bahts (80 $). Matériel disponible chez tous les loueurs : équipements complets pour deux personnes (baudrier, chaussures, coinceurs, huit, descendeurs, cordes, etc.) de 500 bahts (14 $) pour une demi-journée à 800 bahts (20 $) la journée.

Pour les grimpeurs confirmés, King Climbers et Pra-Nang Climbers éditent un guide des voies (le second inclut des renseignements sur l'escalade du Ko Phi Phi).

SANTÉ

- ❑ Comptez deux bouteilles d'eau par personne et par jour ; épluchez ou lavez les fruits, et évitez de manger des légumes crus
- ❑ Prenez une petite trousse de secours, avec antiseptique, sparadrap et comprimés anti-diarrhéiques
- ❑ Vaccin contre l'hépatite et protection contre la malaria recommandés. Dans tous les cas, consultez votre médecin avant votre départ

NE PAS OUBLIER

- ❑ Crème solaire résistante à l'eau
- ❑ Maillot de bain, masque, tuba et palmes

AUTRES ACTIVITÉS À RAILAY

Les non-grimpeurs trouveront à Railay toutes sortes d'activités : plongée avec ou sans bouteilles et kayak de mer. Le centre de plongée Phra Nang Divers propose des stages tous niveaux, du stage Open Water de quatre jours aux croisières de plongée locales ou plus éloignées, avec nuits à bord. Certains chalets louent des kayaks qui vous permettront d'explorer les criques de la péninsule.

4 L'Isan à VTT

par Ben Davies

Cette expédition de cinq jours et de 300 km à VTT s'inscrit dans le cadre idyllique de l'Isan, région reculée et peu fréquentée du nord-est du royaume. Elle vous fera traverser des paysages sereins de superbes collines et de rizières et suivre, tantôt le dominant, tantôt le longeant, le grand et majestueux fleuve Mékong.

L'une des plus belles destinations de Thaïlande est aussi la moins visitée. Bordée au nord et à l'est par le Laos, à l'ouest par la chaîne de Pitchabun, l'Isan tire son nom du grand royaume môn-khmer qui dominait la région voici plus de 1 000 ans. Les sables arides du plateau de Korat occupent une grande partie du territoire, tandis que les villages de rizières jalonnent les rives du Mékong, dans un paysage ciselé par les hautes crêtes du Laos voisin.

L'Isan, outre ses beautés naturelles, est réputé pour ses anciennes traditions, d'inspiration nettement lao, pour sa cuisine épicée et, surtout, pour la joie de vivre et l'hospitalité de ses 18 millions d'habitants, fermiers souvent misérables originaires du Laos et du Cambodge. Pour visiter cette région peu connue,

À droite *Nong Khai : passagers et marchandises embarquent pour le Laos, sur la rive opposée du Mékong.*
Ci-dessous *Un tuk-tuk rutilant attend le client. La pétarade de son moteur à deux temps lui a valu ce surnom.*

j'ai pris le train de Bangkok à **Nong Khai** (11 heures), et j'ai loué un VTT à la Mut Mee Guest House (➤ 263), sur les rives du Mékong.

Avant de quitter Nong Khai, j'ai profité de mon après-midi pour aller me promener du côté de Meechai Road, où quelques superbes bâtiments de style franco-chinois témoignent de l'époque coloniale, et j'ai visité le temple brahmanique de Wat Kaek, construit par le célèbre Luang Puu (Vénérable Grand-Père). Autre site intéressant : le Wat Po Chai (sur Prajak Road), dont la statue d'or fut amenée du Laos par le Mékong. Le bateau fit naufrage mais, selon la légende, la statue reparut

Pour profiter au maximum de ce voyage, mieux vaut être en bonne condition physique, et pouvoir pédaler 50 km par jour sur des routes en majeure partie asphaltées (on peut aussi faire le trajet plus rapidement). Il existe également des circuits organisés sur mesure (avec van en soutien) : l'idéal si vous voulez prendre les petites routes et mieux connaître la culture de l'Isan.

★★ Hébergement très simple dans les guest houses et les bungalows des bords du Mékong, à peu près déserts durant la saison des pluies (de juin à septembre).

Matériel fourni par les opérateurs de circuits (deux personnes au minimum). VTT à louer chez Mut Mee Guest House à Nong Khai (réservez à l'avance, ➤ 263), mais vous pouvez aussi amener votre vélo par train de Bangkok. Dans ce cas, n'oubliez pas de prendre chambres à air de rechange et kit de réparation : vous ne trouverez rien en route.

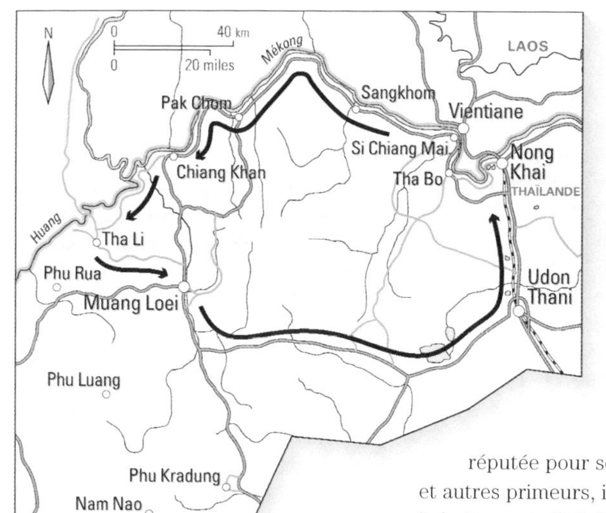

Le circuit de l'Isan, longeant la frontière du Laos et le Mékong.

miraculeusement à la surface, pour devenir le principal objet de vénération de Nong Khai.

Nids-de-poule et brochettes de poulet

Le lendemain matin, vêtu d'un short cycliste noir (acheté au marché de Nong Khai) et d'une chemise orange du plus bel effet (pour être bien visible sur la route) – sans parler d'un affreux casque en plastique, incongru mais bien utile en cas d'accident –, je prends la direction de Si Chiang Mai. Ignorant la rutilante et toute nouvelle route 2 (direction Udon Thani), je prends à l'ouest, passant sous le Friendship Bridge après la gare (ce pont franchit le Mékong vers le Laos, que les cyclistes incluent souvent dans leur tour de l'Isan). Plus de panneaux : cahots et nids-de-poule jalonnent la route qui file maintenant tout droit, longeant villages bordés de palmiers et marchés poussiéreux, jusqu'à **Tha Bo** (22 km).

En arrivant dans cette ville réputée pour ses bananes, légumes et autres primeurs, il faut prendre à droite sur la 211. La route se fait alors agréable, avec son asphalte lisse et ses rangées d'arbres, qui m'accompagnent jusqu'à **Si Chiang Mai** (13 km).

Non loin du fleuve, sur Rim Kong Road, on trouve une petite guest house, un hôtel rudimentaire, et un charmant temple de style lao (Wat Hat Pratum). Et surtout, une rangée d'échoppes installées le long de la promenade, où l'on peut se concocter un pique-nique de *somtam* (salade de mangue épicée) et de *ghai yang* (brochette de poulet), deux des meilleures spécialités culinaires de l'Isan – à déguster accompagné de *khao niau*, le riz gluant local. Ses grains translucides se roulent en boulette dans la main et se trempent dans les sauces disposées au milieu de la table.

Vues sur le Mékong

Pour être sûr d'arriver à Sangkhom en fin d'après-midi, il faut quitter Si Chiang

UNE EXPÉRIENCE ENRICHISSANTE

Pour approcher un Isan plus authentique, rien ne vaut la compagnie d'un guide local parlant français : il vous donnera des informations précieuses sur les paysages et la culture du pays. Il organisera également la location des vélos et pourra fournir tout le soutien nécessaire. Et surtout, lui seul connaîtra suffisamment la région pour vous emmener sur les toutes petites routes – et vous ramener en toute sécurité (► 262).

Mai sans trop tarder. Le trajet ne fait que 45 km, mais la seconde partie me réserve quelques côtes sévères, qui mettraient à rude épreuve le cycliste le plus aguerri.

La 211 commence par une longue section plane, traversant rizières scintillantes et plantations de fruits. Mais la route s'engage bientôt dans les collines. Au passage, un panneau sur la droite indique le centre de méditation du Wat Hin Maek Peng : ses salles de contemplation, bâties sur d'énormes rochers, surplombent le fleuve.

En approchant Sangkhom, le paysage prend de l'ampleur – et les pentes se font plus raides, passant devant la **cascade de Than Thong** (à voir à la saison des pluies). Puis la route bascule, et le Mékong surgit en contrebas, semé de rochers géants.

Un peu avant Sangkhom, j'ai pris sur la gauche une petite route qui mène jusqu'à un temple perché plus haut dans les collines : vue exceptionnelle sur les méandres du fleuve – surtout au petit matin ou au crépuscule. Pour redescendre, je dois rebrousser chemin jusqu'à la route principale ; 2 km encore, et j'arrive au rafraîchissant village de Sangkhom, avec ses River Huts Bungalows (➤ 263).

Cap à l'ouest

Il faut avoir vu au moins une fois dans sa vie le soleil se lever sur le Mékong à **Sangkhom** – et avoir pédalé deux jours pour l'apprécier pleinement. En quelques minutes, les flots passent du gris à l'orange, puis à ce brun trouble si caractéristique du grand fleuve. Émergeant de la brume, de petits bateaux de pêche filent à la surface des eaux, puis s'évanouissent, comme avalés par l'invisible frontière du Laos. Tout est silence, des berges verdoyantes aux montagnes bleutées à l'horizon.

Encore sous le choc de ce spectacle irréel, je remonte à vélo pour suivre (vers l'ouest) la berge où, dans le soleil brouillé de vapeurs, les villageois font sécher des bananes. De Sangkhom, il faut moins d'une heure (14 km) pour atteindre les **chutes de Than Thip**, signalées à courte distance de la route principale. J'y découvre une élégante petite cascade encadrée par un bosquet de bananiers, et où l'eau pure des montagnes déborde en terrasses au flanc de la colline.

Passé Than Thip, la route épouse les pentes douces des collines. Ici, je m'arrête pour acheter un peu d'eau, là, pour prendre une *khway tiao nam* (soupe de nouilles) dans l'un des hameaux qui jalonnent le trajet jusqu'à la petite ville ensommeillée de **Pak Chom**.

Je passerai la nuit à la Pak Chom Guest House (➤ 263), perchée de façon quelque peu téméraire à l'extrême bord du fleuve. Je prends une Beer Singh (bière locale) en compagnie d'un couple de Suédois en voyage de noces avant de me mettre au lit de bonne heure, et de plonger aussitôt dans un sommeil bercé par le murmure du Mékong tout proche.

"Choc Dee !"

La route qui conduit de Pa Chom à Chiang Khan (41 km) offre peut-être les paysages les plus attachants du voyage, montant et descendant

PARCS NATIONAUX

L'Isan possède deux parcs nationaux, très populaires en Thaïlande : Phu Rua, à 50 km à l'ouest de Loei, par la belle route 203. Quant au Phu Kradung, il se trouve 82 km au sud de la route 201. Dans les deux cas, il s'agit d'un parcours difficile à vélo, d'autant que l'entrée du parc de Phu Kradung ferme à 15h afin de laisser le temps nécessaire (2 à 3 heures) aux visiteurs pour faire l'ascension de la montagne. Le parc ferme durant la saison des pluies, de fin juin à début octobre.

de petites collines frangées de rizières et de champs de maïs.

Vêtus de *paisin* (sarongs) et coiffés de grands chapeaux de paille, les fermiers plantent les pousses de riz. D'abord semées dans des pépinières, les jeunes pousses sont déracinées, puis apportées dans les champs, où on les plante par rangées, les laissant mûrir trois mois avant de revenir les récolter manuellement.

Je passe devant une haie de fermiers qui me saluent en criant "*choc dee !*" (Bonne chance !), absolument hilares à la vue de cet étranger solitaire sur son vélo, et je continue ma route sur cette bande étroite de goudron, en pleine chaleur de midi.

Un peu avant Chiang Khan, une route sur la droite mène au temple de Wat Tha Kaek, puis aux célèbres **rapides de Kaeng Kut Khu**. On peut franchir ce passage en bateau après une forte pluie (renseignez-vous dans les hôtels de Chiang Khan). Mais pour l'heure, je n'aperçois qu'une vaste étendue d'eau, tout juste troublée par d'invisibles remous.

De retour sur la grand-route, 3 km encore vers l'ouest et me voici à **Chiang Khan**, interminable ville-serpent qui s'étire le long du Mékong, sur fond de montagnes.

La ville aux moines

Dans les collines qui bordent Chiang Khan, un temple abrite l'empreinte de pied du Bouddha. Tous les ans, durant la retraite de Khao Phansaa, des dizaines de milliers de fidèles descendent au **Wat Pra Bhat** pour y brûler de l'encens et offrir des robes aux moines, dans l'espoir que ces offrandes leur garantiront une meilleure vie après la réincarnation.

Cette petite ville abrite encore bien d'autres temples, et les moines envahissent ses rues étroites à l'aube. Sur Chai Khong Road, le temple de **Wat Mahathat**, de style lao très ouvragé, date de 300 ans. Plus à l'est,

le **Wat Tha Khaek** mire ses teintes ocrées dans les eaux du fleuve, non loin des rapides.

Mais Chiang Khan ne se résume pas à ses temples. Il y a ici toute une atmosphère qu'il faut prendre le temps de savourer. Laissez votre vélo à l'hôtel ou à la guest house, et descendez sur les berges de la rivière, où les villageois cultivent tomates, haricots et autres légumes. Partez ensuite à la découverte des petits *soi* (chemins de traverse) et des vieilles maisons de bois du côté de Chai Khong Road, ou vers la maison des douanes, regarder les bateaux surchargés de marchandises et de passagers qui se croisent en travers du fleuve, allant et venant du Laos, sur la berge opposée.

Terres frontalières

J'ai passé toute une journée à me promener dans les rues, et à me détendre dans les petits restaurants qui longent le fleuve. Bien reposé maintenant, je peux reprendre mon vélo, prêt à affronter la dernière et la plus difficile étape de mon voyage dans l'Isan. Deux routes mènent de Chiang Khan à Loei, capitale de la province. La plus courte file sur 50 km au sud (route 201) et ne prend que quelques heures. L'autre, que j'ai choisie, suit une route (la 2195) beaucoup plus exigeante, mais peu fréquentée, jusqu'à Ban Pak Huay, où je passerai la nuit avant de rejoindre Loei.

Je lève le camp à l'aube pour être sûr d'atteindre mon étape pour la nuit avant la fin de l'après-midi. La route s'élève bientôt dans les collines, laissant la ville et le Mékong loin derrière. Peu à peu, presque imperceptiblement, les paysages se transforment, rizières et plantations de fruits cédant le pas à des zones de friches et de falaises dénudées. Dans ce milieu sauvage, les troupeaux de buffles d'eau empruntent autant la route que les voitures.

En haut à gauche *Au grand air avec ce transport public typique de l'Isan.*

À droite *Sur la route, et encore à la fraîche.*

Ci-dessus *Moisson dans les rizières, environs de Tha Li.*

Cette région a vu les tensions entre Thaïs et Laotiens exploser en une guerre frontalière de trois mois, à la fin de l'année 1987. La zone offre aujourd'hui une apparence de calme trompeur : à moins de bien la connaître et, comme moi, d'avoir plusieurs fois voyagé dans l'Isan, ne traversez le secteur qu'en plein jour, et si possible accompagné par un guide local.

L'après-midi touche à sa fin lorsque **Ban Pak Huay** est en vue, campé sur la berge de la rivière Heung. Le village possède deux bungalows très rudimentaires (OTS Guest House, ➤ 263). Si vous ne voyez personne, demandez Mme Khun Oi, personnage remarquable qui gère l'endroit avec son fils.

Profitant de l'éclat de la lune, je prends un bain dans les eaux peu profondes de la rivière. Mes courbatures de la journée s'évanouissent au contact de l'eau fraîche et du sourire amical de ces villageois visiblement peu habitués aux touristes. À moins de 30 m de distance, sur la rive en face, quelques lumières scintillent : le Laos.

La Sibérie du Nord-Est

Ma dernière journée va me conduire à travers une série de paysages uniques en Thaïlande. La province de **Loei** est fort justement surnommée la Sibérie du Nord-Est. En hiver, de novembre à janvier, les températures peuvent chuter jusqu'à 0 °C, un épais brouillard blanc couvrant les routes au petit matin. Inversement, les températures estivales montent jusqu'à 40 °C.

La province accueille nombre de manifestations remarquables. Le carnaval des Fleurs, qui se déroule en février, comprend notamment un concours de la reine de beauté du carnaval ; fin juin, le Phi Ta Khon met en scène un rite de fertilité célébré par les villageois dansai, qui s'affublent de masques brillamment colorés et paradent dans la grand-rue en brandissant des phallus géants.

De Ban Pak Huay, la route file tout droit à travers les rizières jusqu'à **Tha Li** (8 km), vieux village de contrebandiers réputé pour ses buveurs prodigieux. Peu avant l'entrée du village, je prends à gauche la route 2114, qui serpente entre les collines, magnifiquement encadrée par les montagnes de Khao Ngu et de Khao Laem.

Sur la dernière section du voyage, un petit détour encore, mais qui récompensera vos efforts : à 11 km de Loei, une route sur la gauche vous conduira à une célèbre grotte de méditation, **Tham Paa Phu**, temple et cellules creusés dans la falaise. Il faut ensuite revenir sur la grand-route avant de rejoindre une large artère à quatre voies jusqu'à **Muang Loei** (littéralement, "ville de Loei"), affreuse cité tentaculaire qui marque la fin du périple. Si vous en avez encore le courage, poursuivez vers les parcs nationaux de **Phu Rua** ou de **Phu Kradung**, mais leurs superbes routes de montagne essouffleront les cyclistes les mieux entraînés.

Pour ma part, j'estime en avoir assez fait, et j'adopte la solution de facilité. Je juche mon vélo sur le plateau d'un *songthaew* (camion pick-up), et m'en retourne à Nong Khai en cinq heures – sans le moindre effort.

FESTIVALS EN ISAN

Selon les gens d'Isan, le Bouddha est étourdi : pour lui rappeler le temps de la mousson annuelle, ils tirent des fusées dans le ciel. Si vous vous trouvez dans les parages en mai (préférez Nong Khai ou Loei), vous verrez peut-être ces missiles géants traverser les nuages, propulsés par 100 kg d'explosifs maison. Et si vous arrivez en juillet, vous trouverez les villageois en train de fabriquer des bougies grosses comme des maisons, qu'ils apporteront aux moines en offrande durant le Khao Phansaa.

PARTIR EN SOLO

QUAND PARTIR

Meilleure période pour le vélo dans le Nord-Est : entre octobre et fin février – ciel dégagé et températures agréables (27 °C en moyenne). Mais attention au froid, parfois très vif la nuit, et aux brumes matinales Entre mars et mai, la chaleur devient étouffante (jusqu'à 40°) et humide. La saison des pluies (entre juin et septembre) a ses avantages, surtout si vous partez en groupe, mais les routes deviennent glissantes, et parfois très dangereuses.

SE DÉPLACER

Trains réguliers pour Nong Khai (notamment un train-couchettes confortable) de la gare de Hualamphong à Bangkok (11 heures). Le dernier wagon accueille les vélos, mais prenez votre billet à l'avance à la gare. Comptez dix heures de route en car VIP. Des bus réguliers, climatisés, relient les grandes villes du Nord-Est ; des *songthaew* (camions pick-up) desservent les routes secondaires.

PRÉVOIR

Vous obtiendrez en principe un visa d'un mois à votre arrivée en Thaïlande, mais renseignez-vous d'abord auprès de votre ambassade.

LOUER UN VÉLO

Pour rouler à vélo dans le nord-est de la Thaïlande : contactez l'un des opérateurs ayant pignon sur rue à Bangkok ou à Chiang Khan. Si vous avez décidé de voyager par vos propres moyens, vous trouverez des VTT chez Mut Mee Guest House(➤ 263) , à Nong Khai. En haute saison, réservez bien avant votre départ si vous ne voulez pas être déçu. Avant de louer un vélo, vérifiez que tout fonctionne bien, car vous serez responsable pour tout matériel endommagé au retour.Rien ne vous empêche en principe d'emporter votre propre vélo en Thaïlande ; vérifiez auprès de la compagnie aérienne.

HÉBERGEMENT

Hébergement standard à Nong Khai et Loei. Ailleurs et le long du Mékong, n'espérez pas grand-chose en matière de confort. Si Chiang Mai, Sangkhom, Pak Chom et Chiang Khan possèdent des guest houses ou des bungalows agréables donnant sur le fleuve. Une paire de petits bungalows également à Ban Pak Huay.

LOCATIONS DEUX ROUES

Mut Mee Guest House (➤ 263) loue une douzaine de VTT. Réservation conseillée en haute saison et caution obligatoire.
1111/4 Kaeworawut Road, Nong Khai
Tél. (042) 460717

Planct Scuba and Wild Planet (➤ 263) propose des VTT 21 vitesses en location.
9 Thonglor 25, Sukhumvit 55, Klong Toey, Bangkok
Tél. (2) 7128188

SUR LA ROUTE

- Théoriquement, les Thaïs conduisent à gauche
- Quoi qu'il arrive, le plus gros véhicule a toujours la priorité
- Attention aux revêtements glissants après la pluie
- Ne circulez jamais seul dans les zones isolées.
- Ne roulez jamais la nuit.
- Portez un vêtement réfléchissant et un casque cycliste.
- Indispensables : gants, lunettes de soleil et crème solaire.

QUELQUES TUYAUX

- Essayez de rouler toujours à trois minimum : les accidents et les pannes n'ont rien d'exceptionnel
- Si vous êtes en panne, prenez le songthaew (camion pick-up) local et gagnez la ville la plus proche
- Emportez une carte à jour, un lexique thaï et un kit anti-crevaison. Si vous partez avec votre propre vélo, prenez aussi une chambre à air de rechange
- Partez tôt le matin, pour profiter de la fraîcheur et arriver à destination en milieu d'après-midi
- Ceux qui n'apprécient pas le vélo peuvent louer un scooter (100cc). L'engin a aussi son utilité comme véhicule de soutien si vous voyagez en groupe

SANTÉ

- Soyez sûr d'être correctement acclimaté au pays avant de partir à vélo. Buvez en grande quantité et prenez des pastilles hydratantes
- Emportez une petite trousse à pharmacie, avec du sparadrap, une crème anti-bactérienne, et des comprimés anti-dysenterie
- Assurez-vous que vous êtes bien à jour dans vos vaccins anti-tétanos et autres (consultez votre médecin)
- Vérifiez que vous êtes couvert par une bonne assurance médicale

5 Délices de l'E&O Express

par Jill Gocher

Avec l'East & Oriental Express, train aux wagons luxueux, au restaurant raffiné et au personnel digne des plus grands palaces, c'est toute l'élégance et la poésie nonchalante d'un temps révolu qui vous accompagnent de Bangkok à Singapour, en passant par le célèbre pont de la rivière Kwai et l'île de Penang, "Perle de l'Orient".

Plongée dans les profondeurs d'une moelleuse banquette du wagon panoramique de l'Eastern & Oriental Express (► 364), mon gin tonic et ses glaçons tintant à portée de main, je passe en revue tous les voyages en train que j'ai pu faire. Aucun doute, l'E&O Express rivalise avec les meilleurs, enrobant l'aventure d'un écrin luxueux, tout imprégné de la nostalgie des voyages d'antan.

De Bangkok à Singapour, le voyage, qui dure 46 heures, traverse les rizières verdoyantes de la Thaïlande méridionale, franchissant la frontière, puis toute la péninsule malaise, avant d'enjamber les passes de Singapour.

Ce voyage exige une détente totale pour apprécier pleinement le luxe raffiné du décor et les saveurs exquises de la cuisine.

Les cabines ont été conçues pour apporter un confort maximal, dans les limites forcément exiguës d'un wagon.

Prenez des vêtements chics mais décontractés pour la journée, et habillés pour le soir. Comme dit la brochure, "*dressing up is encouraged*(il est recommandé de s'habiller le soir)".

Terminus triomphal pour un voyage de cette envergure, postée à l'extrême pointe du continent asiatique, l'ultramoderne Singapour fut d'abord capitale coloniale, lieu de villégiature pour les planteurs installés dans

les régions sauvages de Malaisie, et première étape asiatique d'un tour du monde. Une grande part de son élégance et de son architecture coloniales a cédé la place à de vertigineux gratte-ciel et à un univers de béton tout entier voué à la course au développement. Mais Singapour conserve quelques vestiges de son passé prestigieux. Certains de ses établissements les plus célèbres, comme le Raffles Hotel (➤ 264), ont été rénovés, et distillent un charme indéniable.

Ci-dessous *L'orgueil des chemins de fer thaïs à quai.* À gauche *Dès le départ, tout le personnel promet de vous dorloter comme des coqs en pâte.*

PREMIERS KILOMÈTRES

Mon compagnon et moi-même avons choisi de partir de Bangkok, après un trop bref moment de détente au superbe Oriental Hotel (➤ 264). Cette adresse prestigieuse a joué un grand rôle à la fin du XIXe siècle et fut le principal hôtel de la ville durant plus de 100 ans. Ouvert en 1876, il devint rapidement le lieu de rencontre huppé de l'élite de la ville et des voyageurs de passage. De nos jours, la délicieuse nostalgie qui en émane en fait un véritable lieu de culte pour les âmes romantiques.

De l'hôtel, cinq minutes suffisent pour gagner la Central Railway Station,

et nous avons pris une bonne marge pour y être à 11h sonnantes. Dans cette ville célèbre pour ses embouteillages, une telle proximité est appréciable. On nous fait patienter quelques instants dans une salle d'attente climatisée, avant de nous conduire au train à quai – ses wagons étincelant de vert et d'argent.

Le personnel aide chacun à s'installer confortablement tandis que le train s'ébranle lentement. Nous prenons aussitôt la direction… du wagon-restaurant. Tables élégantes, couvertes de lin blanc ; verres de cristal et couverts en argent scintillent chaleureusement dans la lumière du soleil matinal, tandis que des appliques murales jettent leurs reflets jaunes sur les boiseries de ce salon sur roues. Le balancement hypnotisant du wagon sur les rails ajoute à l'impression de confort et de détente.

Alors que nous quittons la ville, nous sommes mis en appétit par des petits pains tout chauds, du café de Colombie, un soufflé au fromage de chèvre astucieusement servi avec des croûtons au saumon, suivi de médaillons de poisson pané accompagnés d'une appétissante garniture.

Les voyages en train offrent généralement un contact direct avec les cultures locales, permettant la découverte des parfums, des sons et des paysages d'un pays étranger. Avec l'E&O Express, il en va tout différemment. On propose ici aux voyageurs une image stylisée et romancée de l'Asie. Conçu presque exclusivement pour les touristes, ce train doit offrir luxe, confort et agrément aux privilégiés qu'il transporte. Les passagers se voient traités comme des hôtes de marque, chaque fois salués par le personnel thaï avec un *wei* (salut traditionnel). Le service reste toujours aimable et poli. Les serveuses du bar sont habillées de *cheongsam* rouges ou de costumes traditionnels, tandis que le personnel de cabine porte d'élégants uniformes d'inspiration thaïe.

Au bec fin

Quelques distractions viennent rythmer le voyage. Un soir, c'est un récital de musique thaïe, le lendemain, un spectacle de danse malaise. Un pianiste se produit tous les soirs au bar principal et, l'après-midi, une diseuse de bonne aventure se tient à votre disposition pour vous annoncer toutes sortes de bonheurs à venir.

Mais la distraction principale reste le dîner – aventure culinaire où saveurs thaïes, malaises, birmanes et indiennes se mêlent discrètement à une cuisine essentiellement occidentale. Le chef, Kevin Cape, a exploré tous les styles de cuisine orientale pour réaliser des plats créatifs qui lui valent d'être invité un peu partout dans le monde.

Voici un médaillon de morue parfumée dans sa nage de coriandre et de bouillon de cresson, un rouleau de fruit chaud à la chinoise, un médaillon de bœuf accompagné de son gâteau de riz, ou *ketupat*, aux raisins et aux

PENANG, ÎLE DORÉE DE MALAISIE

Fondée par le capitaine Francis Light en 1786, avec l'accord négocié du sultan de Kedah, Penang fut la première colonie britannique du détroit de Malacca. On tira au canon des pièces d'or dans la jungle pour encourager le déboisement, et la jeune colonie se développa rapidement. Le gouverneur offrit des terres aux nouveaux immigrants, qui venaient d'Inde, de Malaisie, de Birmanie, de Java, de Sumatra, et surtout de Chine méridionale. Communautés indiennes et malaises, mêlées aux populations indonésiennes et aux descendants des commerçants arabes, composent un melting-pot épicé qui confère à Penang son atmosphère et sa cuisine cosmopolites.

BANGKOK

À Bangkok, connue aussi sous le nom de Krung Thep ("la Cité des anges"), la vitesse, le béton et la pollution règnent en maîtres. Mais derrière cette apparence un peu rebutante se cache un dynamisme auquel on résiste mal. Les Thaïs n'ont jamais été colonisés par une puissance européenne, et c'est seulement en 1855, après deux siècles d'isolationnisme, que le roi Rama IV ouvrit les portes du Siam au vaste monde. Un an après, les Anglais débarquaient – précédant de peu les Français. Les comptoirs marchands et les *godowns* (entrepôts) fleurirent le long de la rivière Chao Praya, juste au pied du Grand Palais. Vous en verrez encore de nombreux vestiges, mêlés aux temples bouddhistes et aux mosquées, sur les berges de la rivière et dans les parages de l'Oriental Hotel.

amandes, de style malais, servi sur un lit de purée d'aubergine au cumin : exotisme de bon aloi, qui cherche à séduire plutôt qu'à surprendre. La sélection de vins français, italiens, australiens, allemands et californiens est suffisamment riche pour satisfaire toutes les papilles. Les menus changent régulièrement, permettant à ceux qui refont le voyage de découvrir de nouvelles recettes ; les plats à la carte sont disponibles à tous les repas.

Compagnons de voyage

Je me suis longtemps demandé quelle catégorie d'individus empruntait ce train de luxe. En fait, on y trouve des gens de toutes sortes. Des romantiques, des nostalgiques qui veulent vivre l'exotisme de l'Orient dans le luxe. Cadres supérieurs, hommes d'affaires, membres de la famille royale (parfois), designers de mode (Kenzo venait de prendre le train quelques jours avant nous), retraités aisés, planteurs de la période coloniale revenant faire le plein de souvenirs. Un vieux gentleman anglais voyageant avec sa femme retourne en Extrême-Orient pour la première fois depuis 43 ans. Il y était venu avec son régiment pendant la dernière guerre. Si les Anglais, les Allemands, les Japonais et les Américains sont majoritaires, on rencontre aussi des passagers de tous les coins du monde.

Le pont de la rivière Kwai

Première destination au départ de Bangkok (130 km à l'ouest) : la rivière Kwai et son célèbre pont. Le film de David Lean, réalisé en 1957, a immortalisé l'histoire des prisonniers de guerre anglais, australiens et néo-zélandais qui ont construit ce pont et le chemin de fer de Birmanie. En 1943, sous les ordres du colonel Nicholson (joué par Alec Guinness), les prisonniers sont contraints de construire un pont sur la rivière, en suivant un plan britannique. Ils tentent de retarder au maximum la construction du pont. Torture et exécutions s'ensuivent, Nicholson finit par se soumettre, et le pont est achevé dans le délai très court fixé par les Japonais.

Mais les prisonniers ont saboté l'ouvrage pendant sa construction : des boulons sont limés jusqu'à la limite de la rupture, d'autres dévissés après l'inspection, des éléments discrètement jetés dans la rivière, des fourmis blanches enterrées au pied des fondations de bois. Au passage du premier train, un commando dynamite une arche, et tout le convoi bascule dans la rivière.

Ce pont constitua l'apogée du projet de chemin de fer de Birmanie, ou "chemin de fer de la mort". Cette voie de 415 km à travers une jungle montagneuse devait servir au transport des troupes japonaises et de leurs

prisonniers de guerre, pour soutenir leurs plans d'invasion de l'Inde. En mai 1943, les Japonais disposaient de 61 000 prisonniers alliés récupérés des camps britanniques, australiens, hollandais et américains disséminés à travers toute l'Asie du Sud-Est. Ils utilisèrent également 250 000 Asiatiques qui eux n'avaient pas la chance (très relative) de pouvoir au moins négocier leurs conditions de travail par le biais d'un officier supérieur. Les ordres du quartier général étant de faire vite, des horaires de travail non stop (18 à 30 heures) furent institués. Mal nourris, affaiblis par la malaria, la dysenterie et le choléra, les prisonniers travaillaient jusqu'à l'évanouissement et, parfois, la mort.

On estime que 16 000 soldats alliés et 80 à 100 000 Asiatiques périrent durant la construction.

Promenade musicale

La visite du pont est prévue pour l'après-midi du premier jour. Le train s'écarte de la voie principale pour gagner la ville de **Kachanaburi**. Son arrêt en gare crée l'événement : touristes et locaux se précipitent pour photographier ses lignes étincelantes. Comme des ministres en tournée, nous descendons majestueusement de nos wagons pour aller voir "le pont".

Il reste peu de vestiges des horreurs qui à l'époque indignèrent le monde entier. Kachanaburi est un endroit paisible, et même une destination touristique très prisée des habitants de Bangkok. Les berges de la rivière sont envahies d'hôtels et de restaurants flottants qui ne désemplissent pas durant les vacances scolaires.

Déçus de ne pas avoir le temps de franchir le pont ni de visiter le musée, nous suivons notre jeune guide le long de la rivière ; l'endroit est entièrement imprégné de la musique du film grâce à des haut-parleurs stratégiquement placés.

Nous observons le pont de loin : les arches originelles, qui arrivèrent de Java par bateau, soutiennent toujours l'ouvrage reconstruit. Puis nous embarquons sur une grande péniche couverte d'un prélart, fort bien pourvue en boissons fraîches et en... haut-parleurs, que les guides utilisent avec un enthousiasme touchant pour nous parler

Ci-contre *Le pont de la rivière Kwai, reconstruit, et le chemin de fer de Birmanie causèrent la mort de centaines de milliers d'hommes durant la dernière guerre.*

de leur rivière et de leur petite ville. Mais les meilleures choses ont une fin, et nous gagnons maintenant les espaces plus calmes du cimetière de guerre (Kachanaburi Allied War Cemetery n° 2), sans autre commentaire. Cette vaste pelouse semée de pierres tombales honore la mémoire des prisonniers de guerre morts durant la construction du chemin de fer. Nous restons un moment à lire les inscriptions, avant de nous en retourner pensivement à la confortable fraîcheur de nos wagons.

Installés au bar, gin tonic à portée de main, nous regardons les ombres s'allonger sur les rizières, tandis que le train poursuit sa route vers le sud. Embrasée d'or, la campagne plonge dans un coucher de soleil spectaculaire, et la nuit peu à peu s'installe.

Je me fais réveiller à 5h30. Péniblement je m'extirpe de ma couchette, attrape mon matériel photo et, titubant à travers le couloir, je gagne le wagon panoramique de queue. En voyage, j'essaye toujours de ne pas rater un lever de soleil, dans l'espoir d'une ou deux belles photos. Je suis surprise de trouver d'autres courageux, à moitié endormis dans le vent frais du matin, leur tasse de café à la main. Nous échangeons quelques mots, tandis que le soleil se lève – rien d'exceptionnel, mais une aurore de bon augure pour la journée. L'un après l'autre nous réintégrons nos cabines pour prendre notre petit déjeuner, tandis que le train file à travers les rizières.

Splendeur et pittoresque de l'héritage colonial

Après un nouveau déjeuner de grande classe, nous atteignons dans l'après-midi la tête de ligne de Butterworth, État de Kedah en Malaisie du Nord et point de départ de notre deuxième étape : une excursion à l'île de **Penang**. Dans un décor de jungle montagneuse, la ville mêle développement moderne, bâtiments décrépits de l'époque coloniale et quartiers indiens, arabes et malais, avec ce charme particulier qui lui a valu le sobriquet de "Perle de l'Orient".

De nos jours, il est rare de découvrir un centre-ville épargné par les ravages de la modernisation. Mais grâce à une planification habile, entreprise voici 20 ans, Penang s'est développée à l'extérieur du vieux quartier central de Georgetown. Ainsi, malgré ses nombreux immeubles modernes et la présence de l'une des plus anciennes "Silicon Valley" asiatiques, le riche héritage architectural de Georgetown est resté préservé.

Un pousse-pousse nous conduit dans un dédale de rues où les magasins chinois d'avant-guerre presque en ruine voisinent avec de superbes bâtiments coloniaux britanniques (l'indépendance date de 1960) et des temples dédiés à toutes sortes de dieux. La plus vieille mosquée, sur Aachen Street, remonte à 1808. Le quartier Heritage renferme les temples chinois et la jolie cathédrale St George. Malheureusement, l'E&O

Hotel, construit par les frères Starkies (à l'origine du fameux hôtel Raffles de Singapour, ➤ 264), est en travaux pour rénovation. Nous aurions bien passé des heures à explorer artères et ruelles, dont cette trop brève excursion ne nous donne qu'un avant-goût.

Le train met le cap au sud, vers **Taiping**, centre minier de l'étain au XIXe siècle. La ville a conservé quelques beaux spécimens d'architecture coloniale, inscrits dans un cadre de montagnes calcaires et de forêts. Cette région, la plus arrosée de Malaisie, rappelle la province de Giulin en Chine.

La nuit est tombée depuis longtemps lorsque nous arrivons à **Kuala Lumpur** : endormis, la plupart des passagers manqueront les coupoles de cuivre et les minarets mauresques de la gare principale, construite en 1911 selon les strictes réglementations imposées par les British Railways. Son toit devait pouvoir résister au poids d'un mètre de neige... La plupart des bâtiments du quartier datent du début du XXe siècle, et leur style mauresque mériterait bien une promenade de jour.

Notre ange gardien

Mr Christopher Charles Byatt, chef de train, a la responsabilité du bon déroulement du voyage. On aperçoit ici ou là sa maigre silhouette chauve. Veillant à tout, passagers, vin ou nourriture, il est là pour régler le moindre problème.

Au premier abord, cet homme un peu rigide, au crâne rasé, ne m'a pas fait très bonne impression. Mais Christopher révélera bien vite ses talents de séducteur, d'amuseur et de conteur infatigable. Avec son pur accent d'Oxford, il a toujours une bonne histoire en réserve sur les anciens passagers de l'E&O, croustillante à souhait. Un homme qu'il fait bon connaître, avec sa philosophie teintée de bouddhisme et son immense expérience, dont plusieurs années passées sur l'Orient Express.

Sud

Le train aborde maintenant la Malaisie méridionale, où plus de 21 000 km² de plantations d'hévéa et de culture d'huile de palme ont été arrachés à la jungle. Jadis plus gros producteur de caoutchouc du monde, aujourd'hui au troisième rang (derrière la Thaïlande et l'Indonésie), la Malaisie a intensifié sa production d'huile de palme au point que celle-ci assure aujourd'hui une part très importante des ressources du pays et le place dans le peloton de tête international. Ici, l'huile de palme se retrouve à peu près partout, de l'huile de cuisine au savon, en passant par la crème à raser, les lubrifiants, les produits laitiers, les biscuits et les glaces. Des recherches sont en cours pour l'utiliser dans les moteurs de voitures.

En même temps que **Johor Baru**, nous avons atteint l'extrême pointe méridionale du continent asiatique. Mais le rite du petit déjeuner servi dans notre intérieur douillet nous absorbe trop pour prendre note de ce jalon géographique.

La traversée du Causeway nous conduit sans heurts jusqu'à Singapour. Arrêt aux nouvelles et pharaoniques douanes et au bureau d'immigration de Woodlands, où nous débarquons pour remplir les indispensables formalités d'entrée sur le territoire. Rude réveil après ces deux jours passés à se faire dorloter. Mais nous pouvons heureusement remonter bientôt à bord et, après la traversée d'une des plus anciennes zones forestières de Singapour, les abords de la cité moderne et de la gare de Tanjong Pajar sont en vue. Nous voici arrivés.

Pour reprendre les mots de Robert Louis Stevenson : “Mieux vaut voyager dans le luxe que d'arriver.” Et comme me le confie Christopher, chaque voyage est une aventure différente, car l'ambiance change avec chaque nouveau groupe de passagers. Beaucoup referont le trajet une autre fois. Si j'en avais la possibilité, je recommencerais demain.

PARTIR EN SOLO

QUAND PARTIR

La période importe peu pour effectuer ce voyage, les conditions extérieures n'influant guère sur votre plaisir et votre confort. En revanche, le climat joue un plus grand rôle lors des excursions additionnelles.

SE DÉPLACER

On peut très bien suivre le même itinéraire que l'E&O (mais sans le luxe), avec les trains normaux qui relient Singapour à Bangkok. Il faut alors en changer trois fois.

Le train de nuit de Singapour à Kuala Lumpur opère la correspondance avec Butterworth. Un train l'après-midi laisse quelques heures pour visiter la capitale malaise. Même aux abords immédiats de la gare, vous découvrirez plusieurs bâtiments d'un grand intérêt historique.

De Butterworth (vous pouvez passer un ou deux jours à Penang), le Bangkok International Express vous conduit à Bangkok, avec un arrêt à la ville frontalière de Hat Yai pour les formalités douanières.

Trains-couchettes de Singapour à Kuala Lumpur, et de Butterworth à Bangkok. Réservations à Singapour ou à Bangkok.

DÉGUSTER

Outre la multitude de plats – tous irréprochables – proposés dans les différents menus, vous pourrez faire votre choix à la carte : saumon fumé écossais, caviar béluga et blinis, médaillon de bœuf sauce gingembre et citronnelle, coquilles Saint-Jacques poêlées. Pour les palais sensibles, plats non épicés sur simple demande.

PRÉVOIR

La plupart des passagers de l'E&O effectuent la totalité du parcours, mais on peut également n'en faire qu'une partie, de Singapour à Kuala Lumpur, ou de Bangkok à Butterworth. Dans certains cas, il est possible de réserver en même temps une extension pour la Thaïlande du Nord et Chiang Mai.

Emportez les affaires dont vous aurez besoin pendant le voyage dans un sac souple qui restera en cabine. Le reste, stocké dans le compartiment à bagages, ne sera plus accessible jusqu'à l'arrivée.

SANTÉ

- ❑ Assurez-vous que vos vaccins sont à jour un mois avant de partir
- ❑ Vérifiez que vous avez contracté une bonne assurance médicale, couvrant également les frais de rapatriement

NE PAS OUBLIER

- ❑ Bagages de cabine dans une petite valise ou un sac souple
- ❑ Espèces ou carte de crédit pour les extras et les boissons à bord. Un conseil : emportez votre propre bouteille d'alcool, ceci limitera les dépenses relativement onéreuses du bar
- ❑ Des chaussures de marche et un chapeau pour les excursions
- ❑ Vêtements chics mais décontractés pour la journée – les jeans et tee-shirts sont fortement déconseillés –, et tenue plus habillée pour le soir
- ❑ Le balancement du train perturbe certaines personnes la première nuit – un léger somnifère pourra y remédier
- ❑ Un bon livre pour les heures où vous aurez envie de prendre du recul et vous retrouver seul
- ❑ De la menue monnaie pour les pourboires au bar et au restaurant, et le personnel de cabine
- ❑ Accessoires de toilette (de luxe) fournis en cabine, mais vous pouvez avoir besoin de votre propre nécessaire

UNE RENCONTRE HISTORIQUE

Christopher, le chef de train, raconte l'histoire terrifiante de deux passagers, vieux gentlemen, l'un anglais, l'autre japonais, qui furent impliqués dans le chemin de fer de Birmanie durant la dernière guerre. Chacun connaît la présence de l'autre à bord, et ils s'évitent. Mais le destin veut qu'ils se rencontrent un jour seuls dans le bar. Après quelques minutes de face à face tendu, ils finissent par s'asseoir tous deux devant un verre, chacun buvant en silence. Puis ils se relèvent et s'inclinent en un bref salut avant de s'en retourner chacun de son côté.

6 Plongée à Phuket

par Simon Richmond

Riche en activités d'aventure de toutes sortes, Phuket possède également un atout considérable pour les plongeurs du monde entier : les merveilleux fonds des îles Similan, dans la mer des Andaman. C'est le lieu idéal pour effectuer un premier stage de plongée et découvrir un monde enchanteur.

Quand il pleut des hallebardes à Phuket – la plus grande île de Thaïlande, et la plus visitée avec son million de touristes par an –, autant se mettre sous l'eau. Sauf que, frissonnant dans la piscine d'un hôtel de la station balnéaire de Patong, et essayant pour la troisième fois d'évacuer l'eau de mon masque en soufflant par le nez, je commence à me demander si c'est vraiment une bonne idée.

"La plongée, tu vas adorer !" m'avaient prédit quelques amis plongeurs. "Une fois en bas, tu ne voudras jamais remonter"... Je n'en étais pas si sûr. J'aime les aquariums, avec leurs tortues gracieuses et leurs requins furtifs, mais je préfère observer ces derniers derrière une vitre. J'avais déjà pu admirer poissons et coraux multicolores : mais je nageais alors confortablement en surface, avec un tuba.

Si vous voulez vraiment explorer la planète, impossible d'ignorer les mystères et les merveilles des océans et de lacs – qui, après tout, en recouvrent la plus grande partie. Mon angoisse

4 Pour entreprendre un stage de plongée, vous devez être en bonne santé, pouvoir parcourir au moins 200 m à la nage, et faire la planche pendant 10 min. Il faut également ingurgiter une bonne dose de théorie pour passer l'examen. Lisez les chapitres concernés dans le manuel avant de vous rendre aux cours.

★★ Maîtriser certaines techniques, comme la manipulation du masque sous l'eau, demande un peu de patience au début. Mais la confiance venant, vous oublierez vite ces petits soucis. Question hébergement (► 266), Phuket en a pour tous les goûts et toutes les bourses, des hôtels les plus luxueux aux solutions de fortune sur la plage de Patong.

Pour apprendre à plonger ou simplement vous ébattre sous l'eau, masque, tuba et palmes sont indispensables. Tous les opérateurs sérieux (et de nombreux hôtels) vous les fourniront gratuitement ou à petit prix, mais rien ne vaut un matériel adapté à vos mensurations. Plongeur expérimenté, ou souhaitant se consacrer sérieusement à ce sport, vous aurez tout intérêt à investir dans un gilet stabilisateur et un détendeur. L'eau est tiède, mais une combinaison "humide" ou "sèche" en nylon (ne laissant absolument pas passer l'eau) aidera à la flottaison et protégera des coups de soleil.

venait aussi du fait que je ne suis pas très bon nageur. Mais Jeroen, directeur associé de Fantasea Divers (► 265) à Phuket, m'avait rassuré : "Nage comme un fer à repasser, c'est justement ce qu'on te demande !"

Le paradis des plongeurs

Il n'y a pas mieux que Phuket pour apprendre à plonger en Thaïlande. D'autres îles, telles Ko Tao et Ko Samui sur la côte est, sont également très fréquentées, mais aucune ne possède autant de centres de plongée que Phuket. La station de **Patong** notamment, plage principale et paradis jadis annexé par les hippies, a vécu un vrai boom touristique et vu naître des myriades de restaurants, de bars et de boutiques-souvenirs. La concurrence maintient les prix à un niveau raisonnable et la qualité des sites de plongée attire un grand nombre d'instructeurs qualifiés de tous les pays du monde : chacun ou presque peut y prendre des cours dans sa langue maternelle, phénomène assez unique.

Si Phuket concentre autant d'opérateurs de plongée, c'est aussi en raison de sa proximité avec les neuf îles

Ci-dessus *Petits poissons dans les récifs coralliens de la mer des Andaman, et plongeur (encadré) photographié à contre-jour.*
À gauche *Embarquement du matériel sur la plage.*

Ci-dessus *Patong Beach, Phuket.*

rochers dangereux ou abîmer les coraux, toujours très fragiles. Le plus léger frottement peut endommager ou tuer des organismes vivants qui ont mis des dizaines d'années à se développer.

Il faut également savoir résoudre calmement certains problèmes comme l'évacuation de l'eau qui s'infiltre dans le masque, la remise en place du masque s'il s'est arraché, ou du détendeur si vous l'avez lâché et venez subitement à manquer d'air.

Duncan nous a d'abord demandé le plus difficile, selon lui : respirer sous l'eau sans masque pendant une minute. Mais ce qui me paraît le plus ardu, c'est de trouver la bonne technique pour évacuer l'eau de mon masque… sous l'eau. Je grimace chaque fois qu'elle me remplit les narines. L'assistant instructeur, Thomas, me donne son truc : se pincer le nez et rejeter la tête en arrière en expirant. Ça marche, et en rouvrant les yeux derrière mon masque enfin éclairci, j'aperçois Thomas qui me fait le signe OK (pouce et index joint en O) : j'ai maintenant compris la technique.

Examen de passage

Après plusieurs heures passées à réviser le premier soir, je vais aborder le lendemain l'acquisition des volets théoriques 3 à 5 : le milieu marin, comment plonger d'un bateau et les règles d'orientation de base. Et surtout, nous allons étudier les effets de la respiration en profondeur : si elle n'est pas strictement contrôlée, la plongée peut entraîner de graves accidents de décompression, et notamment "*the bends*" : la maladie des caissons.

Ce phénomène survient lorsque l'excès d'azote (absorbé par les poumons sous pression) se dégaze en petites bulles qui restent emprisonnées dans les tissus et vaisseaux sanguins durant la remontée. Situation

extrêmement dangereuse, que l'on évite en respectant les tables de plongée. Elles vous indiquent à quelle profondeur et combien de temps vous pouvez rester en plongée, et le temps de repos en surface à observer entre deux plongées.

L'apprentissage des tables perturbe certains élèves. Il suffit pourtant d'un peu de patience, d'étudier le manuel à l'avance, et de faire les "devoirs du soir" indiqués par l'instructeur.

À midi, nous voici confrontés à l'examen : 50 questions, avec réponses à sélectionner. Kira ne passe pas, mais elle aura une seconde chance le lendemain soir. Duncan se montre rassurant : sur les 300 élèves qu'il a formés, trois seulement ont échoué – deux craignaient l'eau, et le troisième n'était pas apte sur le plan médical.

En route vers le grand bleu

Au troisième jour débutent les plongées en eaux libres. Trois autres élèves sont venus se joindre à nous. Cillian, jeune Irlandais, a effectué le début de son stage à son hôtel, tandis que Fern et sa fille Tamalin ont déjà passé l'examen

Ci-contre *Crabe au repos, tandis qu'un plongeur (ci-dessous) explore une forêt de gorgones orange.*

7 La route de Mandalay

par Jill Gocher

Au rythme du légendaire fleuve Ayeyarwady, The Road to Mandalay, *luxueux bateau de croisière, m'a conduite de Bagan, la "plaine aux deux mille pagodes", à la cité mythique de Mandalay : un voyage dans le temps, rythmé par la découverte de monastères, d'un village de potiers et de la plus grande cloche du monde.*

Explorer le Myanmar (ancienne Birmanie), c'est un peu remonter le temps. Difficile de croire à l'ère de l'électronique quand on ne croise plus que carrioles à cheval, chars à bœufs, quelques bus de campagne et autres tas de rouille à peine plus rapides. Le développement industriel est ici inconnu, et mis à part quelques hôtels de luxe à Mandalay et à Yangon, la capitale, tout semble figé dans un conservatisme bon enfant – jusqu'aux habitants, fervents bouddhistes pleins de charme et de gentillesse.

Le Myanmar reste très peu connu. Portes fermées au monde pendant des lustres, le pays s'est pratiquement fait oublier. Quelques films, quelques livres d'avant-guerre et le souvenir pâli d'une "terre dorée" se mêlent aux reportages plus récents de journalistes audacieux sur une situation politique troublée.

Tout le monde peut effectuer ce voyage. Si vous préférez emprunter les transports locaux plutôt que le bateau de luxe, il vous faudra faire preuve d'une certaine endurance.

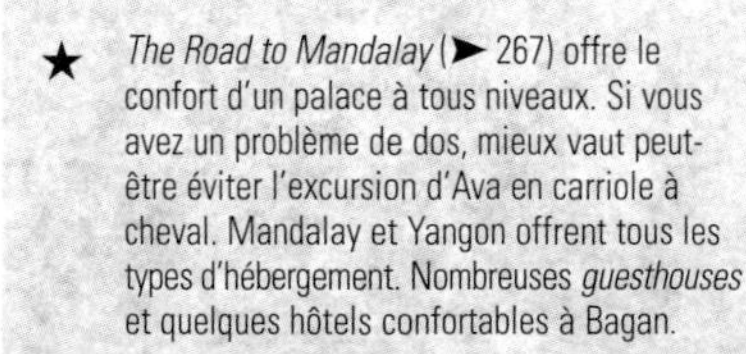

★ *The Road to Mandalay* (➤ 267) offre le confort d'un palace à tous niveaux. Si vous avez un problème de dos, mieux vaut peut-être éviter l'excursion d'Ava en carriole à cheval. Mandalay et Yangon offrent tous les types d'hébergement. Nombreuses *guesthouses* et quelques hôtels confortables à Bagan.

Chapeau de soleil, chaussures de marche, lotion anti-moustiques et crème solaire indispensables. Prévoyez des manches longues si votre peau craint le soleil.

La plaine aux deux mille pagodes

Le vol Yangon-Bagan d'Air Yangon atterrit en début de matinée. Après avoir accompli les formalités douanières et acquitté 10 $ de taxe d'entrée sur le territoire, nous voici confrontés à une noria de taxis, de cars de tourisme et de carrioles à poney. Je suis arrivée un jour en avance pour pouvoir découvrir Bagan et je décide de prendre un taxi. Marchandage de règle, et me voici partie pour les vieux quartiers de Bagan, 5 km au sud du village de Nyaungu.

Campée sur la rive orientale de l'Ayeyarwady, **Bagan** (anciennement Pagan) compte parmi les anciennes civilisations qui virent le jour dans les vastes plaines fertiles du Myanmar central. Mandalay et les cités antiques, voire mythiques, d'Ava, d'Amarapura, de Prome (Pyi), de Sagaing, de Mingun et de Shwebo ont toutes vécu splendeur et décadence le long du fleuve Ayeyarwady. Bagan fut probablement la plus vaste. Le site de 42 km^2 qu'elle occupait dans la plaine accueillit, à l'apogée de sa puissance, plus de 13 000 monuments.

Cet immense ensemble compte encore près de 2 000 éléments intacts – pagodes, bibliothèques, monastères, stupas et *chedi* (ou *zedi*) – auxquels on ne peut guère comparer qu'Angkor au Cambodge ou Borobudur en Indonésie.

L'ancienne Bagan m'a plongée dans un ravissement inattendu. On m'avait parlé du déplacement forcé des villageois locaux, de nouvelles routes et de cars de touristes tapageurs, et je craignais un peu de me retrouver dans une espèce de parc à thème archéologique. On en est encore loin. La nouvelle route traverse effectivement le site, mais toute trace du village touristique autrefois florissant a disparu, et les terres demeurent cultivées pour une large part. Entre les pagodes et les stupas je distingue des parcelles de maïs, de sésame, d'arachide, des jardins potagers – et il me semble entendre

Ci-dessus *Notre bateau à quai, Mandalay.*
Ci-dessous *Derniers rayons de soleil sur la plaine de Bagan.*

particulièrement délicate, souriant de toutes ses dents teintées de rouge, il se retourne vers nous et rit à gorge déployée. Mais sa bonne humeur est communicative, et notre périple nous conduit bientôt devant un monastère de bois qui a curieusement survécu aux inondations, à la famine, aux incendies et aux tremblements de terre depuis plus de 150 ans.

Après quelques minutes passées à se débarrasser de la petite meute de vendeurs de souvenirs qui nous serinent le refrain désormais connu : "Très vieux, madame, mon père l'a trouvé en creusant dans les champs", nous entrons dans la pénombre du bâtiment. Un chant aigu résonne.

Illuminés par les rais du soleil de la fin d'après-midi, de très jeunes moines sont agenouillés devant des tables basses, et psalmodient les écritures. L'un après l'autre ils s'approchent de leur maître, se prosternent trois fois, front touchant le sol, et récitent leur leçon.

La colline de Sagaing

Dispersés par centaines sur la **colline de Sagaing**, que l'on domine depuis Ava, monastères et pagodes aux toits dorés étincellent dans la lumière du soir. Contrairement à Bagan, Sagaing mène encore une vie très active. Ses pagodes maintiennent un service régulier et ses monastères hébergent plus de 3 000 moines, qui viennent de tout le pays pour y faire retraite.

Rue de la feuille d'or

Le lendemain, nous découvrons enfin la **vieille ville de Mandalay**. Les fabricants de feuilles d'or se concentrent le long d'une seule rue ; des toits de bambou abritent leurs simples cabanes. La technique n'a pas changé depuis des siècles, et l'ambiance reste médiévale, presque teintée d'érotisme. Nous regardons ces hommes aux reins ceints de *lunghi*, leur peau brune luisante de sueur, battre leur pile de feuilles d'or à l'aide d'énormes maillets en bois.

La préparation de l'or obéit à un processus séculaire. Trois cents feuilles d'or pur, minces comme du papier, sont placées entre des feuilles de papier de bambou et enveloppées dans une peau de daim. Utilisant un sablier de riz primitif (mais précis), les artisans battent ces blocs pendant trois heures. Mince comme un cheveu, l'or est ensuite envoyé dans une maison voisine pour y être empaqueté et vendu. On n'utilise ni poids, ni instruments de mesure sophistiqués. Depuis des siècles chacun connaît le prix de la pièce : 100 kyat, ce qui paraît dérisoire.

La cloche géante

Dernière excursion : à 11 km au nord de Mandalay, le village de **Mingun** abrite la plus grande cloche "sonnante" du monde. Installés dans les sièges confortables d'un ferry à fond plat, nous remontons le fleuve pendant une heure. À notre approche, un essaim de femmes, d'enfants et de chars à bœufs bringuebalants se pressent vers le quai pour offrir leurs services. Des petites filles nous apportent fleurs et sourires gracieux.

Un petit tour dans le village, un arrêt pour goûter une délicieuse friture de poisson, et nous voici devant la célèbre cloche de bronze : 88 t, 3,70 m de haut (14 fois la taille de celle de la cathédrale St Paul de Londres, et à peu près la moitié de la plus grosse cloche du monde, fissurée).

Commandée par le roi Bodawpaya pour sa grandiose pagode, elle fut fondue en 1790, et son maître d'œuvre aussitôt exécuté, afin qu'elle reste unique. La pagode de Mingun (Mantara Gyi) devait être la plus grande du Myanmar, avec 150 m de haut, mais le roi mourut avant son achèvement, et le projet fut abandonné. Dominant le fleuve de leurs 9 m, les arrière-trains des plus grands griffons du monde gardent la pagode – leur partie frontale a disparu dans l'Ayeyarwady durant le tremblement de terre de 1838.

PARTIR EN SOLO

QUAND PARTIR

Pour voyager sur le fleuve, la meilleure période se situe entre octobre et janvier. Le paysage reste verdoyant et les eaux sont navigables. Un peu de chaleur encore en octobre mais, ça se rafraîchit dès novembre. En plaine, une veste légère ou un pull suffiront, mais dans les montagnes, prévoyez un blouson chaud. Avec l'arrivée de la saison sèche, les paysages brunissent et les crépuscules s'enflamment.

SE DÉPLACER

Si votre but est seulement de vous rendre à Mandalay, l'avion reste encore la meilleure solution. Deux vols quotidiens Air Yangon, de Yangon à Bagan et Mandalay. Deux trains express par jour Yangon-Mandalay (le matin et de nuit). Service de bus également, et voitures de location.

Beaucoup moins cher : réservez votre vol directement à Yangon auprès d'Air Yangon ou d'Air Mandalay, plutôt que de l'étranger via une agence.

Réservez vos vols intérieurs en arrivant au Myanmar. Les deux meilleures compagnies, Air Yangon et Air Mandalay (avions à hélice récents, de marque française), vendent leurs billets 10 à 20 $ moins cher que les agences internationales. Avec la crise du tourisme actuelle, vous trouverez toujours un siège, même la veille de votre départ. *Idem* pour les hôtels internationaux : tarifs négociables, même dans les meilleurs.

OÙ NAVIGUER

Le tourisme se concentre sur le parcours Mandalay-Bagan, mais le pays compte plus de 8 000 km de voies navigables, dont 1 500 pour le seul Ayeyarwady. Les embarcations en tout genre ne manquent pas, ni les possibilités de croisières. Paysages particulièrement beaux entre Mandalay et Bhano, plus au nord. D'autres ferries descendent jusqu'à Twante et Pathein, dans le delta.

Et pour ceux que l'aventure tenterait, une expérience passionnante consiste à faire tout le voyage de Mandalay à Yangon.

S'ORGANISER

En matière de croisière, vous aurez l'embarras du choix. *The Road to Mandalay* n'opère qu'entre octobre et avril – après quoi le niveau du fleuve est trop bas. Mais les ferries naviguent toute l'année, renseignez-vous auprès du bureau des ferries à Yangon.

ARGENT

Pour changer vos dollars en kyat (prononcer "chat") : le Scott's Market (centre de Yangon) offre les meilleurs taux.

QUELQUES TUYAUX

Le Myanmar n'a pas la cote en ce moment. Je vous conseille pourtant le voyage. Vérifiez que votre argent va bien dans la poche de ceux qui l'ont effectivement gagné. Prenez un guide privé plutôt qu'une grosse agence, et à Bagan, un conducteur de carriole indépendant plutôt qu'un bus de tourisme. Tout ce que vous dépenserez dans les petites boutiques et chez les particuliers aidera les gens à s'en sortir un peu mieux.

SANTÉ

- ❑ Prenez une petite trousse de secours avec antiseptique, sparadrap et cachets anti-dysenterie
- ❑ Vérifiez vos vaccins un mois avant le départ
- ❑ Souscrivez une bonne assurance médicale comprenant le rapatriement sanitaire

NE PAS OUBLIER

- ❑ Vêtements légers
- ❑ Lotion anti-moustiques
- ❑ Crème solaire
- ❑ Chapeau de soleil ou bob
- ❑ Chaussures de marche.
- ❑ En hiver, un pull ou une veste légère, pour la plaine
- ❑ Vêtements habillés mais décontractés à porter à bord du *Road to Mandalay*

POLITIQUEMENT CORRECT

Ne parlez pas politique avec les gens du coin en public. C'est très risqué pour eux. Si vous voulez vraiment en savoir plus, essayez de parler avec votre guide, mais seul à seul. Évitez tout commentaire en présence d'un tiers. Lorsqu'un membre du groupe posait une question gênante, notre guide s'en sortait par une blague, en nous faisant comprendre que "les murs ont des oreilles".

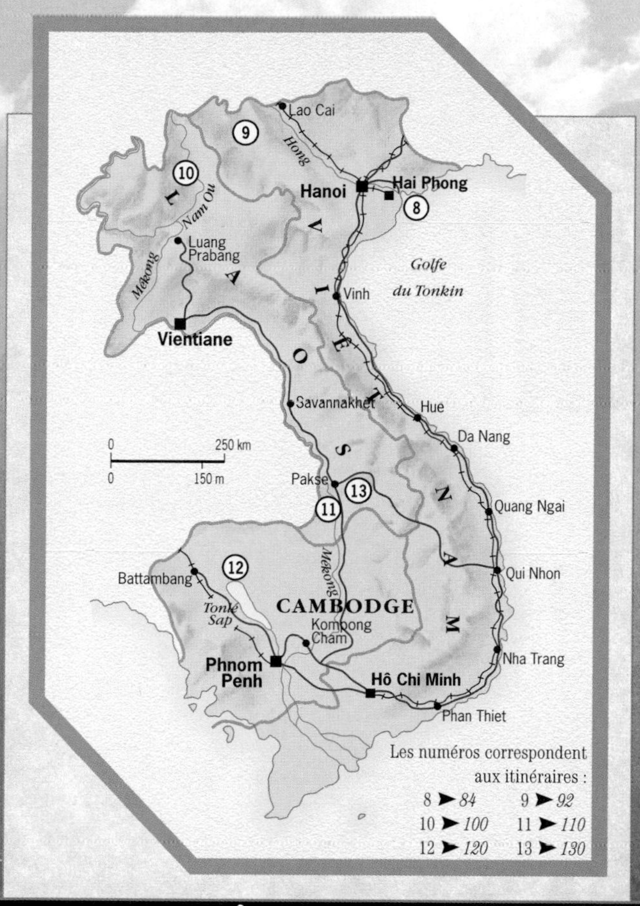

VIÊT NAM •CAMBODGE•LAOS

En dépit d'un passé obstinément tragique, le Viêt Nam a su préserver toute la magie de ses rizières embrumées, de ses karsts spectaculaires, et le sourire d'une population courageuse, pêcheurs ou minorités des montagnes. Avec Angkor, aux ruines grandioses et à l'atmosphère envoûtante, l'amateur d'histoire et d'aventure fera au Cambodge une expérience inoubliable. Quant au Laos, plus sauvage que le Viêt Nam, bien moins touristique que la Thaïlande, et tout imprégné d'une sérénité profondément ancrée dans le bouddhisme, il conserve une authentique aura de mystère. Explorer ce pays isolé, d'une beauté incomparable, c'est s'aventurer en plein inconnu.

Les Alpes tonkinoises aux environs de Sa Pa, Viêt Nam.

8 Kayak dans la baie de Ha Long

par Jill Cocher

Eaux paisibles aux reflets d'émeraude, plages désertes, grottes marines et îles par milliers : impossible de rêver plus beau décor que la baie de Ha Long pour cette excursion en kayak, complétée par une randonnée dans les forêts du parc national de Cat Ba.

Le kayak de mer m'a toujours tentée, et Ha Long me paraît l'endroit idéal pour y goûter. Après plusieurs jours de recherche, je suis tombée sur une publicité alléchante dans une brochure touristique. Une nouvelle agence propose ses premiers week-ends en kayak dans la baie de Ha Long, avant de créer des circuits plus ambitieux. M. Kiên, manager de Buffalo Tours (➤ 269), s'est lancé dans l'aventure avec enthousiasme, fournissant kayaks et matériel de camping flambant neuf tout droit venu des États-Unis.

Un typhon qui vient de balayer les Philippines retient mes deux partenaires potentiels, me laissant seule pour étrenner ce week-end. Je décide d'y aller quand même – la solitude a ses avantages –, mais je conseillerais plutôt d'essayer ce type d'aventure à plusieurs : idéalement deux ou trois personnes.

Bonne santé et forme physique correcte sont nécessaires si vous voulez apprécier une nuit à la dure et le maniement de la pagaie cinq heures par jour ou plus, suivant l'itinéraire.

Tentes et tapis de sol n'ont rien de luxueux, mais sont assez confortables pour vous faire passer une bonne nuit.

Prenez de la crème solaire waterproof à indice élevé, des lunettes de soleil, un bob, un tee-shirt à manches longues, un maillot de bain, de la lotion anti-moustiques, et éventuellement un drap pour la nuit.

En mer

Le trajet depuis Hanoi jusqu'à la baie de Ha Long n'a rien de particulièrement excitant : Kiên vient me chercher en voiture à 7h30 pour un voyage de quatre à cinq heures sur 160 km de routes cabossées (aujourd'hui une autoroute). Trois heures durant, nous traversons rizières et petits villages, pour arriver à **Dong Trieu**, un centre de céramistes. Là, une pause bienvenue, agrémentée d'une tasse de café au Hong Noo Fast Foods, nous remet en forme pour la fin du voyage.

Mais les choses empirent par la suite. Les secteurs goudronnés sont entrecoupés de passages poussiéreux et défoncés, où la vitesse tombe brutalement à 10 km/h. J'éprouve un gros soulagement lorsque nous arrivons enfin, une heure et demie plus tard.

Dans le nouveau port, trois kilomètres avant Bai Chai, ville principale de la baie de Ha Long, les bateaux de pêche reconvertis se frottent les uns aux autres, guettant le touriste. Tout est aménagé pour la croisière : sur les ponts, tables et bancs forment des salons d'extérieur. Répondant au nom de *Ha Long Princess* ou autres variations sur le même thème, ces bateaux alimentent l'essentiel du tourisme de la baie, tout visiteur effectuant au moins une croisière sur ce site parmi les plus fréquentés du Viêt Nam.

Juste le temps de me faire présenter mon guide, Nam, d'acheter une bouteille

LES BATAILLES DE HA LONG

Sur cette baie paisible, deux batailles ont été livrées contre les envahisseurs chinois, en 938 et en 1288. Les Vietnamiens ont su habilement tirer profit de leurs défenses naturelles pour se défaire d'une flotte plus puissante. Après avoir enfoncé des pieux de bambou, pointés de fer, dans les hauts-fonds d'une rivière, les hommes du général Ngo Quyen, manœuvrant des embarcations à fond plat, y ont attiré les Chinois, dont les lourdes jonques, à la marée descendante, se sont empalées sur les pieux. L'amiral chinois Hung-ts'ao Tou se noya avec presque tout son équipage. Trois cents ans plus tard, le même piège, actionné cette fois par le général vietnamien Tran Hung Dao, fonctionnera encore. Les Chinois abandonneront définitivement l'idée d'envahir le Viêt Nam par la baie de Ha Long.

d'eau, et me voici embarquée pour les îles.

Le déjeuner, préparé à bord dans une cuisine de fortune, ne tarde pas à apparaître. Habitués à des conditions difficiles, les Vietnamiens ont l'art de vous servir un festin avec trois fois rien. Un réchaud, du charbon de bois, des légumes frais, l'indispensable sauce de poissons *nuoc mam* et voilà poisson frit, crabe, crevettes, viandes et légumes cuits dans un curieux style occidental, revisité à l'orientale – passe-partout, mais copieux et savoureux.

DANS LE DÉDALE DES KARSTS

Les premières tours de calcaire (➤ 41) surgissent à l'horizon. Des embarcations nous croisent : bateaux de pêche, sampans, un bateau de touristes, une barge chargée à ras bord de charbon de la ville minière voisine de Hon Gai. Les jonques traditionnelles qui ornent les dépliants touristiques ont largement disparu de la baie, et la seule que j'aperçoive transporte des touristes. Nous approchons d'un des karsts ; selon la légende du pays, leur création est due à un immense dragon. Celui-ci, voulant gagner le large, aurait détaché ces îlots de la côte avec sa queue. Avec la fin de la journée, le soleil s'abaisse et tout prend une dimension magique ; de longs rais de lumière se faufilent entre les karsts et la mer s'illumine en myriades de feux follets.

Les karsts, vestiges fantastiques de fonds marins soulevés à une lointaine époque, créent un véritable labyrinthe. L'eau, qui a pris une teinte émeraude, paraît bien susceptible d'abriter des dragons – ou mieux, la Tarasque, sorte de serpent noir de 30 m de long censé hanter les profondeurs de la baie.

Ce soir nous camperons sur **Ba Cat**, île déserte plantée au milieu de la baie – à ne pas confondre avec l'île de Cat Ba et son parc national, un site touristique en plein essor que nous découvrirons un peu plus tard.

Alors que nous approchons de notre destination, le bateau ralentit. L'équipage cherche manifestement quelque chose. Un bateau de pêche de triste apparence surgit soudain de derrière un piton calcaire. Notre bateau de soutien, semble-t-il, qui va nous conduire à Ba Cat, puis emporter nos bagages à Cat Ba le lendemain, tandis que nous pagayerons dans nos kayaks.

CORACLES DE PÊCHEURS

Vieille tradition vietnamienne que ces coracles de pêcheurs en bois tressé et laqué. Avec leur fond arrondi, de forme circulaire ou en losange, ces embarcations ressemblent à de grosses baignoires. Les pêcheurs les manœuvrent cependant avec une seule et longue pagaie – et une habileté surprenante.

Ses marins, d'allure plutôt patibulaire, n'ont rien du sympathique pêcheur de perles, et tout de la patrouille militaire. Il semble que, depuis fort longtemps, contrebandiers et autres pirates utilisent les grottes de Ha Long pour cacher toutes sortes d'armes, munitions ou butin peu avouable. L'agence (ou le gouvernement) a donc jugé bon de protéger les touristes de mésaventures potentielles. C'est plutôt rassurant.

Après un transbordement en mer, nous nous enfonçons au milieu des karsts dont les sommets nous surplombent. Le ciel a pris une teinte rosée lorsque nous jetons l'ancre et, balançant nos appareils photo, nos tentes et nos sacs dans les kayaks, nous pagayons jusqu'à la rive : cette

À gauche *Flotte de bateaux de pêche devant Cat Ba, et (encadré et ci-dessus) touristes en croisière.*

l'île vous permettront d'explorer bien des sentiers de randonnée.

L'entrée du parc, typiquement vietnamienne avec ses blocs de béton, n'a rien de très engageant. Mais passé le petit zoo de singes et de daims, bâtiments et chemins cimentés laissent place à des pistes de terre et aux premières zones boisées. Il ne s'agit pas ici de forêt équatoriale, mais d'une jungle plus clairsemée, qui abrite une vie animale variée. Des papillons voltigent en essaims colorés autour des trous d'eau. Toutes sortes d'oiseaux – des calaos, des milans et des migrateurs qui s'arrêtent dans la mangrove et sur les plages (on compte 21 espèces en tout) –, des lapins, des gibbons, des écureuils, des roussettes frugivores, des loris et des macaques peuplent ce lieu hors du commun.

Au crépuscule, le chemin du retour nous offre un spectacle de toute beauté. La température a délicieusement fraîchi, et la brume du soir monte sous les arbres. Des fumées de cheminées empanachent vallées et rizières tandis que le soleil passe du rose au violet sombre.

Le lendemain matin à 6 h, notre départ sans enthousiasme pour le ferry de **Hai Phong** est compensé par la surprise d'une aurore splendide sur la route. J'ai un peu de temps libre pour explorer cette vieille ville portuaire, et quelques heures ne seront pas de trop pour découvrir ses rues ombragées par d'anciens bâtiments coloniaux. Des groupes accompagnés de guides partent visiter une pagode et une manufacture de tapisseries ; pour ma part, l'atmosphère de la ville m'invite plutôt à une flânerie décontractée à travers les ruelles des vieux quartiers. Je prends mon déjeuner tôt, avant d'attraper le train de 14h pour Hanoi. Les banquettes de bois manquent de confort, mais le bercement rythmé du wagon me change agréablement des cahots de la route.

À gauche *Des pêcheurs vendent des morceaux de corail aux touristes.*
Ci-dessous *Coucher de soleil sur les karsts de Ha Long.*

PARTIR EN SOLO

QUAND PARTIR

Les mois les plus chauds, août et septembre, se prêtent mieux au kayak, mais attendez-vous à un peu de pluie. En octobre et souvent en novembre, soleil presque garanti, nuits fraîches et pluies rares. Ensuite, les mois d'hiver sont tantôt brumeux, chauds et ensoleillés, tantôt froids et couverts d'une semaine sur l'autre.

SE DÉPLACER

De Hanoi à Ha Long, vous avez le choix entre train, bus et voiture. Le train de Hai Phong prend deux heures, et deux ferries quotidiens vous amènent ensuite à Cat Ba. De là, vous pouvez facilement partir pour une croisière d'un ou deux jours dans la baie – plus économique que de Bai Chai. Plus pratique et à prix raisonnable (moins de 30 $ pour deux jours), les circuits organisés par les cafés de voyageurs de Hanoi.

EXCURSIONS EN KAYAK

Buffalo Tours (➤ 269) est la seule compagnie à organiser des excursions en kayak de mer (de deux jours à une semaine, voire plus). Elle dispose d'une quarantaine de kayaks tout neufs. L'idéal : un groupe de trois à sept personnes, mais l'opérateur peut en accepter plus.

AUTRES AVENTURES EN BAIE DE HA LONG

Les cafés de bord de mer à Cat Ba proposent quelques activités, notamment des randonnées guidées dans le parc national de Cat Ba et des excursions à moto dans l'île. Machines robustes de marque russe (n'espérez pas trop dénicher une Honda automatique), avec ou sans chauffeur pour 5 $ environ la journée (moins si vous marchandez).

En quelques heures et avec une carte, vous pourrez traverser toute l'île, découvrir le parc et ses petits villages.

La meilleure façon de découvrir le parc est de participer à une randonnée de quatre à cinq heures sur des pistes escarpées qui vous fera franchir sept sommets pour arriver à une plage isolée. Après un pique-nique sur place, un bateau vient vous ramener à la ville de Cat Ba. Partez très tôt le matin, avant que la chaleur ne s'installe.

Sur le front de mer, les pêcheurs vous interpelleront, vous invitant sur leur sampan pour une heure, une journée ou même une semaine, afin de faire le tour du port ou de la baie. Moins cher qu'à Bai Chai.

Si vous voulez vous détendre, une petite promenade d'un kilomètre par la sortie est de la ville vous conduira vers l'une de ses deux plages.

SANTÉ

- ❑ Alimentation généralement saine. Préférez la nourriture fraîche ou la friture. Si un endroit vous semble douteux, n'y mangez pas
- ❑ Eau minérale conseillée, et en vente à peu près partout – les prix varient énormément.
- ❑ On utilise normalement de l'eau traitée pour la glace, mais méfiez-vous si vous êtes fragile
- ❑ Prenez de la lotion anti-moustiques ; ils sont en général peu nombreux, mais autant prévoir : la dengue et la malaria sont des risques bien réels

PARLER VIETNAMIEN

La plupart des Occidentaux ont toutes les peines du monde, ne serait-ce qu'à articuler trois mots de vietnamien. Énumérer quelques chiffres, prononcer "café au lait", "soupe de poulet", "gare de Hanoi" ou simplement "merci" réclame un effort titanesque. Le simple mot *ga* signifie poulet, gare et quantité d'autres choses, selon la partie de la gorge utilisée pour le prononcer ! Quant à se lancer dans une conversation, il n'y faut pas songer avant plusieurs années d'étude.

9 Le nord-ouest en 4x4

par Jill Gocher

Ce voyage de 1 000 km sur les routes défoncées du nord-ouest du Viêt Nam permet de jouir de riches paysages de montagne, de rizière ou de jungle. Il vous fera également découvrir des marchés, des villages tribaux colorés, ou encore quelques vestiges de la présence française en Indochine.

Les provinces du nord-ouest du Viêt Nam reçoivent encore peu de visiteurs et promettent aux vrais amateurs d'aventure une expérience authentique. Les routes, non goudronnées, voient alterner chaleur et poussière en été, boue et froid en hiver. De Hanoi, la route qui se dirige vers le nord-ouest frôle la frontière chinoise à Lao Cai, avant de s'élever vers l'ancienne villégiature coloniale française de Sa Pa. Là s'arrête notre "civilisation" et commence le Viêt Nam authentique, où quelques villes nouvelles bâties à la hâte contrastent avec les anciens villages nichés dans les montagnes. Le champ de bataille de Diên Biên Phu, où les Français subirent une terrible défaite en 1954, et la prison de Son La, où ils enfermaient leurs prisonniers viêt-minh, témoignent d'une histoire aux cicatrices durables.

Sa Pa

J'ai commencé par prendre le train de nuit de Hanoi à la ville de Lao Cai (située sur la frontière chinoise), m'économisant ainsi 380 km de route sans grand intérêt. Un bus panoramique m'a conduite ensuite jusqu'à **Sa Pa** à travers les Alpes tonkinoises.

La matinée est superbe, la visibilité parfaite. Le mont Fang Xi Pang surplombe les baraquements de la petite ville commerçante, et ses pentes paraissent toute proches, alors qu'il faut deux à trois jours de marche pour y arriver. J'ai de la chance : lors de ma dernière visite, le brouillard ne m'a pas permis d'y voir à plus de 5 m pendant plusieurs jours.

Malgré le tourisme, Sa Pa a conservé tout son charme. Disséminées sur les collines, quelques villas françaises subsistent de l'ère coloniale – la plupart furent détruites lors de l'invasion chinoise de 1970. Mais Sa Pa vit aussi de son commerce : les habitants des environs affluent le jour du marché hebdomadaire, pour échanger les dernières nouvelles ou rencontrer l'âme sœur.

Les Hmong noirs se distinguent tout particulièrement par leurs vêtements indigo artisanalement tissés et leurs bijoux d'argent. Les femmes zao rouges, quant à elles, arborent des pantalons bleus et des tuniques longues magnifiquement brodées, sans parler de leurs extraordinaires turbans écarlates, d'une élégance princière. Il n'y a pas si longtemps, les jeunes filles zao rouges descendaient à Sa Pa pour se réunir au "marché de l'amour" du samedi soir, à l'occasion duquel leurs soupirants leur

4 La seule difficulté rencontrée sera de supporter l'inconfort de la Jeep sur les routes. Un Land Cruiser climatisé vous facilitera le voyage, mais ce n'est plus tout à fait l'aventure.

★★ L' hébergement proposé à Sa Pa pourra satisfaire toutes les bourses. Le choix s'étend du plus rudimentaire au plus luxueux.

Blouson chaud recommandé durant les mois d'hiver. Prenez de bonnes chaussures de marche si vous prévoyez une randonnée dans la montagne.

LES MINORITÉS ETHNIQUES DU NORD-OUEST

On compte 57 groupes ethniques vivant au Viêt Nam : il s'agit d'un chiffre exceptionnel en Asie du Sud-Est. La plupart de ces communautés habitent dans les collines voisines de Sa Pa et au nord-ouest. Essentiellement d'origine sino-tibétaine, elles sont arrivées voici des millénaires, et se sont implantées dans les vallées et les hauts plateaux du Myanmar, de la Thaïlande et du Viêt Nam.

jouaient des sérénades traditionnelles. Harcelées par les Vietnamiens, elles se sont depuis évanouies et se retrouvent en un lieu tenu secret.

Les populations tribales restent timides, mais les touristes attirent en ville beaucoup de femmes zao ou hmong âgées, qui ont l'espoir d'y vendre leur marchandise. Sur le marché, les bijoux en argent authentiques n'ont plus cours, mais on trouve encore quelques belles pièces de tissus, et toutes sortes de vêtements neufs "pour touristes".

Le marché occupe l'essentiel du centre-ville. Une vaste structure en béton a remplacé l'ancienne halle en bois à l'atmosphère si particulière : avec ses étals ténébreux comme des cavernes d'Ali Baba, ses femmes qui vendaient d'énormes bols de soupe de nouilles fumante (*pho*), ses beignets chauds et son crémeux café *sua*, le vieux marché attirait autant les minorités ethniques que les touristes occidentaux. Il faudra quelques années avant que le nouvel édifice gagne un peu de patine et d'authenticité.

PHONG THÔ

J'avais prévu de rester un jour ou deux à Sa Pa et de faire quelques incursions dans les vallées voisines avant de me rendre en Jeep à Phong Thô et Lai Chau avant de rejoindre Diên Biên Phu. Mais comme Nam, mon guide, m'annonce que demain jeudi est jour de marché à Phong Thô, nous décidons de partir après déjeuner. Impossible de rater le plus beau marché de la région, pratiquement inconnu des touristes !

Nam me ramène bientôt une Jeep de l'armée et son chauffeur. Ces vieilles machines russes, increvables, valent le plus solide des tracteurs.

La route de **Phong Thô** ne nous épargne ni les bosses ni la chaleur, et notre véhicule, conçu pour les rigueurs de la toundra, ne laisse pas passer beaucoup d'air quand on se traîne dans les cahots à 5 km/h. Mais au moins, il nous préserve un peu de la poussière.

Il nous faut bien trois heures pour parcourir les 80 km du trajet. Le paysage magnifique excuse en partie la durée du voyage. Les sommets des montagnes, illuminés à travers la brume de fin d'après-midi, rayonnent dans un halo doré. La route s'élève dans la chaîne montagneuse de Hoang Lien, baptisée Alpes tonkinoises par les Français. Leur point culminant, le **mont Fan Xi Pang** (3 143 m), les domine. Accrochée à leurs versants, la route sinue en multiples lacets pour éviter les pentes trop raides, puis débouche sur une vaste plaine où d'étranges collines de calcaire se dressent parmi les champs.

La ville nouvelle de Phong Thô me déçoit beaucoup. Plantée au milieu de cette belle vallée et entourée de collines irréelles, elle se réduit à quelques immeubles de béton criards et mal construits, émaillés de bars à karaoké et d'échoppes de *pho*. Nous dînerons dans celle de M. Tuan, en face de l'hôtel (en béton) de la ville. Il nous régale de délicieux rouleaux de printemps, de porc sauté enveloppé de légumes, de beignets de crevettes, de brochettes de porc, de soupe… et d'une ou deux bouteilles de *ruou*, le pétrifiant local, pour faire passer la bière… On aurait pu tomber plus mal !

MARCHÉ MATINAL

On se lève tôt dans la région. À 5h (ou était-ce 5h30 ?) des haut-parleurs viennent rompre le silence de la nuit, crachotant leur propagande communiste – à l'usage des minorités ethniques selon Nam, quoique celles-ci vivent bien loin de la ville. Dans tous les cas, le vacarme n'a rien d'agréable, d'autant qu'il ne fait même pas jour. Le long de la route, les chauffeurs qui se sont arrêtés pour la nuit redémarrent bruyamment leur moteur ou font leurs ablutions matinales.

Le marché se trouve en fait plusieurs kilomètres avant Phong Thô, et très loin du moindre hôtel de tourisme. Un bol bouillant de l'inévitable *pho*, et nous reprenons la Jeep.

Ci-dessus et à gauche *Fragile passerelle, typique des paysages envoûtants des hautes terres du Nord.*
À droite *(encadré) Notre Jeep, encore avec ses vitres.*

Impossible de rater le marché. Toutes sortes de vêtements exotiques s'exposent dans la grand-rue. De petits poneys harnachés attendent sagement leurs maîtres hmong, comme parés à toute éventualité. Clos de murs, le marché principal bouillonne déjà d'activité, et les acheteurs se pressent devant les étals.

Selon Nam, le vrai grand marché se tient le dimanche – mais celui du jeudi ne me semble déjà pas si mal.

Assises le long d'un mur, plusieurs femmes aux mains bleues vendent une pâte collante : de l'indigo, teinture naturelle extraite de l'arbre du même nom et utilisée par beaucoup de tribus pour obtenir le bleu nuit de leurs vêtements tissés main – tout comme les jeans furent à l'origine teintés de la même couleur. Cette pâte originaire de Chine est transportée à dos de cheval le long des pistes locales traditionnelles, loin de tout contrôle gouvernemental.

Nous ne sommes plus ici chez les Zao rouges, mais sur le territoire des Zao noirs, dont les femmes s'habillent de tissus noirs arrangés de façon fort élégante. Elles coiffent leur longue chevelure en tresses coquettement entortillées autour de la tête. Je remarque également quelques jeunes filles hmong rouges. Ces dernières mêlaient jadis du crin de cheval à leurs nattes pour créer d'énormes volumes sur leur tête, qu'elles agrémentaient de parures en argent. Elles utilisent aujourd'hui de la laine noire pour obtenir un résultat similaire. Si l'effet est sensationnel, ces femmes se comportent avec une aisance étonnante, apparemment indifférentes à la foule de leurs admirateurs.

Il nous faut tout le reste d'une longue et chaude matinée, en passant par quelques ravissants villages, pour atteindre **Lai Chau**, l'ancienne capitale provinciale. Ce titre lui a été ravi par sa voisine Diên Biên Phu. Pour tout accueil, nous y trouvons une foule de gens transpirants et ronchons. Mais dans la salle du seul hôtel-restaurant de Lai Chau, je rencontre Steve, grand

Canadien qui travaille sur un programme minier. Steve me donne un conseil des plus précieux : pour survivre dans une Jeep russe, demandez au chauffeur d'ôter la vitre – retenue par trois simples boulons. En un éclair, voici cette maudite glace rejetée à l'arrière ; Anh, notre chauffeur, fait de même avec la vitre du conducteur : l'après-midi ne sera plus que frais zéphyr.

Diên Biên Phu

Forêts et collines nous conduisent en plein territoire hmong rouge. De petits villages, semblables à ceux de Thaïlande du Nord, surgissent le long de la route. Construits sur les crêtes de collines boisées, ils semblent rôtir au soleil, loin de toute source d'eau. Leurs cabanes de bambou, couvertes de chaume, étincellent dans la lumière de l'après-midi. Quelques jeunes filles hmong descendent la route, leurs vastes jupes se balançant au rythme de leurs pas nonchalants.

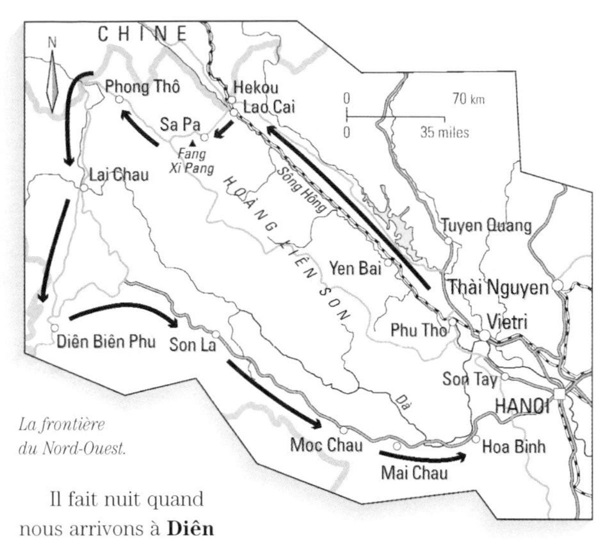

La frontière du Nord-Ouest.

Il fait nuit quand nous arrivons à **Diên Biên Phu**, et les meilleurs établissements sont complets. Mais un modeste néon nous guide finalement vers l'hôtel Airport (➤ 270), un endroit plus que correct.

Planté au milieu d'une vaste plaine, Diên Biên Phu a des allures de ville du Far West avec ses bars à karaoké, ses dancings et tous les attributs de sa nouvelle prospérité. Ses rues poussiéreuses s'alignent le long de l'aérodrome que les Français utilisèrent pour débarquer leurs troupes en 1954. De l'autre côté de celui-ci, la campagne. Les champs de soja sont séparés de la ville par une petite route.

Nam, qui s'est spécialisé en histoire de la guerre durant ses études, est impatient d'étaler ses connaissances. Nous nous dirigeons donc vers le musée, situé quelques bâtiments plus loin ; c'est un blockhaus de style typiquement révolutionnaire, entouré de reliques de la guerre. À l'intérieur d'un vaste hall, le climatiseur, mis en route spécialement pour nous, siffle dans son coin, mais demeure sans effet notable sur la température. Le ticket d'entrée nous donne le droit d'étudier quelques immenses photos de guerre en noir et blanc, des vitrines bourrées de souvenirs, et de visionner une vidéo disponible en anglais, en français et en vietnamien. Il s'agit de documentaires de l'époque et d'une description à peu près compréhensible de la bataille, utilisant une maquette à grande échelle de Diên Biên Phu. Je ne vais pas prétendre que cela me passionne, mais ce musée ne manque pas d'intérêt.

En sueur, nous grimpons maintenant jusqu'à Éliane 1, le mieux conservé des forts français. Entouré par une clôture en fil de fer barbelé rouillé, il renferme un mémorial en hommage aux plus héroïques des soldats vietnamiens, ainsi qu'un ou deux tanks. Les souterrains utilisés par les Viêt-minh s'écroulent et ne peuvent se visiter.

Du haut de la colline, on comprend mieux le plan conçu par le commandant des forces françaises, le colonel de Castries (voir encadré ➤ 97). La plupart des sites de combat se sont "urbanisés", mais il en reste assez pour suivre le déroulement de cette bataille sans issue.

Un peu plus tard, nous visitons la reconstitution du bunker occupé par Castries, situé dans la partie "campagne" de la ville. Encerclé par des champs de soja, ce camp retranché, très fortifié, servit de quartier général aux Français. Nous arrêtons là notre visite, mais il y aurait encore bien d'autres sites à voir, notamment les cimetières de guerre français et vietnamien.

Au pays des Thaïs noirs

À la sortie de la ville, la route tourne vers l'ouest et la frontière lao. Nous choisissons de bifurquer dans la direction du sud, vers Son La et le territoire thaï noir : cet itinéraire constituera certainement la plus belle partie de notre voyage.

Les Thaïs noirs, lointains cousins du peuple thaïlandais, ont l'habitude de construire leurs solides maisons d'argile au bord des cours d'eau, et de mettre en culture des vallées fertiles et verdoyantes. Les petits villages aux toits de bambou commandent des hectares de paddy émeraude, dans un décor de collines boisées. C'est le temps des moissons, et tout au long de la route règne une atmosphère de paisible activité.

Les femmes thaïes sont réputées pour leur habileté au tissage à la main, produisant avec le coton et la soie cultivés sur place des pièces richement travaillées, comme leurs turbans. Chaque village possède ses propres motifs. Le léger cliquetis des métiers montre bien que cette activité fait encore partie intégrante de leur quotidien, même si les femmes y passent de moins en moins de temps à cause de l'intrusion progressive de la modernité.

Son La

L'après-midi touche à sa fin, et nous voici arrivés à **Son La**, capitale de la province éponyme, et ville de montagne surtout connue pour sa vieille prison française. Ce pénitencier construit au début du XXe siècle renferme de tristes souvenirs. De nombreux Vietnamiens en lutte pour la liberté de leur pays y séjournèrent entre 1908 et 1954. La prison accueillit plus tard des prisonniers politiques français. Les bombes américaines en ont détruit une grande partie durant la guerre, mais ses vestiges justifient amplement une visite. L'émotion est forte lorsque s'ouvrent les lourdes portes de fer des cellules souterraines : facilement inondables, il suffisait de tourner un robinet pour réduire au silence éternel certains prisonniers trop encombrants. Personne ne s'est jamais échappé de cette prison.

À quelques kilomètres de la ville, des établissement de bains ont profité des sources thermales pour s'établir. On peut s'y délasser des rigueurs du voyage à tout petit prix.

Festivités villageoises

La route de **Mai Chau** nous réserve encore quelques magnifiques paysages. Encerclée de hauts sommets calcaires, cette petite ville se niche dans l'une des plus belles vallées du Viêt Nam. Ici et là, on croise quelques villages thaïs blancs ; les Hmong et les Muong sont plus difficiles à rencontrer car ils vivent plus haut dans la montagne. Le décor devient irréel quand la brume vient voiler les versants de celle-ci ; on se trouve ici dans un véritable pays de cocagne pour les amateurs de trekking.

Les villages thaïs accueillent volontiers les touristes. Les lundi,

La bataille de Diên Biên Phu

Le colonel de Castries pensait que la plaine de Diên Biên Phu, encerclée de montagnes, constituerait une base de départ idéale pour lancer une offensive contre les Viêt Minh. Mais il avait lourdement sous-estimé son adversaire, et le piège devait se refermer sur les troupes françaises. Le 20 novembre 1953, six bataillons français étaient parachutés dans la plaine. Dans l'autre camp, le général Giap mettait en route ses 55000 hommes ; quelque 200000 porteurs réussirent à hisser l'artillerie lourde dans les montagnes, pour occuper des positions clés, surplombant les Français dans la plaine. En mars 1954 le bombardement commença, et les forts français tombèrent les uns après les autres. Cette défaite porta un coup à l'armée française, qui dut évacuer le Viêt Nam. Après la reddition des troupes françaises, le pays fut divisé en deux parties le long du 17e parallèle – communiste au nord et capitaliste au sud – mais la paix ne devait pas durer.

Ci-dessus *Paysage des hautes terres et (encadré) tank à Diên Biên Phu.*
Ci-dessous *Femmes hmong vêtues d'indigo.*

mercredi et samedi, des groupes organisés viennent y passer la nuit. On est plus au calme les autres jours, pour apprécier le confort de ces grandes maisons.

Assis sur le sol parmi les nattes et les coussins, nous dégustons un superbe repas de poulet sauté accompagné de riz et de légumes, avant de rejoindre un groupe de Vietnamiens pour assister au spectacle donné par les villageois.

Quelques verres de *ruou* (alcool de riz) et d'"eau de feu du Mékong", et nous voici prêts à regarder les jeunes danseuses accomplir leurs pas traditionnels avec une grâce séduisante. Mais les Vietnamiens enchaînent bientôt sur un karaoké de leur cru, et nous nous esquivons vers une autre maison, où un groupe de Belges a organisé une petite fête. La bonne humeur règne, surtout avec la danse à boire finale. Une grande jarre occupe le centre de la pièce, remplie d'une douzaine de tiges en bambou creux. Plusieurs tribus d'Asie du Sud-Est utilisent ce genre de pot à alcool de cérémonie. Chacun danse autour, au son des cornemuses et de l'accordéon, sirotant une gorgée d'alcool de riz sucré, puis reprenant sa danse. Le bol vidé, la danse s'achève, et nous reprenons le chemin de notre gîte à travers le village endormi. En dépit du surcroît de revenus apporté par les touristes, les villageois restent des fermiers avant tout, et se lèvent à l'aube pour partir aux champs.

Durant notre absence, moustiquaires et rideaux ont transformé notre maison en un dortoir divisé en petites chambres intimes. Les bruits cessent peu à peu, et la salle plonge dans un sommeil paisible.

Le lendemain matin, nourris d'un petit déjeuner de *pho* bouillant, nous profitons d'une promenade à travers les champs avant de nous en retourner à Hanoi.

Tâchant d'amortir les cahots de mon sauna sur roues, je me demande ce qui a bien pu m'attirer dans cette galère. Et pourtant, je reviens dans cette région depuis des années. Et j'y reviendrai encore, surtout après avoir découvert le secret de la Jeep sans vitres, au grand air des montagnes.

PARTIR EN SOLO

QUAND PARTIR

Temps plus frais (souvent brumeux) de novembre à janvier : entre 8 °C et 20 °C. Le mois d'octobre est sans comparaison le plus agréable, juste à la fin de la saison des pluies : chaleur plus soutenue, et paysages verdoyants.

La mousson n'est pas régulière, mais les pluies sont fréquentes entre juin et septembre. Février et mars ne sont pas forcément épargnés.

SE DÉPLACER

Louez une voiture dans un des cafés de touristes du Vieux Quartier de Hanoi. Certains mettent également des annonces pour partir à plusieurs.

Vous pouvez aussi prendre le train de nuit (banquettes de bois uniquement) de Hanoi à Lao Cai, puis le bus jusqu'à Sa Pa (ce qui fait 380 km de route en moins).

S'ORGANISER

Vous trouverez des véhicules 4x4 et des guides connaissant la région à Sa Pa. Renseignez-vous à l'auberge ou chez les petits opérateurs de la rue du marché. On saura vite que vous cherchez, et l'on viendra vous trouver.

Parlez avec votre guide avant de partir, pour être bien sûr de savoir où vous allez. Mettez-vous d'acord avec lui sur votre programme. Si vous prenez un guide qui ne parle pas le français, ou peu d'anglais, vérifiez auprès de l'agence qu'il a bien compris ce que vous voulez. Si vous souhaitez découvrir les minorités, ou prendre votre temps pour faire des photos, assurez-vous que votre guide-chauffeur est d'accord pour s'arrêter où vous lui demanderez. Un guide trop pressé peut gâcher votre voyage.

PRÉVOIR

Tous les véhicules se louent avec chauffeur. Si vous voulez partir seul, il vous reste la moto. Si vous êtes allergique à la "Jeep" russe, prenez un Land Cruiser climatisé : confort en prime, authenticité en moins.

SANTÉ

- Vaccin contre l'hépatite fortement conseillé, ainsi que comprimés anti-malaria.
- Prenez une petite trousse de secours comprenant notamment sparadrap, crème antiseptique, antibiotiques et analgésiques
  Si vous êtes allergique à la poussière, munissez-vous d'antihistaminiques – ou voyagez en Land Cruiser.

QUELQUES TUYAUX

- Si l'histoire militaire vous laisse de marbre, oubliez Diên Biên Phu : la région recèle bien d'autres sites.
- Si vous prenez la "Jeep" russe, demandez au chauffeur qu'il enlève les vitres en dévissant les trois boulons qui les retiennent.
- Prévoyez au moins deux ou trois jours à Sa Pa, voire une semaine si vous disposez du temps. L'altitude vous garantit une température fraîche, idéale pour partir en trekking dans les environs.
- Ne prenez pas de photo sans demander la permission. Un sourire, un geste pour montrer que vous souhaitez photographier la personne devraient suffire. Si quelqu'un refuse, respectez son souhait.
- Ne donnez jamais de médicaments occidentaux, à moins d'être compétent.
- Emportez des bonbons, des livres ou des stylos pour les enfants des villages. Ce sont encore des cadeaux de prix. Certains n'ont jamais goûté autre chose que du sucre de canne.

NE PAS OUBLIER

- De l'eau en bouteille.
- Des chaussures de marche faites à vos pieds.
- De la lotion anti-moustiques.
- Une moustiquaire préimprégnée de lotion anti-moustique.
- Un drap de nuit (achetez-en un en soie, dans le quartier de Hang Gai, à Hanoi).
- Une lampe torche et des piles de rechange.
- Des mouchoirs et du papier toilette.
- De la crème solaire et un bob ou un chapeau.
- Une petite trousse de secours.
- De petites coupures pour vos menus achats.
- Un sac étanche ou des sachets congélation pour protéger de l'humidité appareil photo et autre matériel électronique.
- Un blouson chaud, imperméable (il peut faire froid à Sa Pa). Durant les mois d'hiver, le froid s'étend à tout le nord-ouest : prenez pulls et bonnet.

De retour à Luang Prabang, nous nous mettons en quête d'un bateau rapide, équipé d'un barreur, pour remonter le Nam Ou, et d'un navigateur assez habile pour négocier les rochers et les rapides rendus encore plus dangereux par le manque de pluie. Le voyage de cinq heures jusqu'à Muang Khua coûte environ 75 $.

Nous partons le lendemain matin à 6 h. D'abord, nous prenons un "jumbo" (tricycle à moteur) pour rejoindre le fleuve à Ban Don. Après une petite pause au marché de Talat Sou pour acheter de l'eau minérale, une baguette et de la "Vache qui rit" (fromage omniprésent en Asie), nous arrivons bientôt au bateau.

Nous enfilons casques de protection et gilets de sauvetage (indispensables), et notre batelier, Souvanna, démarre le 40 CV Toyota dans un rugissement infernal. Nous voilà partis, filant sur le Mékong avant de bifurquer à droite sur le Nam Ou, surplombé par d'impressionnantes falaises de calcaire.

Ci-dessus et ci-dessous *Décor de falaises et pirogue sur le Nam Ou.*
À droite *Vue sur la rive et le village, pont de Muang Noi.*

ABEILLES ET OISEAUX

La flore et la faune du Laos sont d'une richesse extrême: on compte 400 espèces d'oiseaux, 69 espèces de chauves-souris, 6 espèces d'écureuils volants, des tigres, des panthères et des ours malais. Le nom originel du pays, Lane Xang, qui remonte au XIVe siècle, signifie le "royaume du million d'éléphants". Mais à moins d'un coup de chance, vous n'y rencontrerez probablement pas d'éléphants sauvages. En revanche, si vous ouvrez l'œil, vous y verrez des oiseaux rares, tel le superbe souimanga, ou oiseau-soleil (*Nectarinia arachnothera*). Le Laos compte également plus de 1000 espèces d'orchidées sauvages, notamment la spectaculaire *Vanda caerulea* bleue – sans parler des hibiscus, des frangipaniers et des acacias.

En remontant le Nam Ou

Secoués comme pots de gélatine par les rebonds de la coque sur les flots, nous en arrivons pourtant très vite à cette conclusion : les paysages du Laos sont à couper le souffle, et remonter le Nam Ou va nous permettre d'explorer l'une des dernières régions encore épargnées par le tourisme.

Comme en un songe accéléré par la vitesse, une succession de scènes défilent : montagnes couronnées de palmiers, *heu ha pa* (sortes de pirogues) dont les passagers s'abritent du soleil sous des ombrelles colorées, petits villages nichés dans leurs forêts de tecks.

Au bout de deux heures, nous approchons la première agglomération : Muang Noi, tapie au pied de falaises gigantesques aux sommets noyés dans les nuages. Le long de la rue principale s'alignent des baraques d'un étage, quelques guest houses récentes et des salles de billard. Du pont en béton, vue magnifique sur le fleuve et les montagnes.

Nous poursuivons ensuite vers le nord, traversant une région sauvage, évitant les tourbillons menaçants et les blocs de rochers qui émergent. L'après-midi touche à sa fin quand nous arrivons à la ville de **Muang Khua**, et la lumière faiblit. Sur la berge, les gens se rassemblent pour la toilette du soir, leurs sarongs soigneusement ajustés pour préserver la pudeur. Mes amis plongent dans le courant rapide pour se joindre à la baignade, dans un sublime décor de collines moutonnantes et de forêt tropicale.

À Muang Khua comme dans bien d'autres villes du Nord, luxe et confort n'ont pas vraiment cours. Le principal hôtel (80 m sur la gauche) n'a même pas de nom ; ses chambres spartiates, un rien humides, sont cependant pleines de caractère. Pour en tirer le meilleur parti, autant imiter la coutume locale : s'imbiber de *lao lao* (alcool de riz, très fort) ou de Beer Lao, et se mettre au lit de bonne heure.

Hormis son hôtel et un merveilleux pont suspendu qui traverse la Nam Phak à l'autre bout de la ville, Muang Khua mérite une mention particulière : les Français y ont résidé jusqu'en 1954, date de la reddition de leurs troupes après la désastreuse bataille de Diên Biên Phu (➤ 96).

Les confins du fleuve

Le lendemain, en compagnie d'un policier local (qui paie trois fois moins cher que nous son passage), nous repartons pour la dernière et la plus spectaculaire étape de notre navigation, aux confins du fleuve Nam Ou. Selon les dires de notre nouveau barreur (un jeune vantard nommé Soung), cette région reculée abrite des éléphants, des tigres, et la très rare panthère longibande – mais nous n'en apercevrons aucun signe. Les Lao Loum, ou Lao des plaines, agriculteurs arrivés de Chine méridionale aux VIe et VIIe siècles, habitent le long de cette partie du fleuve. D'une exquise gentillesse, ils vivent dans un isolement presque total. On peut tomber sur une cabane solitaire perchée à flanc de colline, habitée par un fermier et sa femme, puis dans la vallée suivante, sur une cabane presque identique, et un kilomètre plus loin, sur une troisième. Rien que pour aller boire un verre d'alcool de riz avec leur voisin, il leur faut marcher toute la soirée.

Deux bonnes heures sont nécessaires pour arriver à bout du difficile passage entre Muang Khua et **Ban Hat Sa** (souvent impraticable durant la saison sèche, entre février et juillet). Le Nam Ou poursuit ensuite son cours vers le nord jusqu'à Ban Suayngam et la frontière chinoise, mais une série de rapides empêche de l'emprunter.

D'autres moyens de transport permettent de poursuivre le voyage : un 4x4 publique part tous les jours de Ban Hat Sa vers midi, ou dès qu'elle est surchargée au point de paraître incapable de rouler… Cet antique véhicule se traîne ensuite sur 20 km de pistes aux profondes ornières à la vitesse supersonique de 20 km/h. Et comme on s'arrête régulièrement pour changer une pièce ou une autre de son moteur agonisant, il faut bien deux heures pour arriver à Phongsali, capitale de la province.

Minorités ethniques

À **Phongsali**, dans la vieille ville, un adorable petit marché fréquenté par les riverains et les minorités des environs propose toutes sortes de racines peu identifiables, de fruits et de légumes. On y retrouve ainsi l'extraordinaire diversité qui caractérise cette région montagneuse et reculée, aux confins des frontières chinoise et vietnamienne. Avant le traité franco chinois de 1895, Phongsali était une principauté indépendante rattachée à la Chine du Sud. Aujourd'hui, elle demeure la province la plus isolée du Nord, refuge des tribus, des champs de pavots à opium (à n'approcher sous aucun prétexte), et d'un nombre croissant de Chinois attirés par les opportunités de commerce (ou de contrebande) transfrontalier.

Arrêt à l'hôtel Phongsali (➤ 271), vaste et disgracieux établissement dominant cette ville de 20 000 habitants ; nous nous restaurons de *khao phoun* (soupe de nouilles) et de *kayo cuon* (rouleaux de printemps), avant de partir flâner parmi les ruelles pavées et les vieilles maisons en bois.

Au-delà de Phongsali, une longue chaîne de montagnes se déploie jusqu'à la frontière chinoise au nord, et vers la ville d'Udom Xay au sud, à plus de 220 km. Plus de 25 minorités vivent sur ces hautes terres, notamment les Phou Noi (reconnaissables à leurs guêtres blanches), les Akha, aux turbans noirs ornés de pièces d'argent, et les fameux guerriers hmong, recrutés par la CIA dans les années 1960 et 1970 pour combattre les communistes du Pathet Lao. Selon la légende locale, ces tribus, caractérisées par leurs lourds colliers d'argent et leurs énormes turbans, sont arrivées au Laos sur un tapis volant. Pour les ethnologues, ils seraient plutôt originaires de Chine méridionale, où ils s'adonnaient avec ferveur à la culture du pavot.

Nous passons la journée à Phongsali, explorant la ville, escaladant le mont Fou Sa ("la Montagne dans le ciel") et empruntant les sentiers des environs, où les gens des tribus marchent parfois des jours entiers nu-pieds, portant leurs sacs d'aubergines, de maïs et de pavot, qu'ils échangent contre des produits manufacturés. À l'heure actuelle, le gouvernement interdit tout séjour de nuit dans leurs villages.

Voyage terrestre

Le lendemain matin, le temps s'annonce frais et couvert. Nous nous rendons à l'arrêt de bus situé face à l'hôtel Phongsali à 7 h, heure officielle de départ : aucun bus en vue, mais une foule de passagers attendant avec leurs sacs de riz, leurs cochons attachés par les pattes, et leurs faisceaux de bambou.

Le bus (un camion réaménagé) fait finalement son apparition, crachant un épais nuage de fumée noire. Chacun de se presser sur les sièges (des planches), et le départ est donné. L'inconfort des routes du Nord dépasse l'imagination, mais la beauté des paysages et les petites scènes quotidiennes rencontrées en chemin vous plongent dans l'euphorie d'une aventure bien réelle. Et le décor devient vite si grandiose que vous en oubliez le coude du voisin et l'odeur des gaz d'échappement.

À gauche *Le 4x4 publique au départ de Phongsali pour Ban Hat Sa : un voyage lent et inconfortable.*
Ci-dessous *Chargement de la pirogue sur le Mékong. Luang Prabang – paradis terrestre aux temples célestes, notamment (encadré) le Wat Xieng Thong.*

À **Ban Yo** (74 km), un village au pied des collines, quelques passagers hagards descendent en titubant, remplacés par des paysans musclés et des hommes des tribus parfaitement insensibles aux nids-de-poule.

L'existence de ces routes constitue une performance en soi, vu l'état de pauvreté des Laotiens. Le revenu annuel par habitant ne dépasse pas 200 $. Quant à la densité de population dans l'extrême Nord, c'est l'une des plus basses d'Asie : on l'estime à neuf habitants par km^2.

Après Ban Yo, la piste s'enfonce dans un pays accidenté. Des **villages akha** s'accrochent dans des clairières à flanc de montagne. Par endroits, les glissements de terrain ont balayé de grands tronçons de route. Ailleurs, le bus doit effectuer un véritable gymkhana pour éviter les énormes rochers qui nous bloquent le passage.

Il nous aura fallu neuf heures pour atteindre **Udom Xai**, ville commerçante dénuée de tout caractère où nous passons la nuit (plusieurs hôtels et guest houses). Le lendemain matin, le bus régulier nous ramène en cinq heures à Luang Prabang et aux flots paisibles du Mékong et du Khan.

Temples et reliques

Pour ma dernière journée, je prends un avion (40 min), direction **Vientiane** (prononcez Wieng Chan), la capitale actuelle du Laos. Construite sur les rives du Mékong, la ville a subi de nombreuses invasions. Rasée par les Thaïs en 1828 (et son roi suspendu dans un panier au-dessus du fleuve), attaquée par les Vietnamiens, les Birmans et les Khmers, occupée par les Français, il en est resté un mélange improbable et attachant de vieilles villas coloniales décrépites, d'avenues majestueuses bordées d'arbres, de temples, de pagodes, de boutiques modernes et encombrées d'embouteillages.

Je choisis pour résidence la charmante auberge du Temple, ancienne villa située dans les faubourgs.

"PLA BUK"

C'est le nom d'un des plus gros poissons d'eau douce de la planète. Le *pla buk*, ou silure géant (*Pangasianodon gigas*), peut peser jusqu'à 300 kg. Selon des légendes anciennes, cet amateur du lit des rivières, plus grand qu'un homme adulte, habitait des grottes sous-marines en or. Comme bien d'autres espèces au Laos, il a été victime de la pêche intensive. Mais un récent programme de repeuplement devrait offrir une nouvelle jeunesse à ce monstre du Mékong.

Un tricycle me conduit au monument le plus sacré de la ville : **That Luang** ("Grand Stupa sacré"). Il renfermerait le sternum du Bouddha. Pillé par les Chinois, les Birmans et les Siamois (qui n'en laissèrent qu'un tas de ruines), il fut restauré au début du XIXe siècle. Sa flèche, fleur de lotus stylisée surmontée d'une fleur de bananier et d'un parasol, domine aujourd'hui les toits de Vientiane.

Deux autres monuments sont à visiter. À l'ouest, entre le marché du matin et le fleuve, le **Wat Sisakhet**, le plus ancien et le plus vaste ensemble religieux de la ville, abrite plus de 2 000 statues du Bouddha, logées dans des niches splendides. Et sur Thanon Setthathirat, le **Wat Ongtu** (temple du Bouddha lourd) renferme une statue de bronze du XVIe siècle pesant près de 3 t.

Le soir venu, je descends Thanon Fa Ngum, rue baptisée du nom du roi qui régna le plus longtemps sur le pays. Tecks et casuarinas majestueux ombragent cette promenade animée. Après m'être arrêté devant les étals des colporteurs pour déguster un *nan wan* (gelée sucrée et lait de noix de coco), je vais voir le soleil se coucher sur le Mékong. Demain, je m'envolerai pour Bangkok, mais ce soir, je veux profiter quelques heures encore de ce pays mystérieux et attachant.

PARTIR EN SOLO

QUAND PARTIR

La meilleure période pour remonter le Nam Ou se situe en hiver, entre octobre et début février, lorsque les pluies de mousson ont suffisamment gonflé la rivière.

Durant la saison chaude, de février à juillet, la température peut dépasser 35 °C ; le fleuve est souvent impraticable.

De juin à septembre, averses tropicales et journées ensoleillées alternent. Un véhicule tout-terrain s'avère indispensable pour tous vos déplacements.

SE DÉPLACER

Pour rejoindre Luang Prabang, 40 min de vol depuis Vientiane avec Lao Aviation, ou six heures de navigation en hors-bord à partir de Chiang Kong, sur la frontière thaïlandaise.

Vous pouvez prendre un bateau à Luang Prabang pour remonter le Nam Ou jusqu'à Ban Hat Sa. Si vous ne trouvez pas de bateau public au départ, la location d'une pirogue privée vous coûtera environ 100 $.

Bus bondés et peu fiables mais, à moins de voyager par vos propres moyens, c'est la seule solution pour se déplacer. En général, départ tôt le matin pour arriver à bon port avant la nuit.

TROUVER UN BATEAU

Au départ de Luang Prabang, les hors-bords remontent et descendent le Nam Ou jusqu'à Muang Noi (deux heures), Muang Khua (quatre heures) et Ban Hat Sa (six heures). Les bateaux "lents" mettent deux fois plus de temps, mais coûtent moins cher et permettent une approche différente. Convenez d'un prix avant le départ (les étrangers payent forcément plus cher que les locaux). Si vous louez un hors-bord privé, vous payerez environ 20 $ l'heure. N'oubliez pas que de début février à juillet, le niveau des eaux peut empêcher toute navigation, surtout sur le parcours Muang Khua-Ban Hat Sa.

Quelques opérateurs proposent des circuits et des expéditions à la demande sur le Nam Ou (➤ 271).

HÉBERGEMENT

Vientiane et Luang Prabang offrent un vaste choix, du bel hôtel de style colonial aux guest houses bon marché. Dans les petites agglomérations en bordure du Nam Ou, hébergement spartiate, avec chambres simples et salle de douche commune.

NE PAS OUBLIER

- ❑ Eau et nourriture pour le voyage en bateau
- ❑ Chapeau de soleil et crème solaire.
- ❑ Sachets en plastique étanches
- ❑ Mouchoirs et papier toilette.
- ❑ Lampe torche et allumettes
- ❑ Monnaie locale pour payer le bateau, les bus, les hôtels et la nourriture
- ❑ Prévoyez des vêtements chauds pour les mois d'hiver

SANTÉ

- ❑ Le paludisme (malaria) sévit dans le nord du Laos. Pour savoir quels comprimés préventifs prendre, consultez votre médecin avant le départ
- ❑ Emporter – ou acheter sur place – une moustiquaire enduite de produit anti-moustiques
- ❑ Prenez de la lotion et des serpentins anti-moustiques. Le soir, portez des manches longues et un pantalon
- ❑ Emportez une petite trousse de secours comprenant de la crème antiseptique, du sparadrap et des comprimés anti-dysenterie
- ❑ Ne buvez que de l'eau en bouteille ou bouillie.
- ❑ Lavez et pelez tous les fruits, évitez la glace
- ❑ Vaccin contre l'hépatite conseillé ; consultez votre médecin
- ❑ Souscrivez une bonne assurance médicale avant votre départ

CONTRÔLE ADMINISTRATIF

Où que vous alliez dans le nord de Laos, faites enregistrer votre arrivée et votre départ au commissariat de police local, près de l'embarcadère ou, si vous arrivez à Luang Prabang en avion, à l'aéroport. Sans timbre d'arrivée et de départ, vous risquez une lourde amende et de sérieux problèmes avec l'administration.

11 Trois jours sur le Mékong

par Ben Davies

Luxe du superbe et confortable Vat Phou, *calme des eaux majestueuses du Mékong, volupté des danseuses* apsara *gracieusement sculptées sur les bas-reliefs de Champassak. Cette croisière de trois jours sur "la mère de tous les fleuves", au sud du Laos, m'a laissé le souvenir inoubliable de ces paysages empreints de sérénité.*

Le plus grand fleuve d'Asie du Sud-Est prend sa source au Tibet, dans la chaîne de l'Himalaya. Le Mékong, ou "Mère de tous les fleuves" traverse ensuite les montagnes accidentées du sud-ouest de la Chine, puis la Birmanie et la Thaïlande avant de pénétrer au Laos, près de la ville de Houei Xai. Il vient alors baigner 1 900 km de territoires verdoyants avant de traverser le Cambodge, puis le Viêt Nam, pour se jeter finalement dans la mer de Chine méridionale.

Plusieurs décennies de guerre et d'instabilité politique ont éloigné les voyageurs du Mékong, et empêché ses premiers explorateurs de reconnaître la totalité de son cours. Aujourd'hui, avec l'ouverture du Laos, du Cambodge et du Viêt Nam, certaines sections du fleuve redeviennent accessibles en bateau.

Le secteur le plus fréquenté se situe entre Chiang Khong, sur la frontière thaïlandaise, et l'antique cité de **Luang**

Prabang (➤ 100). Ce voyage s'effectue en cinq heures en hors-bord, ou en deux jours à bord d'une péniche. Mais pour ceux qui cherchent luxe et confort, le sud du Mékong, entre Pakse (ou Pakxe) et les rapides de l'île de Don Khong, offre une très séduisante alternative.

Navigable toute l'année, ce parcours de 140 km à travers des paysages extrêmement contrastés permet de visiter le temple hindou et khmer de Wat Phu et, surtout, il vous donnera l'occasion de faire un voyage magnifique sur l'un des plus beaux fleuves du monde.

Pour entreprendre une croisière sur le Mékong, mieux vaut profiter des mois d'hiver, entre octobre et la fin février : climat tempéré, paysages splendides et niveau des eaux encore gonflé par les pluies de la mousson. C'est également la période des plus célèbres festivals religieux du Laos, notamment du Bun Pha Wet, qui célèbre la réincarnation du roi Vessanthara en Bouddha, et la Magha Puja, qui marque la fin du séjour du Bouddha au monastère.

Comme dans tout pays tropical, une bonne forme physique est nécessaire pour pouvoir marcher de longues heures en pleine chaleur. Les températures dépassent souvent 35 °C entre mars et mai.

★★★ Si vous voulez naviguer confortablement sur cette partie du Mékong, partez trois jours en croisière à bord du *Vat Phou*. Ce navire de 34 m possède 12 cabines en bois de rose (lits jumeaux), une salle à manger, et un superbe pont. Réservez à l'avance auprès de Mekong Land (➤ 272).

Emportez des chaussures de marche confortables pour visiter des temples khmers et explorer les rapides. Durant la mousson, n'oubliez pas de prendre des vêtements imperméables et de la lotion anti-moustiques.

Ci-dessous *Le* Vat Phou, *et son vaste pont-promenade (encadré), vous offrira des vues imprenables sur les rives du bas Mékong. Une croisière à effectuer entre octobre et février, quand les paysages se révèlent dans toute leur splendeur.*

"Mère de tous les fleuves"

Vieux quartiers français de Pakse, milieu de matinée : notre luxueux *Vat Phou* quitte le débarcadère, et manœuvre pour gagner le lit de la Nam Se avant de rejoindre le Mékong proprement dit. Sur le pont, un mélange bigarré de passagers – un journaliste italien et sa femme, deux dentistes français accompagnés de leur famille, un enseignant espagnol et moi-même – essayent de distinguer les contours des montagnes de Champassak au sud et, plus loin encore, les lignes brumeuses de la Thaïlande gommées à l'horizon.

Sirotant nos cocktails de fruits, nous descendons le courant. Les maisons de bois et les temples bouddhiques scintillants semblent surgir de la végétation luxuriante. À chaque boucle du fleuve, le paysage se fait plus rude et plus sauvage ; des falaises de calcaire surplombent le Mékong, tandis que Pakse disparaît peu à peu dans la brume.

À dire vrai, je n'aurais jamais imaginé explorer le Sud du Laos en bateau de croisière, et encore moins me joindre à un circuit organisé. Comme bien d'autres voyageurs, j'associe l'idée d'aventure à des pirogues taillées dans des troncs d'arbres, ou à des rafiots prenant l'eau de toutes parts, dans des marais infestés de moustiques. Pourtant je commence déjà à apprécier l'expérience. Voyager en groupe épargne bien du temps et des fatigues. Et grâce au guide qui nous accompagne (il parle anglais et français), on en apprend bien plus sur les gens et l'environnement local. Enfin et surtout, cette croisière de luxe permet d'apprécier le Mékong en toute tranquillité, sans avoir à se préoccuper du lendemain.

La vie à bord du *Wat Phu* a vite fait de prendre son rythme… de croisière. Après un petit déjeuner composé de baguette, d'œufs brouillés et de délicieux fruits tropicaux (notamment des ramboutans et des papayes), nous montons sur le pont où, installés dans d'excellents fauteuils de bambou ou sur des nattes de rotin, nous contemplons le spectacle du fleuve et des berges qui défilent lentement. Le déjeuner est servi à 12h30 par l'équipage, habillé de sarongs lao finement tissés. Le reste du temps est consacré aux excursions à terre, à des siestes l'après-midi et, encore et toujours, à l'observation béate d'une suite ininterrompue de fabuleux paysages.

Temples et mousson

La pluie tombe tandis que nous abordons la berge non loin de la vénérable cité de **Champassak**. Centre de l'empire du Chenla au VIe siècle, cette petite bourgade paisible est surtout réputée pour son temple khmer, le **Wat Phu**, à 15 min en bus au sud-ouest de notre point d'amarrage.

Même si le **Wat Phu** ne peut se comparer à son cousin cambodgien plus connu d'Angkor, la montagne de Phou Pasak qui le domine confère une grandeur fascinante à cet ensemble de murs écroulés et rongés par le temps.

La source du Mékong

La première tentative connue pour découvrir les sources du Mékong eut lieu en 1866, lorsque deux canonnières commandées par Doudart de Lagrée quittèrent Saigon dans le dessein de remonter le fleuve sur la totalité de son cours. Mais l'aventure tourna à la tragédie quand les équipages durent abandonner leurs bateaux. Les expéditions suivantes échouèrent également sur les rapides de Keng Luang et près de Khemmarat. Il fallut attendre 1995 pour qu'une expédition franco-britannique découvre les sources du Mékong, à 5000 m au sommet du col de Rup-Sa, au Tibet.

UN AVANT-GOÛT DU LAOS

Pour ceux qui ne connaissent pas encore la cuisine lao, voici la définition de quelques spécialités :

- Le *laap* : émincé de viandes épicées, oignons, citron et chili.
- Le *khao niao* : riz gluant qui accompagne presque tous les plats, servi dans de petits paniers.
- Le *neung paa* : poisson à la vapeur.
- Le *tam maak hung* : ou *sotam*, salade épicée de papaye verte râpée et de chili.
- La *khao phun* : nouilles locales.
- Le *tom khaa kai* : soupe épicée de poulet et de lait de noix de coco.
- La Beer Lao est la bière locale, le *lao lao*, un fulgurant alcool de riz.

L'explorateur Francis Garnier le découvrit en 1866, et l'histoire du site avant cette date reste encore baignée de mystère. Selon les archéologues, le sanctuaire hindou originel a vu le jour dès le VIe siècle, 200 ans au moins avant les premiers travaux d'Angkor. Les Khmers en auraient fait un temple bouddhique au XIe siècle, sous le règne de Jayavarman VI (1080-1107).

Nous abordons la grande allée processionnelle par l'est ; notre guide nous conduit devant deux pavillons de grès en ruine, qui abritent des représentations de Shiva, divinité hindoue protéiforme. Plus haut, après un pavillon dédié au taureau Nandi, nous pénétrons dans le sanctuaire proprement dit, à proximité d'une grotte où s'écoule un ruisseau sacré : sur des parois sculptées en bas relief d'une infinie délicatesse, les célestes *apsara* exécutent leurs danses voluptueuses, tandis qu'Indra conduit son éléphant à trois têtes.

Les inconditionnels d'Indiana Jones et de son "arche perdue" apprécieront le secret du Wat Phu : selon la légende, un inestimable bouddha d'émeraude serait caché quelque part dans le sanctuaire… mais personne n'a jamais pu le découvrir.

Lorsque nous redescendons des niveaux supérieurs, tout le temple se trouve assombri par une averse de mousson. De retour à bord, nous naviguons entre les collines abruptes de la chaîne Annamitique. En fin d'après-midi, le *Vat Phou* jette l'ancre sur la berge de **Ban Boun**, et nous partons à la découverte de ce village tout simple, blotti dans les verdoyantes rizières des rives du Mékong.

LES QUATRE MILLE ÎLES

Au point du jour, les machines du *Vat Phou* se remettent en action, et notre voyage nonchalant se poursuit. L'étendue d'eau qui nous entoure est désormais si vaste qu'elle ressemble à une mer. Seuls quelques villages au loin, et les enfants qui nous saluent de la rive nous indiquent que nous nous rapprochons de la frontière cambodgienne et des chutes de Khone.

Le Mékong change peu à peu d'aspect : des chenaux se déploient à l'infini, comme les bras d'une pieuvre géante. Les Lao appellent cette partie du fleuve See Pan Done – les Quatre Mille Îles –, chiffre qui n'est probablement pas loin de la vérité. Durant la saison des pluies, le cours du Mékong atteind 14 km de large, créant des remous et des tourbillons qui rendent la navigation de plus en plus risquée.

Nous nous amarrons à l'extrémité nord de **Dong Kong**, la plus vaste des îles du Mékong, pour être conduits jusqu'au **Wat Chom Thong**, temple d'inspiration khmère construit au XIXe siècle et habité par des moines aux belles robes safran. Ce temple à demi ruiné, environné de gracieux cocotiers et de manguiers trapus, est renommé pour le délicat ouvrage de ses volets de bois.

Mais la réputation de cette île de 55 000 habitants ne tient pas seulement à ses temples : en décembre, les îliens organisent un festival, le Bun Suang Heua, pendant lequel des courses de bateaux se tiennent sur le Mékong. Les candidats se dopent alors à l'alcool de riz. Pour assister à cet événement unique ou, simplement, pour visiter les grottes sacrées et les temples de l'île, louez un vélo à l'auberge Sala Done Khong, un vieil hôtel en teck de Muang Khong.

Quittant le Wat Chom Thong, nous regagnons la rive à bord d'un catamaran rustique construit avec de vieux bidons d'essence et des planches. Cette descente de 30 km traverse un décor de rizières étincelantes, avant de rejoindre les rapides les plus larges de toute l'Asie du Sud-Est. À l'horizon, les montagnes de Khong Hai délimitent la frontière cambodgienne.

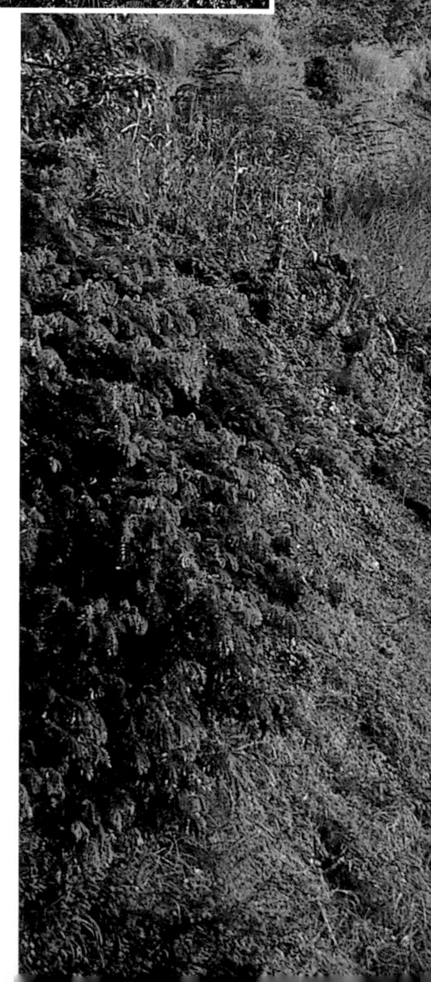

Ci-dessus *L'une des nombreuses chutes des rapides bouillonnants de Khong Phapheng. Vous y apercevrez peut-être les dauphins de l'Irrawaddy.*
À droite *Paix et sérénité à Pakse.*

PLATEAUX ET CASCADES

Si la descente du Mékong vous a donné envie d'explorer les environs, essayez de combiner cette croisière avec une escapade au plateau des Boloven et à la chute de Tadlo, à deux heures de route au nord de Pakse (➤ 130). Les plus audacieux pourront prendre un bus (ou se joindre à un circuit organisé) pour explorer l'un des derniers espaces vierges du pays, au-delà d'Attapeu, près de la frontière montagneuse du Viêt Nam.

La voix du Mékong

Le grondement des **chutes de Khong Phapheng** résonne de plus en plus fort. Sur 10 km de large, des centaines de cascades écumantes et de chenaux tumultueux emplissent l'air de leur vacarme : les riverains l'appellent "la voix du Mékong".

Installés sur la berge, nous dégustons un déjeuner insolite de poisson frais, de viande séchée et de salade, servi dans des assiettes de porcelaine débarquées par l'équipage. Après quoi, nous descendons un petit sentier qui nous conduit au bord de l'eau.

C'est Francis Garnier (➤ 113) qui, le premier, a rapporté l'existence de ces rapides en 1866 : alors qu'il se rendait en Chine, il dut abandonner ici son bateau pour continuer son voyage à pied. D'autres explorateurs, qui pensaient après lui remonter tout le cours du Mékong, virent leurs rêves s'évanouir devant la violence des rapides.

À la fin du XIXe siècle, les Français ont construit une étroite voie de chemin de fer pour acheminer les marchandises en contournant les chutes de Khong Phapheng et de Li Phi (on peut encore voir la vieille locomotive exposée près du pont de Ban Khone). Ils poussèrent l'acharnement jusqu'à démonter leurs bateaux pour les remonter de l'autre côté des rapides.

Selon les riverains, il arrive qu'on aperçoive des dauphins d'eau douce au-delà des chutes. C'est surtout en hiver, entre décembre et mai, que les bondissants mammifères gris ardoise se rassemblent en bandes à la fin de l'après-midi. Mais leur existence même est menacée par la pêche à la dynamite, activité très en vogue du côté cambodgien.

À contre-courant

Nous repartons en début d'après-midi, pour cette fois remonter le courant, dépassant des villages à demi cachés derrière d'épais massifs de bambous et de papayers. De loin en loin, une petite embarcation de pêche jaillit de la berge. Sinon, tout est paisible. Ce trait caractérise d'ailleurs la mentalité lao, qui prône une approche infiniment nonchalante de l'existence. Tandis que les Chinois ont une réputation de commerçants avisés et les Vietnamiens, de travailleurs infatigables, les Lao ont de tout temps manifesté une indolence à toute épreuve.

La responsabilité en incombe sans doute pour partie à leur soif insatiable de *lao lao*, puissant alcool de riz local que l'on trouve à peu près partout, même si le gouvernement tente d'en

LES DAUPHINS DE L'IRRAWADDY

Les *paa khaa* (*Orcaella brevirostris*) ont un front proéminent bleu-gris, et vivent en petites bandes dans les rivières du Laos, du Myanmar et du Cambodge. C'est en fin d'après-midi que vous aurez peut-être la chance de les voir surgir des eaux troubles du Mékong. Outre les dauphins, le fleuve compte d'ailleurs une autre rareté, un peu moins sympathique peut-être : le *pla buk* (➤ 108).

décourager la consommation. Les Lao ont une telle passion pour ce breuvage destructeur qu'ils en remplissent même de petits verres placés en offrande pour les esprits de la maison.

Un autre fondement, peut-être, d'une philosophie si sereine, tiendrait à la générosité de la nature, qui rendrait presque tout travail superflu sur les bords du Mékong.

En fin d'après-midi, nous faisons halte au village de **Ban Paou**, où le mode de vie autarcique des habitants apparaît de façon flagrante. Comme beaucoup de leurs voisins sur le Mékong, les villageois de Baan Paou dépendent entièrement du fleuve pour leur nourriture, leur boisson, l'irrigation de leur cultures et même leur transport. Le soir venu, on peut voir des familles entières se laver dans le fleuve ou y jeter leurs filets. En aval, les vêtements sont savonnés et soigneusement étendus sur la berge pour sécher.

Cette nuit, un gros orage éclate au-dessus de nous. Les fenêtres de notre vaisseau ruissellent sous un véritable déluge. Dehors, sur la berge, quelques enfants nus jouent sous la pluie ; la distance et les craquements de la foudre étouffent leurs jeunes rires.

Temple dans la jungle

Ciel couvert au petit matin, soleil masqué par de lourds nuages. Mais l'air est frais, et une brise agréable court sur le fleuve. Peu avant 10h, le *Vat Phou* va s'ancrer devant **Ban Noi**, joli village perché sur la rive, parmi les cultures. Nous suivons notre guide sur une piste étroite d'un kilomètre, ombragée par de très grands arbres, jusqu'aux ruines antiques d'**Oum Muang** (également connu sous les noms d'Oup Muang ou de Muang Tomo), en plein cœur de la jungle. Construit entre le VIe et le IXe siècle, à peu près à la même époque que Champassak sur la rive opposée du fleuve, Oum Muang repose dans un splendide isolement. Vous ne trouverez ici ni groupes ni guides, mais une atmosphère de profond abandon. Seuls restent encore debout les vestiges de deux sanctuaires. Éparpillés un peu partout sur une zone grande comme un terrain de football, gisent pêle-mêle dalles en latérite couvertes de mousse, bas-reliefs en grès à demi effacés, et les vestiges d'un serpent *naga* à neuf têtes, gardien du domaine. Les Khmers ont sans doute abandonné ce temple vers le XIIIe siècle, laissant la nature accomplir son ouvrage.

Nous retraversons le village et ses pittoresques maisons de bois pour reprendre notre navigation.

Plus tard dans l'après-midi, nous débarquons à nouveau pour gravir la colline du **Wat Phu Ngoy**, une retraite bouddhiste d'où l'on découvre un magnifique panorama sur le Mékong. Puis nous retournons à bord pour boire un cocktail et savourer notre dernière soirée sur le fleuve. Le lendemain matin à 7h précises, le *Vat Phou* s'amarrera au quai de **Pakse** ; les plus belles choses ont une fin.

En bateau-bus sur le Mékong

Pour ceux qui ne pourraient s'offrir le luxe d'une croisière à bord du *Vat Phou*, rien n'est perdu. Vous pouvez faire un voyage tout aussi beau, quoique moins confortable, sur l'un des bateaux-bus qui partent de Pakse.

Il faut deux heures pour gagner Champassak (mieux vaut y passer la nuit), et huit heures de plus pour arriver à Dong Khong. Le prix est le même, que vous voyagiez à l'intérieur du bateau bondé, ou en "terrasse" sur son toit fragile (bien plus agréable, et vous verrez beaucoup mieux le paysage) – mais réservé en principe aux hommes. Pour éviter de gros coups de soleil, n'oubliez en aucun cas de prendre chapeau ou ombrelle (ou parapluie). Baguettes de pain, bouteilles d'eau et autres provisions seront indispensables pour vous soutenir tout au long de ce voyage par ailleurs fabuleux.

PARTIR EN SOLO

QUAND PARTIR

Mieux vaut naviguer sur le Mékong durant la saison fraîche, entre octobre et fin février : températures entre 15 °C et 30 °C. De mars à mai, la chaleur atteint facilement les 35 °C, le bas niveau des eaux rend la navigation difficile.

À la saison des pluies, de juin à fin septembre, averses tropicales et belles journées alternent.

SE DÉPLACER

Des vols relient Vientiane et Pakse deux fois par jour. Le voyage peut aussi se faire par la route via le poste-frontière de Chongmeck (Thaïlande). Si vous partez de Bangkok, il est plus facile et plus agréable de prendre un avion pour Ubon Ratchathani, en Thaïlande ; de l'aéroport, prendre un taxi (600 bahts / 16 $) pour Chongmek. Une fois au Laos, toutes sortes de bus et de véhicules emmènent les voyageurs jusqu'à Meun Khao, à 10 min de Pakse en traversant le fleuve.

La plupart des agences vendent des billets pour Ubon et au-delà.

S'ORGANISER

Pour entrer au Laos, vous devrez être en possession d'un visa touristique. Faites-en la demande auprès de votre agence, ou à Bangkok (prévoir deux jours de délai).

PRENDRE LE BATEAU

Les croisières sur le *Vat Phou* (trois jours / trois nuits) coûtent environ 450 $ par personne ; ce prix comprend la visite du Wat Phu, du sanctuaire d'Oum Muang, de l'île de Khong et des chutes de Phapheng. Cabines spacieuses (lits jumeaux), repas et excursions inclus. Réserver à l'avance auprès de Mekong Land à Bangkok (► 272). Ils s'occuperont également les transferts pour Vientiane, Ubon Ratchathani et Luang Prabang.

Ceux qui préfèrent voyager par leurs propres moyens pourront emprunter l'un des bateaux-bus qui relient Pakse à Champassak en deux heures (les tarifs sont plus élevés pour les étrangers que pour les locaux). Des ferries bondés assurent également le voyage jusqu'à Dong Khong – comptez dix bonnes heures. Certains opérateurs de Pakse peuvent éventuellement vous affréter un bateau charter pour Dong Khong (jusqu'à 20 personnes).

HÉBERGEMENT

Vous aurez le choix à Pakse, des hôtels et guest houses bas de gamme concentrés autour de la place du marché, au chic et moche Champassak Palace Hotel. Ailleurs dans la province de Champassak et sur l'île de Khong, vous trouverez quelques hôtels standards et plusieurs guest houses bon marché.

SANTÉ

- ❑ Attention, zone de malaria. Consultez votre médecin avant de partir afin de prendre les précautions nécessaires
- ❑ Armez-vous de lotion et de serpentins anti-moustiques ; le soir, portez un pantalon et un vêtement à manches longues
- ❑ Emportez une petite trousse de pharmacie comprenant crème antiseptique, sparadrap et comprimés anti-dysenterie
- ❑ Ne buvez que de l'eau bouillie ou en bouteille.
- ❑ Lavez et épluchez tous les fruits, évitez la glace
- ❑ Souscrivez une bonne assurance médicale avant votre départ

À gauche *Dans la jungle, à la recherche du temple oublié d'Oum Muang.*
Ci-dessus *Ruines du Wat Phu, la cité perdue, près de Champassak.*

Selon notre guide, ces 200 faces empreintes de sérénité personnifieraient le Bodhisattva : celui qui après maintes naissances, morts et renaissances atteint l'illumination, mais demeure sur terre pour aider autrui à trouver le salut. Il faut venir admirer le Bayon tôt dans la matinée, ou en fin d'après-midi, lorsque la lumière s'adoucit, et une fois l'endroit déserté par les touristes. Lorsque nous quittons le Bayon, des nuages noirs se pressent dans le ciel, et les premières gouttes commencent à tomber. Nous nous abritons sous une arche colossale, suffisamment haute pour permettre à un éléphant surmonté de ses parasols de passer. De retour aux motos, nos guides nous ramènent à Siem Reap.

Les dieux et les rois

Angkor a vu quantité de rois se succéder sur le trône. Au total, 23 monarques ont gouverné un royaume qui,

à son apogée, s'étendait de la Birmanie jusqu'au Laos et au nord-est de la Thaïlande.

Premier dieu-roi connu, Jayavarman II (802-850) fonda l'empire khmer et fut le premier des grands bâtisseurs de temples. Mais c'est Jayavarman VII (1181-1218) qui marquera l'époque la plus brillante d'Angkor. Non seulement il fut à l'origine de la construction d'Angkor Thom et du Bayon, mais aussi de Preah Khan et de Ta Prohm.

Les successeurs de Jayavarman devaient encore régner durant deux siècles, mais Angkor entra dans un lent déclin. Prise et reprise par les Siamois, la cité khmère sera pour finir abandonnée en 1431.

La grandeur d'Angkor prend un relief encore plus saisissant au regard de

À gauche *Instants d'irréelle beauté, tandis que l'aurore point sur le Srah Srang et, plus tard, (ci-dessus), quand un orage se lève sur Angkor.*

En bas à gauche *Jeunes piroguiers sur le Tonlé Sap.*

l'histoire récente du Cambodge. Comment les héritiers d'une aussi brillante civilisation ont-ils pu plonger dans la guerre civile pendant plus de 200 ans ? Certains pensent que la mentalité autocratique à l'origine de la création d'Angkor est également responsable de l'apparition des Khmers rouges, ce mouvement maoïste radical qui déclencha le génocide d'un million de personnes en voulant faire du passé table rase.

Nous déjeunons en ville avant d'entamer le trajet de 20 min qui nous mènera à **Ta Prohm**, pour découvrir l'un des sites les plus envoûtants d'Angkor. En 1860, Henri Mouhot eut le premier la vision de cette ruine surgissant comme un rêve de la jungle et de son manteau de lianes. On n'a guère touché à Ta Prohm depuis. Des arbres de 30 m de haut poussent dans les galeries, leurs gigantesque racines plongées dans la pierre tels des *naga* vivants, dont on ne sait s'ils préservent la structure de l'écroulement, ou achèvent lentement de la détruire.

Écrasés par la splendeur du spectacle, nous nous asseyons en silence tandis que les ombres s'allongent peu à peu sous une lumière tamisée par les feuillages. Puis nous rejoignons nos guides et roulons pendant10 min jusqu'à l'entrée est d'Angkor Vat, pour voir le soleil se coucher sur le grand palais des dieux.

SUR LA ROUTE

Amateurs d'aventure authentique, prenez la route qui relie Poipet, sur la frontière thaïlandaise, à Sisophon et Siem Reap : six heures d'un trajet atrocement inconfortable (en pick-up), mais ponctué de paysages à couper le souffle. Ayez un visa cambodgien en règle avant de partir, vous ne pourrez pas l'obtenir à la frontière. Vérifiez également la situation de la région auprès de l'ambassade ; en cas de doute, ne partez pas.

TEMPLES ET LÉPREUX

Nous nous levons tôt le lendemain matin pour arriver aux ruines avant l'aube. Titubant derrière nos guides, dans les ténèbres que notre faible lampe torche dissipe à peine, nous émergeons au sommet de **Phnom Bakheng**, à 60 m de haut. Et l'aurore se lève bientôt sur ce petit temple de montagne tout simple, d'où nous découvrons, éblouis, un vaste panorama teinté d'émeraude et de rose.

Non loin du Bakheng se dresse le **temple du Baphuon**, édifié au XIe siècle par le roi Udayadityavarman II et consacré à Shiva. Cette structure pyramidale, à l'image du mont Méru, le palais des dieux khmers, comptait parmi les plus beaux temples d'Angkor ; il est en cours de restauration.

Autre chef-d'œuvre des artistes khmers (à 2 min de marche au nord) : la **terrasse des Éléphants** et, un peu plus loin, la **terrasse du Roi lépreux** – haut-relief de 7 m de long, sculpté avec une finesse de détail stupéfiante, où l'on distingue des membres de la cour, des éléphants, des *garuda* (moitié homme, moitié oiseau), et Balaha, cheval à cinq têtes et incarnation du Bodhisattva. La terrasse du Roi lépreux daterait de Jayavarman VII, qui était lui-même peut-être atteint de la lèpre.

Nous repartons en début d'après-midi, suivant une piste qui contourne l'aéroport de Siem Reap sur 5 km jusqu'à l'immense **bassin du Baray occidental**, construit par Udayadityavarman II. Cette vaste étendue d'eaux paisibles vous permet (après les pluies uniquement) de gagner le Mébon occidental, au centre du lac. Entre janvier et mai particulièrement, on peut y observer une abondante population d'oiseaux : aigrettes, hérons et canards sauvages.

BANTEI SREI

Il faut à nouveau se lever tôt pour notre dernier jour à Angkor, et le soleil rougit le *baray* (bassin) de Srah Srang tandis que nous poursuivons plus au nord sur 25 km jusqu'à **Bantei Srei**. Les paysages justifient à eux seuls ce voyage : la piste étroite traverse une série de villages et de rizières dont les pousses viennent juste d'être plantées. Les hôtels et les agences organisent un service de minibus sur cette piste, avec, parfois, une escorte armée. Mais il est plus amusant de voyager à moto : vérifiez seulement avec vos guides que la zone est sûre avant de partir.

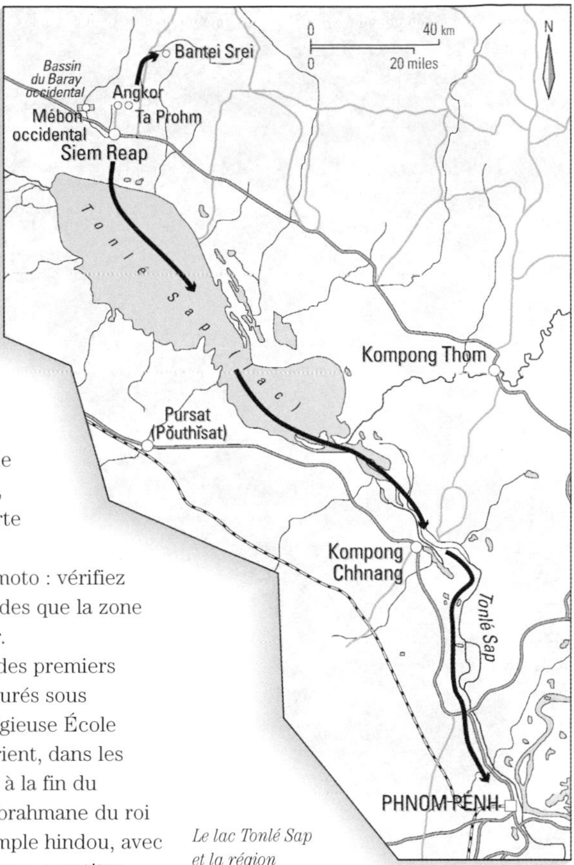

Bantei Srei fut l'un des premiers temples d'Angkor restaurés sous la direction de la prestigieuse École française d'Extrême-Orient, dans les années 1930. Construit à la fin du Xe siècle par le maître brahmane du roi Rajendravarman, ce temple hindou, avec ses sanctuaires miniatures, constitue un sommet de la première période d'Angkor. Des arbres énormes encadrent la petite cour intérieure, où notre guide nous montre quelques magnifiques exemples d'art khmer : sculptures de Shiva et de son épouse Uma, bas-reliefs en grès de divinités et d'animaux mythologiques.

Dans la chaleur du soleil de midi, même les aventuriers les plus audacieux ont besoin de repos, et nous retournons à Siem Reap pour déjeuner d'un curry de poulet, copieusement arrosé d'Angkor Beer, production locale sympathique et désaltérante.

Pour notre dernier après-midi, visite de **Preah Khan**, situé non loin d'Angkor Thom. Moins connu que Ta Prohm, ce temple du XIIe siècle, littéralement "fortunée ville de la victoire", n'a rien à lui envier. Ses longues galeries voûtées et ses chaussées processionnelles abritèrent jadis 97 000 hommes, dont 444 cuisiniers et 2 298 serviteurs chargés de l'intendance. De ses couloirs ténébreux, aujourd'hui envahis par les racines et les fouillis de lianes, émergent linteaux et panneaux richement ouvragés. Certains sont actuellement en cours de restauration sous l'égide du World Monument Fund.

Le lac Tonlé Sap et la région des temples.

Sur l'eau

La seconde partie de notre voyage va nous conduire vers le sud, à travers l'immense et superbe **lac Tonlé Sap** pour gagner Phnom Penh, la capitale.

Nous avons acheté notre billet à l'hôtel (25 $ l'aller, y compris l'acheminement) et embarqué sur un bateau-bus au village de Jong Khneas.

Sur chaque rive défilent des villages de pêcheurs sur pilotis et plusieurs marchés flottants qui vendent quelques délicieuses spécialités locales comme les œufs de canard (mangés juste avant l'éclosion), les poissons séchés dans la saumure, et des bananes de formes et de tailles diverses.

Vingt minutes plus tard, nous changeons d'embarcation : une grosse vedette rapide de 76 places nous fera traverser le plus grand lac d'eau douce d'Asie du Sud-Est. On a peine à imaginer l'étendue du Tonlé Sap à la saison des pluies ; de la mi-mai au début d'octobre, sa superficie passe de 3 000 à 7 500 km², inondant la région environnante et poussant les villageois à se réfugier dans les hauteurs. Avec la saison sèche, ses eaux reprennent leur cours naturel vers le Mekong, au sud.

Ci-dessus *La pagode d'Argent, Phnom Penh.*
Ci-dessous *Charrette de robes safran, jeunes moines à Angkor.*
À droite *Le temple de Ta Prohm aux prises avec la nature.*

La concentration de poisson y est stupéfiante. Le Tonlé Sap ("grand lac"), un des plus riches réservoirs de pêche au monde, produit près de 10 t de poisson par km^2 ; certains se signalent par d'extraordinaires caractéristiques : le célèbre *hok yue*, ou poisson-éléphant, peut survivre plusieurs heures hors de l'eau, et passer ainsi d'une mare à l'autre.

À Kompong Chhnang, un petit port de pêcheurs situé aux deux tiers du trajet qui nous sépare de Phnom Penh, le lac se déverse dans la rivière de Tonlé Sap. Les villages de pêche se succèdent, plongés dans l'ombre de la mangrove et des épais feuillages tropicaux, et les embarcations filent à la surface de l'eau. Sur le pont inférieur de la vedette, on "distrait" les passagers avec de sanglantes vidéos khmères tout en leur distribuant une part d'un gâteau étrange, sans aucune saveur. Il n'y a pas grand-chose à faire, sinon dormir, ou se laisser bercer par la beauté des paysages. Cinq heures plus tard, la vedette s'amarre au quai municipal de **Phnom Penh**.

Splendeur et terreur

Selon la légende, la capitale du Cambodge fut fondée à l'endroit où Penh, riche veuve, découvrit quatre images du Bouddha. Pour commémorer l'événement, elle fit construire un temple sur une colline voisine en 1372. Le Vat Phnom Penh attira bientôt les fidèles, tandis que la petite agglomération devenait une capitale animée.

Si vous n'avez le temps de visiter qu'un seul monument dans la ville, ne manquez pas le **Palais royal**, sur le boulevard Samdech Sothearos. Construit en 1866, ce bâtiment renferme l'un des plus riches sanctuaires du monde : la **pagode d'Argent**, dont le sol est dallé de 5 329 carreaux d'argent qui chacun pèse plus d'un kilo.

La plupart des excursions d'une journée comprennent la visite du **musée des Beaux-Arts**, dans la 13e Rue, et du marché russe de la 182e Rue, débordant d'anciennes caisses à thé, de soies sauvages, de meubles laqués et de délicates écharpes khmères.

Mais sous un aspect riant, Phnom Penh cache de profondes cicatrices. Après la prise de la capitale par les Khmers rouges, le 17 avril 1975, toute la population fut envoyée de force dans les campagnes : Pol Pot voulait reconstruire une société totalement agraire, sur le modèle maoïste. Des centaines de milliers de citadins périrent de famine ou d'épuisement. D'autres furent battus à mort dans des camps d'extermination massive.

Vous trouverez des témoignages de ces atrocités au **musée Tuol Sleng**, ou musée du Génocide, sur la 103e Rue (estomacs sensibles s'abstenir), et aux **champs de la mort de Choeung Ek**, à 9 km au sud de la ville.

Dernier après-midi à Phnom Penh : nous avons loué un tricycle pour partir à la découverte des avenues bordées d'arbres et des superbes villas coloniales bâties pour les Français voici plus d'un siècle. Sur la berge, une succession de bars et d'excellents restaurants longent la rivière Tonlé Sap : point d'orgue idéal à ce périple de cinq jours à travers un pays magnifique, mais encore mal remis de ses épreuves.

BOIRE ET MANGER

Le Cambodge présente une vaste palette culinaire, de la traditionnelle cuisine française aux nombreuses spécialités du cru, notamment le *trey chorm hoy*, poisson à la vapeur, et la *samla machou bangkang*, soupe de crevettes épicée. Autres plats khmers réputés : le *khao phoun*, sorte de nouilles de riz, et le *sam chruk*, rouleau de riz gluant farci de soja et de lamelles de porc. Vérifiez bien que la nourriture est cuite à la commande, et épluchez vos fruits pour éviter tout problème. Eau minérale en vente partout, tout comme l'Angkor Beer, boisson locale.

PARTIR EN SOLO

QUAND PARTIR

Période idéale pour visiter le Cambodge et Angkor : les mois d'hiver, de fin octobre à fin février, quand le ciel est dégagé et que la température moyenne tourne autour de 21 °C.

De mars à mai, température moyenne de 32 °C, avec des pointes fréquentes à 38 °C. Entre mai et octobre, saison des pluies : des averses soudaines alternent avec des passages ensoleillés.

Au plus fort de la saison sèche, de mars à mai, le Tonlé Sap peut devenir impropre à la navigation.

SE DÉPLACER

Au départ de Bangkok, vols quotidiens pour Siem Reap avec Bangkok Airways (1 heure 30 min). Liaisons régulières avec Phnom Penh par Thai Airways International (50 min). Des vedettes climatisées relient Siem Reap à Phnom Penh en six heures, mais le service n'est pas continu durant la saison sèche. Itinéraire par la route également : d'Aranyaprathet sur la frontière thaïe à Siem Reap, Poipet et Sisophon. Impératif : se renseigner sur la situation dans cette zone avant de partir.

PRÉVOIR

Avant de partir pour le Cambodge, renseignez-vous auprès de votre ambassade sur la situation politique et les formalités de visa.

VISITER LES RUINES

Meilleure méthode pour découvrir Angkor : la location d'une moto avec chauffeur / guide, départ et retour à l'hôtel (ou guest house). Prix forfaitaire à la journée. Les chauffeurs ont en général une bonne connaissance de la localisation et de l'histoire des temples.

Voitures avec chauffeur disponibles dans tous les grands hôtels. Vous pouvez aussi louer des vélos dans les guest houses (7 km entre Siem Reap et Angkor).

Un grand nombre de tour-opérateurs (➤ 272) à Phnom Penh et en Europe proposent des circuits pour Angkor, d'une journée à une semaine. Ils incluent souvent d'autres étapes dans la région, notamment Hanoi et Saigon, Luang Prabang et Bangkok.

Les tickets d'entrée pour Angkor coûtent de 20 $ la journée à 60 $ la semaine. Ce tarif comprend tous les sites à l'exception de Bantei Srei.

HÉBERGEMENT

S'il est un endroit au monde qui éveille des goûts de luxe, c'est bien Angkor. Mais les bons hôtels ne sont pas donnés. Pour passer une nuit dans le sublime Grand Hôtel d'Angkor, au plus pur style colonial entièrement rénové par le groupe Raffles, il vous en coûtera au moins 130 $. Mais les budgets modestes trouveront toujours un lit à Siem Reap, pour lequel deux petits dollars suffiront parfois.

SANTÉ

- ❑ Consultez votre médecin un mois avant votre départ pour mettre à jour vos vaccins et votre protection anti-malaria (le risque est fort en dehors des grandes villes)
- ❑ Buvez de l'eau minérale, lavez et épluchez les fruits, et ne mangez pas de légumes crus, vous risquerez moins de tomber malade
- ❑ Emportez une petite trousse de secours avec antiseptiques, sparadrap et comprimés anti-dysenterie
- ❑ Avant tout, ne partez pas sans souscrire une assurance médicale sérieuse

NE PAS OUBLIER

- ❑ Pellicules photo à foison
- ❑ Chaussures de randonnée, bob et crème solaire
- ❑ Vêtements imperméables pendant la mousson

SÉCURITÉ

Deux élections démocratiques et l'une des plus onéreuses opérations de maintien de la paix de l'histoire des Nations unies n'ont pas tout à fait suffi à restaurer le calme au Cambodge. Si vous prenez l'avion directement pour Siem Reap et Angkor, aucun problème. Les grands sites sont gardés. Mais renseignez-vous avant de partir pour les temples les plus éloignés et ne quittez jamais les pistes fréquentées : de larges portions de territoire sont encore minées. Enfin, si vous voulez voyager par la route en venant de Thaïlande ou prendre le bateau pour Phnom Penh, renseignez-vous d'abord auprès de votre ambassade.

13 À la découverte du plateau des Boloven

par Ben Davies

Il m'a fallu six jours d'un voyage éprouvant mais fascinant et emprunter les moyens de transport les plus improbables, dont l'éléphant, pour explorer cette zone peu fréquentée du Sud-Laos, où des villages tribaux se nichent au milieu de la jungle, entre cascades et rivières.

Le véhicule qui nous a pris à la frontière thaïe pour traverser le Sud-Laos n'est pas tout à fait comme les autres. Ses portes tiennent avec du ruban adhésif, son pare-brise est fissuré, et son moteur vrombit comme un jumbo-jet au décollage. Quant aux freins de cette antique Morris Minor, ils ne valent guère mieux. Chaque fois qu'il veut ralentir, le chauffeur doit pomper sur la pédale de toute la force de sa courte jambe, et nous finissons tant bien que mal par nous arrêter.

Cet état de choses inquiétant s'est prolongé 20 min, tandis que nous roulions à une allure d'escargot dans un paysage grandiose. Et ce qui devait arriver arriva. Nous franchissions un pont à voie unique quand un véhicule a surgi en sens inverse. Nouvelles flexions de jambe de notre petit chauffeur – cette fois sans effet. Lentement mais sûrement nous avons continué, jusqu'à heurter le véhicule en face dans un impressionnant bruit de tôle enfoncée. Et nous voici maintenant stoppés au-dessus d'une rivière à sec, au beau milieu de nulle part.

Voyager au Sud-Laos réserve toujours des surprises. L'infrastructure touristique fait presque absolument défaut (seule une poignée d'opérateurs organisent des circuits jusqu'à Attapeu et utisent des transports privés). Les hôtels n'offrent qu'un confort rudimentaire, avec salles de douches communes et W-C à la turque. Enfin, il faut s'adapter au rythme lao, à sa lenteur et à son caractère imprévisible.

Mais si vous voulez voyager dans une région particulièrement belle et reculée d'Asie du Sud-Est, c'est au Laos qu'il faut aller. Non seulement vous y découvrirez dans un décor splendide des villages tribaux, des rivières, une jungle et des cascades, mais vous y rencontrerez aussi les gens les plus souriants et l'une des plus riches cultures d'Asie. Enfin, vous vivrez une authentique aventure, denrée qui tend à

À droite *En route pour la jungle au pas nonchalant de nos augustes montures, assis derrière le* mahout *sur un palanquin de bambou.*

Durant la mousson, entre juin et fin septembre, attendez-vous à descendre pour pousser la voiture ou même le bus sur des tronçons de route particulièrement démentiels. Aux autres périodes de l'année, chaleur, moustiques et lenteur des bateaux comme des bus seront le tribut à payer pour cette aventure hors du commun.

Ne vous attendez pas à beaucoup de confort sur cet itinéraire, sauf à Tad Lo (dans les bungalows donnant sur la chute) et au Champassak Palace Hotel (► 272) de Pakse. Partout ailleurs, chambres spartiates, moustiquaires et salles de douches communes. En l'absence de toute infrastructure touristique, mieux vaut prévoir guide et transport à l'avance (► 273).

Équipez-vous de bonnes chaussures de randonnée, d'un maillot de bain, de crème solaire et d'un chapeau pour vous protéger du soleil sur le bateau.

demeurons silencieux, assis sur la terrasse à écouter le coassement des grenouilles arboricoles, le grésillement des cigales et le murmure étouffé des chutes en contrebas.

La rivière Kong

Les Français l'avaient baptisé la "route du café" : le trajet de Tad Lo à Tha Teng et Sekong nous conduit à travers l'une des plus fertiles régions du globe. L'altitude de ces terres (1 200 m) au climat tempéré en fait le paradis de l'arabica et du robusta, mais aussi du teck, de la cardamome, et même du durian, fruit ovale ignoble ou délicieux selon les goûts, et fort prisé pour ses qualités aphrodisiaques.

En dépit de la récente mousson qui a transformé certains tronçons de route en coulées de boue (il nous a fallu pousser deux fois), deux heures suffisent pour gagner Tha Teng (35 km), puis deux heures encore pour atteindre Sekong, ville située à l'extrême est du pays.

Notre nuit à Sekong nous fait découvrir une affreuse bourgade en brique, essentiellement célèbre pour ses guirlandes lumineuses de blattes peintes en vert, accrochées dans le marché de nuit. Le lendemain, nous partons avec notre guide pour la plus belle partie du voyage : la descente de la **rivière Kong**.

Louer une pirogue à moteur jusqu'à Attapeu coûte environ 10 à 15 $ par personne (40 $ minimum par pirogue), et le trajet dure environ six ou sept heures. Investissement plus que rentable, ce voyage vous conduisant à travers des jungles impénétrables et parmi des falaises habitées par les seules minorités ethniques. On a longtemps pensé que les soldats américains portés disparus durant la guerre du Vietnam étaient retenus dans cette région.

Nous franchissons parfois de brusques rapides ; à d'autres moments, l'eau s'abaisse au point qu'il faut presque pousser la pirogue, dans l'ombre des profondes gorges qui surplombent les rives.

En fin d'après-midi, la pluie se met à tomber, obscurcissant la région, plongée dans un épais voile noir. Droit devant, la rivière s'incurve une dernière fois. Pour nous dégourdir un peu les jambes, nous débarquons sur la berge vaseuse. Les sommets du plateau des Boloven se découpent au loin.

Zone frontière

Nous atteignons **Attapeu** au crépuscule. Perchée au confluent des rivières Kong et Sekhaman, cette petite ville aux allées magnifiquement fleuries et aux plantations tropicales luxuriantes est surnommée la "Ville-jardin". Encore

Ci-dessus *L'un des douze villages tribaux semi-nomades accessibles de Tad Lo.*
À gauche *Surcharge typiquement lao dans ce bus arrêté près d'Attapeu.*

inconnue des touristes il y a deux ans, c'est l'une des plus belles destinations du Laos.

Attapeu ignore les hôtels chics et les boîtes de nuit (nous résidons à la très spartiate Tawiwan guest house, ►274). Après 10 h, les générateurs s'éteignent et les ténèbres s'installent. Mais Attapeu compense son absence de toute infrastructure moderne par le charme de ses vieilles maisons de bois, les mœurs simples de ses habitants qui se lavent dans la rivière en compagnie des buffles, et son marché matinal animé et empli de paniers de rotin, de poissons de taille monstrueuse et de bananes de toutes espèces.

Si vous devez n'apprendre qu'une phrase en lao, dites : "*Sabai dee.*" Ce "bonjour" est la formule consacrée de salutation polie. Prononcez-le avec suffisamment d'enthousiasme, et vous ne vous ferez que des amis.

La terrible piste Hô-Chi-Minh passe à l'est d'Attapeu, près de la frontière vietnamienne. Traversant les collines et les jungles du Cambodge et du Laos, elle servit à ravitailler les forces communistes vietnamiennes contre les armées du Sud soutenues par les Américains. À la fin de la guerre, en 1975, le secteur avait été arrosé par plus d'un million de tonnes de bombes, le plus lourd tonnage par km^2 de toute l'histoire. Encore aujourd'hui, plus de 20 ans après, des bombes non explosées parsèment ces régions frontalières, et il est fortement déconseillé de s'écarter des sentiers sans guide.

Nous ne passons guère plus d'une journée à explorer les environs verdoyants et les cascades voisines d'Attapeu, pressés par le manque de temps et la persistance des pluies de mousson. Des coulées de boue menacent les routes et risquent de nous bloquer ici encore plusieurs jours, coupés du reste du monde.

Par les montagnes

D'Attapeu, il n'y a qu'une façon de revenir à Pakse : prendre la route spectaculaire mais tortueuse qui serpente sur 180 km parmi les montagnes, offrant des perspectives plongeantes sur les rizières, puis sur les montagnes et leur manteau de jungle, et finalement sur les verdoyantes plantations de café. Nous descendons à deux reprises de notre bus antique : d'abord pour aider le chauffeur à franchir le gué d'une rivière en crue, puis pour lui permettre de changer une roue, le pneu ayant été réduit en charpie par les saillies de la roche.

Mais ce périple de sept heures ne se résume pas à un test d'endurance. Il nous confronte aussi à l'un des plus graves problèmes du Laos aujourd'hui. Sur certains tronçons, la route longe de vastes zones de forêt tropicale (bois de rose, teck et autres bois durs), purement et simplement éradiquées. Ce déboisement doit en principe faire place à des plantations de café et d'agrumes. Mais il répond à d'autres impératifs, moins avouables. Et si les ressources forestières du Laos ne diminuent officiellement que de 0,9% par an, taux particulièrement bas pour la région, le chiffre réel pourrait bien atteindre les 4%, suite à une exploitation à grande échelle souvent illégale.

Voulant jeter un coup d'œil sur la plus haute cascade du Laos, nous quittons le bus à Ban Pak Kud (près de la borne kilométrique 38, à 20 min en voiture à l'ouest de Pakxong). **Tad Phan** est indiqué à gauche, au bout d'une piste traversant des plantations de café. Le spectacle stupéfiant de la chute dévalant la montagne d'une hauteur de 130 m vaut largement ce petit détour. Mais attention aux sentiers boueux qui mènent aux chutes : abrupts et glissants, ils deviennent extrêmement dangereux durant la saison des pluies.

De Pakxong, nous prenons un camion pick-up, ou *songthaew* ("à deux rangs"), pour descendre la route 23 jusqu'à Pakse, point final de notre aventure à travers l'une des dernières régions sauvages d'Asie du Sud-Est.

PARTIR EN SOLO

QUAND PARTIR

Meilleure période pour voyager dans le Sud-Laos : entre octobre et début février – ciels sereins et températures agréables (15-30 °C).

De fin février à mai, la chaleur dépasse souvent les 35 °C, et la Kong peut devenir impropre à la navigation.

Saison des pluies de juin à fin septembre : averses tropicales et journées ensoleillées. À cette époque, certains secteurs routiers autour d'Attapeu et de Sekong deviennent presque impraticables sans 4x4. Mais les paysages sont superbes et les touristes fort rares.

SE DÉPLACER

De Vientiane, deux vols par jour pour Pakse ; par la route, passer par le poste-frontière thaï de Chongmek.

Au départ de Bangkok, le plus simple est de prendre un avion jusqu'à Ubon Ratchathani, Thaïlande du Nord-Est, puis de louer un taxi à l'aéroport jusqu'à Chongmek. Une fois passée la frontière laotienne, bus et voitures d'âge incertain conduisent leurs passagers à Meun Khao. Ensuite, 10 min suffisent pour franchir le pont qui mène à Pakse.

De Pakse, un bus rallie Tad Lo, Sekong et Attapeu. Routes dans un état apocalyptique, voire pire durant la saison des pluies.

S'ORGANISER

Visa touriste impératif pour entrer au Laos. Vous l'obtiendrez auprès des agences de Bangkok (prévoir au moins deux jours) ou à l'ambassade du Laos.

HÉBERGEMENT

À Pakse, le Champassak Palace (➤ 273), haut de gamme mais très laid, et plusieurs hôtels de base et guest houses. À Tad Lo, l'agréable Tad Lo Resort (➤ 274) (réserver à l'avance via Sodetour). À Sekong et Attapeu, hébergement spartiate.

TROUVER UN GUIDE

Sodetour (➤ 273) propose circuits ou voyages sur demande à Tad Lo, Sekong et Attapeu, en véhicules tout-terrain qui peuvent emprunter les routes toute l'année.

Vous pourrez demander à un guide de voyager avec vous en bus, mais en haute saison il est très préférable de s'organiser à l'avance.

Voiture avec chauffeur au Champassak Palace Hotel : environ 50 à 70 $ par jour. Même service avec Sodetour.

Vous pouvez aller à Sekong et Attapeu par vos propres moyens, mais l'absence d'infrastructure touristique risque fort de vous gâcher le voyage, et en tout cas de vous faire perdre beaucoup de temps.

NE PAS OUBLIER

- ❑ Vêtements chauds (entre novembre et février).
- ❑ Sacs étanches.
- ❑ Carte et boussole.
- ❑ Chaussures de randonnée.
- ❑ Draps, mouchoirs et affaires de toilette.
- ❑ Bouteille d'eau.
- ❑ Lampe torche et allumettes.

SANTÉ

- ❑ Prenez des comprimés anti-malaria, de la lotion et des spirales anti-moustiques.
- ❑ Portez des manches longues et un pantalon le soir.
- ❑ Emportez une petite trousse de secours.
- ❑ Souscrivez une assurance médicale sérieuse avant de partir.

QUELQUES TUYAUX

- ❑ Pour bien profiter de votre voyage, réservez les services d'un guide à l'avance
- ❑ N'oubliez pas qu'au Laos, le temps n'est pas une entité mesurable, et les choses se passent rarement comme prévu
- ❑ D'une manière générale, bus et bateaux partent à l'aube et arrivent au crépuscule
- ❑ Ne changez que de petites quantités d'argent en lao kips chaque fois ; beaucoup d'hôtels préfèrent les dollars
- ❑ En arrivant à Pakse et Attapeu, faites-vous enregistrer par le bureau d'immigration, au poste de police
- ❑ Hors des administrations, le français est peu parlé. Si vous voyagez seul, il n'est pas superflu d'emporter un lexique
- ❑ De juin à septembre, pendant la saison des pluies, prévoyez une marge confortable si vous prenez le bus, car les routes peuvent être vraiment délicates

MALAISIE

Pourvue de la plus ancienne forêt primaire tropicale de la planète et des plus hauts gratte-ciel du monde, la Malaisie n'est pas en manque de contrastes violents. Et bien qu'elle abrite les ethnies les plus diverses, elle demeure l'une des régions les plus stables d'Asie du Sud-Est. Les sourires amicaux et la relative prospérité des habitants ne gâtent en rien le voyage. Même si l'islam domine, les cultures animistes chinoises, indiennes et malaises s'entremêlent, épiçant l'atmosphère de leurs cuisines, de leurs couleurs, de leurs temples et de leurs festivals. Randonnées, plongée et autres activités sportives abondent. Les jungles regorgent d'une faune et d'une flore souvent uniques : le pays offre des treks dans 11 parcs nationaux et dans bien d'autres parcs forestiers moins fréquentés mais tout aussi riches en vie animale. Et les îles paradisiaques de Langkawi, au large de la côte nord-ouest, permettent – pour peu que l'on s'éloigne des hôtels de luxe – d'explorer mangrove et forêt vierge, grottes marines et fonds coralliens.

Plantation de thé, Cameron Highlands, Malaisie centrale.

14 Au cœur de la jungle

par Simon Richmond

Au départ de Kota Bahru, centre de culture et d'artisanat traditionnel malais, le chemin de fer de la jungle conduit le voyageur à travers forêts et collines jusqu'au parc national de Taman Negara. En plein cœur d'une forêt tropicale vieille comme le monde, treks et randonnée promettent tout à la fois frisson et émotion.

La Malaisie présente deux visages violemment contrastés. Atterrissez à l'aéroport international de Kuala Lumpur, plongez-vous dans les embouteillages et passez devant les étincelantes et vertigineuses Petronas Towers (qui détiennent actuellement le record du monde de hauteur), et vous aurez le sentiment de pénétrer dans le sanctuaire de la société high-tech. Gagnez la ville de Kota Bahru, sur la côte nord-est, regardez les pousse-pousse, sillonnez les rues tranquilles ou le marché de nuit, interrompez soudain toute activité pour la prière du soir, et vous vous trouverez confronté à une tout autre réalité.

4 Tout sera fonction de vos activités dans le parc national : plusieurs pistes faciles ne prennent pas plus d'une demi-journée, tandis que les grands treks peuvent demander de gros efforts, notamment l'ascension du Gunung Tahan, plus haut sommet de Malaisie. Évitez la passerelle aérienne si vous souffrez du vertige.

★★ Le voyage en train en troisième classe n'a rien de luxueux, mais se supporte sans peine, surtout si vous emportez votre nourriture. À Taman Negara, les meilleurs chalets du centre sont tout confort, mais n'espérez pas trop dormir dans les cabanes d'observation, très rudimentaires. Ces refuges et les lodges de pêche possèdent des matelas, qui ne supportent pas trop l'humidité de la jungle, même s'ils sont conservés dans des armoires en métal. Prenez vos draps (vous pouvez en louer au centre) et une moustiquaire. S'il a plu, préparez-vous à livrer bataille avec une ou deux sangsues pendant votre trekking.

Indispensables pour le trekking au Taman Negara : chaussures de randonnée et vêtements discrets (pour ne pas effrayer la faune). Pour le tubing en rivière : un tee-shirt à manches longues vous protégera des coups de soleil.

Capitale de l'État de Kelantan, **Kota Bahru** a longtemps vécu en autarcie complète. Physiquement isolée par l'immense barrière de montagnes et de jungles qui occupe le centre de la péninsule, cette ville reste l'une des plus islamiques de Malaisie, fière de ses traditions locales, comme le théâtre d'ombres et la confection de cerfs-volants géants.

On y fait généralement étape sur la route des îles Perhentian, site idyllique semé au large des côtes de l'État voisin de Terengganu, à 60 km plus au sud. En attendant la correspondance avec le bus, on découvre les extravagants musées de Kota Bahru, son extraordinaire Central Market, paradis de couleur et de mouvement pour le photographe, et son marché de nuit, où l'on peut déguster la plus savoureuse cuisine du pays.

Mais j'ai une autre raison de venir à Kota Bahru : prendre ce qu'on appelle le chemin de fer de la jungle, qui part de Tumpat, sur la côte, et traverse la péninsule jusqu'à Gemas, au sud-est de Kuala Lumpur. J'ai tout mon temps, et cet omnibus de jour m'offre un moyen idéal d'entrevoir certains aspects de la jungle et de rejoindre ma destination : Taman Negara, le plus grand parc national de Malaisie.

Au gré de la rivière

J'ai une journée à tuer avant de prendre le train du matin, et j'ai décidé de faire la traversée de la Kelantan, large et boueuse rivière, en compagnie d'un guide touristique réputé. Roselan organise les spectacles culturels de Bahru, et propose également des excursions d'une demi-journée, avec visite d'un maître marionnettiste et d'un fabricant de cerfs-volants, ainsi qu'une agréable promenade en bateau sur la rivière.

"Vous ne trouverez pas cela sur votre dépliant touristique", ne cesse de répéter Roselan, un peu ironiquement sans doute, car deux touristes italiens m'accompagnent. Mais son commentaire a du vrai, car on voit peu de visiteurs dans les villages voisins de Kota Bahru. Ils n'y trouveraient d'ailleurs pas grand-chose. Avec Roselan, les portes s'ouvrent comme par miracle, et je me retrouve en compagnie du fascinant Pak Su, fabricant de marionnettes et premier marionnettiste de *wayang kulit* (théâtre d'ombres).

Pak Su est installé en tailleur devant la fenêtre de la maison qu'il partage avec les 13 membres de sa famille. Il travaille sur une marionnette en peau de buffle translucide. Pour chaque personnage il se conforme aux modèles traditionnels du théâtre d'ombres, les façonnant avec des baleines de parapluie et des pièces de moto. Il les peint avec des teintures et des feutres, met les ficelles en place par une rapide "soudure" du bout de sa cigarette toujours allumée.

Après le thé, le gâteau, et bien sûr l'opportunité d'acheter une marionnette, nous partons en voiture vers la jetée, en face des îles groupées dans le delta de la Kelantan. Le bateau nous conduit en aval, dans un village où nous visitons une fabrique de batiks et l'atelier d'Ismail Bin Jusoh : le vieil homme confectionne des cerfs-volants, et nous montre rapidement comment les motifs sont appliqués en filigrane. Si vous voulez en savoir plus, poussez du côté de Kampung Kijang, à dix minutes en bus du centre de Kota Bahru, et demandez Shapie Ben Yussof. Vous ne pouvez manquer son atelier sur la grand-route, encadré par deux cerfs-volants géants.

Le chemin de fer

Les coqs entament leur concert tandis que je me dirige vers **Wakaf Bahru** : pourtant le ciel reste d'un noir d'encre, épinglé d'un grand dais d'étoiles.
À la gare, les voyageurs, essentiellement des commerçantes du marché qui se rendent dans les villes de l'intérieur avec leurs sacs et leurs paniers pleins, commencent à encombrer le quai. Dans une petite salle, de vieilles femmes déroulent leurs tapis de prière, enfilent leur tunique blanche, et se prosternent en direction de La Mecque.

À 6h20 précises, le train entre en gare. Dans les voitures de troisième classe, certains des sièges en cuir déchiré sont déjà occupés par les voyageurs montés en tête de ligne, à Tumpat. Un couple de routards hollandais provoque un embouteillage avec son cerf-volant géant, souvenir de Kota Bahru. Les vitres se baissent pour laisser passer régimes de bananes, sacs de durians puants et autres paquets volumineux, durant les cinq minutes de l'arrêt.

Il me faudra dix heures pour arriver à destination – Jerantut, l'un des accès du parc national de Taman Negara –, et

CULTURE À KOTA BAHRU

Pour découvrir la culture et les arts traditionnels malais, Kota Bahru n'a pas son pareil. De mars à octobre, les lundi, mercredi et samedi, spectacles gratuits au centre culturel Kelantan (dans Jalan Mahmood, 5 min à pied du State Museum). Vous y verrez des démonstrations de *rebana uni*, spectaculaires tambours géants ; de *gasing uri*, grandes toupies de bois et de métal, avec mises en scène de combat entre toupies, les *gasing pankah* ; de *bulu ayam*, badminton joué uniquement avec le pied et un volant en plume de coq ; et de *silat*, mélange de danse et d'art martial. Les spectateurs peuvent s'essayer à tous ces jeux. Spectacles en soirée le mercredi (théâtre d'ombres) et le samedi (musiques et danses traditionnelles).

je comprends bientôt pourquoi : le train s'arrête presque toutes les dix minutes pour embarquer ou débarquer passagers et bagages. Depuis 1931, parcourant la Malaisie sur 500 km, il est l'équivalent du bus local dans une région où les routes se font encore rares.

Si la fringale vous prend durant le voyage, vous avez le choix entre céder aux propositions peu appétissantes de la voiture-buffet (poulet, ou curry de poisson et riz en barquettes), ou vous fournir auprès des femmes qui arpentent les wagons avec leurs sachets remplis d'œufs durs, de rambutans, de noix et de sucreries. J'ai pris un œuf dur et du thé, me restaurant en regardant le soleil se lever à travers les palmiers, dans un kaléidoscope de couleurs.

Cap au sud

En fin de matinée, le froid de l'aube a cédé la place à une chaleur soporifique,

Ci-contre *Le Taman Negara National Park offre de nombreuses possibilités pour explorer la plus vieille forêt tropicale de la planète (130 millions d'années).*
Ci-dessous *Dans le train de la jungle, moment de détente avant le marché.*
Page de droite *Central Market, Kota Bahru.*

tout juste tempérée par le courant d'air des vitres baissées et des ventilateurs. La plupart des commerçantes sont descendues à la première ville importante, **Kuala Kerai**. Mais le train reste animé : femmes coiffées de fichus imprimés, entourées de sacs et de paniers, petits enfants suçant des bonbons, hommes âgés fumant et bavardant.

Des bandes nuageuses s'accrochent aux montagnes à l'horizon, tandis que le train s'arrête dans le village de **Dabong** ; au sud de celui-ci, le Jelawang Country Park attire trekkers et campeurs venus de Kota Bahru. Mais c'est 50 km encore plus au sud, à la ville frontière de **Gua Musang**, en plein cœur de la Malaisie, que les paysages prennent une dimension véritablement spectaculaire. Émergeant de la jungle, d'imposantes falaises de calcaire trouées de grottes forcent la ligne de chemin de fer à de constants détours.

Nous pénétrons maintenant dans la province de Pahang, jusqu'à l'ancienne capitale d'État de **Kuala Lipis**, grand centre minier et aurifère à la fin du XIXe siècle. Les méthodes modernes d'extraction y attirent de nouveau quelques compagnies minières, mais la ville a conservé son allure coloniale. Le vendredi, lorsque villageois et gens des tribus voisines se rassemblent par centaines au marché de nuit de Kuala Lipis, on a bel et bien le sentiment de s'être trompé de siècle.

De Kuala Lipis, on peut rejoindre les pistes de trekking, les grottes et les cascades du **Kenong Rimba State Park** (129 km²). L'accueil y est plus rudimentaire qu'à Taman Negara (prévoyez de camper une ou deux nuits), mais le nombre restreint de visiteurs vous permettra de mieux observer la faune. Vous pouvez bien sûr découvrir le parc par vous-même, mais l'expérience sera plus enrichissante si vous louez les services d'un guide ou partez en trek organisé de Kuala Lipis.

Mais pour qui recherche un contact vraiment authentique avec la jungle, le plus grand parc national de Malaisie, Taman Negara (4 343 km²), s'impose. Le train s'arrête en gare de **Jerantut** peu après 16 h. J'ai manqué de deux heures le départ des derniers sampans qui remontent la rivière Tembeling jusqu'au parc. Mais cette soirée libre me permet d'assister au briefing donné à l'hôtel Sri Emas (➤ 275) sur les activités du parc et d'étudier les possibilités offertes pour les prochains jours. Je vais aussi faire mes courses, car les prix sont plus abordables à Jerantut que dans les quelques magasins du parc.

Le Taman Negara

Même les plus brèves excursions – gravir le Bukit Teresek, sommet de 342 m proche du centre d'accueil, emprunter la passerelle aérienne ou le pont de cordes de 450 m qui traverse les arbres, descendre en tubing (grosse chambre à air) ou en bateau la rivière Tembeling – donnent un bon aperçu de la jungle de **Taman Negara**. Si vous avez quelques jours, prenez l'une des grandes pistes et bivouaquez ou passez la nuit dans une lodge de pêche ou un refuge d'observation. Plus vous vous éloignerez du centre d'accueil, mieux vous pourrez observer la faune de la forêt.

On gagne le parc par la route ou par la rivière. Le circuit en minibus proposé par l'hôtel Sri Emas m'a paru plus intéressant. Étapes dans les plantations de cacao, d'hévéas et de palmiers à huile, le guide vous expliquant les cultures. Vous pourrez essayer de fendre les énormes amandes d'huile de palme à l'aide d'une espèce de faux terrifiante.

À midi, le bus arrive à **Kuala Tahan**, village situé en face du centre d'accueil et d'hébergement. Beaucoup de visiteurs préfèrent séjourner au village, où l'hébergement et la nourriture sont moins chers qu'au centre, qui ne propose pour les petits budgets qu'une auberge et un terrain de camping. Mais Taman Negara accueille près de 40 000 touristes par an, et si vous prévoyez un séjour durant les congés scolaires, il faudra réserver très à l'avance et ne pas vous étonner si vous trouvez les pistes les plus faciles noires de monde.

Au cœur de la jungle

Une navette-éclair (30 secondes) traverse la Temeling pour rejoindre le parc. Tandis que je me fais enregistrer au centre, une mante religieuse atterrit sur ma jambe et un serpent vert descend paresseusement les marches. Pour le petit monde de la jungle, une façon comme une autre de me souhaiter la bienvenue.

Le Taman Negara abrite une des plus anciennes forêts tropicales du monde. La Gunung Tahan Game Reserve fut créée dans les années 1920 pour protéger la faune dans les États de Pahang, Kelantan et Terengganu. Rebaptisée King George V National Park, elle reçut son nom actuel (traduction littérale de “parc national”) lorsque la Malaisie acquit son indépendance, en 1957.

Le plus haut sommet de la péninsule, le Gunung Tahan (2 187 m), se dresse à l'intérieur du parc. Son ascension, piste de 55 km comprise, demande une semaine. On y rencontre tous les types de terrain, de la jungle chaude et humide des diptérocarpes, dans les basses terres, aux féeriques forêts d'altitude – univers étrange de troncs d'arbres détrempés, couverts de lichens, de fougères et d'orchidées. C'est la seule zone du parc où vous devez impérativement vous faire accompagner par un guide, qui vous coûtera environ 500 ringgits ($ 135) pour sept jours. Renseignez-vous auprès des Park and Wildlife Offices du centre sur les treks auxquels vous pourriez vous joindre.

La plupart des visiteurs s'en tiennent aux randonnées les plus faciles, empruntant des pistes nettes et bien indiquées. La plus célèbre mène à la passerelle aérienne (à 1,5 km du centre, après Bukit Teresek). Si vous avez le vertige, ou n'appréciez que modérément les ponts de cordes et de planches oscillants, évitez la passerelle. Prenez plutôt le passage de 450 m, constitué de neuf ponts reliant huit miradors dans les arbres, qui vous fera découvrir la canopée de la jungle où vivent la plupart des oiseaux et des animaux. À travers les 30 m de feuillages qui vous séparent du sol, vous pourrez également apercevoir la rivière Tembeling.

En remontant la Tahan

Si vous achetez un permis, vous pourrez partir pêcher dans le parc. Les secteurs les plus réputés : Kuala Kenian et Kuala Perkai, à 28 km au nord-est de Kuala Tahan. **Lata Berkoh** (à 8 km au nord-ouest), belle série de cascades sur la Tahan, est très fréquentée par les sampans à moteur qui remontent de Kuala Tahan. J'ai décidé de m'y rendre dans l'après-midi par une randonnée de quatre heures, de passer la nuit à la lodge de pêche et de revenir par bateau dès le lendemain matin, pour éviter la foule qui vient y nager et pique-niquer dans la journée.

Je viens de quitter le centre quand je croise un varan qui se dandine sur la piste. Je ne rencontrerai pas de plus gros animal en chemin, mais des milliers d'insectes, des fourmis géantes, des termites et des papillons bleus et violets. Des troncs d'arbres obstruent le chemin de temps en temps, comme si la jungle s'amusait délibérément à semer le trek d'obstacles imprévus. Je dois également franchir quelques ruisseaux peu profonds, et gravir une petite colline, mais rien qui demande de bien gros efforts.

Je ne rencontre presque personne, hormis un groupe d'Orang Asli (les premières tribus de Malaisie) qui ont monté leur camp de huttes en bambou dans une clairière. Des enfants timides trottinent d'une hutte à l'autre, tandis qu'un homme agenouillé près d'un feu confectionne des flèches de sarbacane : les Orang Asli les utilisent encore pour la chasse. Un écriteau cloué sur un arbre offre des pipes à vendre. Il vous informe également que prendre une photo vous coûtera 5 ringgits (1,50 $)...

Le niveau sonore ambiant monte avec le craquètement des cigales en fin d'après-midi, tandis que je passe la Tahan à gué pour rejoindre la lodge de pêche. Celle-ci comprend deux chambres, chacune avec deux lits superposés, une véranda couverte, dispose de l'eau courante et de toilettes. J'ai pour compagnons de nuitée Roded, israélien, Lieke, hollandaise, Gavin, australien, et Nicole, anglaise. Roded et Lieke sont partis ce matin de Kuala Trenggan, à 12 km à l'est, un centre qui possède quelques lodges de jungle haut de gamme. Gavin et Nicole feront ce chemin en sens inverse dans deux jours pour se rendre à la cabane de Kumbang, où ils pourront certainement observer un tapir durant la nuit.

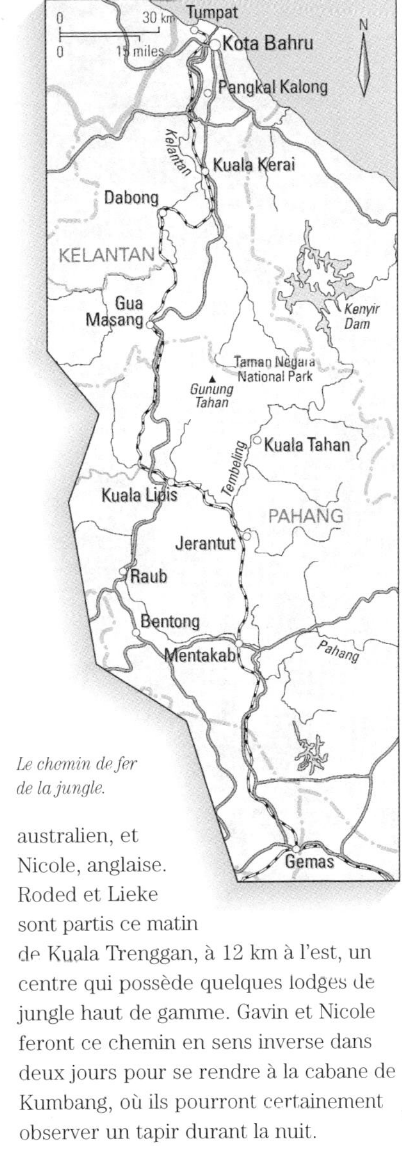

Le chemin de fer de la jungle.

Au crépuscule nous nous réunissons sous la véranda pour un dîner aux chandelles. Au menu : grillades de poisson pêché dans la rivière. Des éclairs illuminent par instants les arbres, la pluie tambourine sur le toit de tôle et, quelque part dans les ténèbres, un iguane glousse nerveusement.

Nuits dans la jungle

Au petit matin, l'iguane s'esclaffe toujours. Les premiers randonneurs

commencent à débarquer, rompant le charme de notre retraite. Je prends un bateau pour descendre les eaux limoneuses de la rivière jusqu'à Kuala Tahan. Des arbres de Neram s'inclinent au-dessus du courant, leurs racines accrochées aux berges, des lianes pendent dans un style hollywoodien et des troncs flottent tels des crocodiles endormis, tandis que la pirogue franchit quelques modestes rapides.

La pluie a fait monter le niveau de l'eau durant la nuit, et j'attends avec impatience la descente en tubing des eaux vives de la Tembeling (activité proposée par la plupart des restaurants flottants de Kuala Tahan). On vous conduit d'abord en pirogue 4 km en amont, puis on vous laisse redescendre le courant jusqu'à Kuala Tahan pendant deux heures, affalé dans votre beignet géant en caoutchouc. Sport plutôt paisible dans l'ensemble : les rapides ne vous secouent guère plus qu'un jacuzzi.

Bien plus grisant est le trek de nuit – une heure en pleine jungle –, en compagnie de Wan, guide du Parks and Wildlife Department. Dès le départ, Wan nous demande d'éteindre nos lampes torches : nous voici plongés dans les ténèbres, à l'écoute du moindre frôlement de branchage ou de brindille. Foulant le sol avec précaution, nous nous arrêtons lorsque la lampe torche de Wan illumine un nid de scorpions dans la fissure d'un arbre ou un étrange insecte orange posé sur une feuille.

À mi-chemin, nous faisons une pause et rallumons nos torches. Nous attendons, le temps que nos yeux s'habituent aux lueurs phosphorescentes des champignons. Un froissement agite les taillis. Le bruit se rapproche. Une vague de peur et d'excitation nous submerge. Soudain, le bruit est derrière nous. Nos torches tremblotantes illuminent alors un gros porc-épic, qui pousse un cri pour alerter ses compagnons dans la jungle, tandis que nous éclatons de rire – et de soulagement.

À gauche *Passerelle aérienne, Taman Negara.*

PARTIR EN SOLO

QUAND PARTIR

Durant la saison sèche (de novembre à mai), les arbres sont en fleurs et les oiseaux migrateurs descendent de Chine et de Sibérie. Saison des pluies (de mai à août) plus favorable à l'observation des animaux.

SE DÉPLACER

De Kuala Lumpur (KL), Penang et Alor Setar, vols réguliers pour l'aéroport de Kota Bahru. Taxi pour le centre-ville (9 km) : comptez 16 ringgits (4 $). Les bus longues distances desservent les arrêts de Langaar ou de Hamzah, 2 km au sud du centre. La station de bus locale, où s'arrêtent les bus en provenance du Terengganu, se trouve près du marché de nuit. Pour les trains, voir ci-dessous.

EXCURSIONS SUR LA RIVIÈRE ET SÉJOURS CHEZ L'HABITANT

À Kota Bahru, demandez Roselan au Centre d'information touristique si vous voulez passer la rivière et séjourner chez l'habitant. Excursions quotidiennes en rivière, sauf le vendredi (maximum 3 personnes). Le séjour chez l'habitant (trois jours / deux nuits) a lieu chez un fabricant de marionnettes ou de cerfs-volants et comprend des cours d'initiation.

LE TRAIN DE LA JUNGLE

Comptez 15 ringgits (4 $) pour le taxi de Kota Bahru à Wakaf Bahru, gare la plus proche (7 km à l'ouest). Trains quotidiens pour le sud ; train du matin en 3e classe uniquement ; train de nuit plus rapide avec couchettes de 2e classe, rentable seulement si vous allez jusqu'à Singapour (sinon, arrivée à Jerantut à 2 h) Dans l'autre sens, deux trains de nuit au départ de Jerantut, et un autre pour KL. Horaires sujets à modifications, vérifiez auprès des offices de tourisme locaux et de KTM (Keretapi Tanah Melayu, la compagnie de chemin de fer).

TAMAN NEGARA EN BATEAU ET EN BUS

À Jerantut, l'hôtel Sri Emas (➤ 275) et la Jerantut Guesthouse proposent deux moyens de rejoindre Kuala Tahan et le centre d'accueil du parc de Taman Negara : en minibus, une excursion de deux heures très appréciée ; en sampan à moteur (trois heures), rendez-vous sur la jetée de Kuala Tembeling. Vous pouvez aussi choisir le bus à l'aller, et le sampan au retour, plus rapide avec le courant. Si vous êtes vraiment pressé, un service de hors-bords vous conduira au Taman Negara Resort en une heure. Au départ de l'hôtel Istana de KL, bus quotidien direct (quatre heures) pour la jetée de Kuala Tembeling, et correspondance avec les bateaux pour Kuala Tahan.

SANTÉ

Prenez des comprimés anti-malaria, de la lotion anti-moustiques, une trousse de secours et prévoyez une bonne assurance médicale. Prévoyez un tee-shirt à manches longues contre les coups de soleil si vous faites du tubing.

TAMAN NEGARA : INDISPENSABLE

- ❑ Faites-vous enregistrer au centre d'accueil ou à la jetée de Tembeling.
- ❑ Permis d'entrée et permis de photographier s'achètent au centre.
- ❑ Réservez une nuit dans une lodge de pêche à Lata Berkoh ou Kuala Perkai, ou dans un poste d'observation.
- ❑ Louez votre matériel de camping au terrain de camping du centre.
- ❑ Emportez vos propres chaussures de randonnée (celles de location sont généralement en triste état).

QUELQUES TUYAUX

- ❑ Le bruit effraie la faune : mieux vaut éviter les groupes importants. Arrêtez-vous pour écouter : vous ne verrez peut-être pas beaucoup d'animaux ou d'oiseaux, mais vous les entendrez à coup sûr.
- ❑ Prenez votre temps. Il fait chaud et humide. Vous précipiter ne vous amènera que des désagréments
- ❑ Emportez une lampe torche, un chapeau et de l'eau. Évitez les couleurs vives, qui effraient les animaux.
- ❑ La faune est plus active à l'aube et au crépuscule. Faites comme elle, et prenez le temps de vous reposer dans la chaleur de la mi-journée.
- ❑ Vous avez peu de chances de croiser un éléphant ou un tigre. Mais vous rencontrerez des myriades de plantes et d'insectes : emportez des jumelles.

15 D'île en île dans l'archipel de Langkawi

par Simon Richmond

Au large de la côte nord-ouest de Malaisie, Langkawi compte 99 îles, presque autant de légendes, et quelques hôtels luxueux. Mais en s'écartant des sentiers battus, on peut également retrouver une nature authentique, faite de jungle, de cavernes et de marais de mangrove.

Selon une légende (il en existe bien d'autres), les îles de **Langkawi** auraient jadis été maudites. Mahsuri, douce et belle princesse, accusée d'adultère par sa belle-mère, fut pour cela condamnée à mort. Mais quand le bourreau plongea le couteau dans sa gorge, un sang blanc en jaillit, prouvant son innocence. Et dans un dernier souffle, Mahsuri maudit Langkawi pour sept générations.

Les îliens vous jureront que l'histoire est véridique, même si la date de cet événement varie de plusieurs siècles selon les sources. La History Association de Kedah et le Kedah State Museum affirment qu'ils ont retrouvé trace des descendants directs de Mahsuri sur l'île de Phuket, en Thaïlande. Vrai ou faux, le mauvais sort a depuis longtemps quitté Langkawi, aujourd'hui l'une des destinations touristiques les plus huppées de Malaisie, au développement maîtrisé, aux plages peu fréquentées et aux superbes forêts vierges.

À l'origine de cette mode, un jeune médecin qui débarqua voici 40 ans de la capitale de l'État, Alor Setar. En traversant le détroit de Malacca pour gagner **Kuah**, principale ville de Langkawi, je me suis demandé ce qui avait bien pu envoûter ce Dr Mahathir Mohammed, futur Premier ministre de Malaisie, et le pousser à décréter l'île zone franche en 1987, la transformant ainsi en étape obligée pour la jet-set internationale.

Sur le groupe d'îles qui composent Langkawi, 30 km au large de l'extrémité nord de la Malaisie, deux seulement sont habitées : la plus grande, Pulau Langkawi, et Pulau Tuba, 5 km plus au sud, où réside une petite communauté de pêcheurs. La plupart des touristes ne viennent ici que pour se faire dorloter dans des complexes luxueux, se dorer sur les plages et se détendre. Mais ceux qui recherchent un brin d'aventure ne seront pas déçus. Des routes récentes permettent de découvrir à moto ou en voiture les plus beaux sites de Langkawi. On peut passer une demi-journée à voguer d'île en île, à nager dans un lac d'eau douce, à observer la faune, et même à faire du parapente pour admirer le paysage à vol d'oiseau. Mais rien ne

1 Vous ne risquez pas de vous épuiser, sauf à plonger avec un opérateur douteux. Le vol en parapente ne dure que cinq minutes – de bonheur, même si vous prenez un petit bain au décollage et à l'amerrissage.

★★ Langkawi possède certains des meilleurs hôtels de Malaisie. Les routes y sont excellentes et quasi désertes. Vous ne pourrez pratiquement pas vous déplacer sans louer une voiture. L'île est à éviter pour ceux qui veulent voyager à petit prix. D'autres îles en Malaisie ou en Thaïande offrent un rapport qualité/prix bien supérieur.

Hormis votre appareil photo et des jumelles, aucun matériel particulier à prévoir.

vaut les randonnées dans la jungle et les croisières à travers la fascinante forêt de mangrove.

Mieux vaut venir à Langkawi à la saison sèche, entre novembre et mai : l'île accueille alors les oiseaux migrateurs de Sibérie et de Chine, ses arbres et ses plantes, colorés de fleurs, embaument. Même durant la saison des pluies, les amoureux de la nature trouveront bien des choses à voir et à faire. Pour observer les animaux dans la jungle, la saison des fruits, de mai à août, est idéale. Les lucioles sont de sortie entre juin et juillet, et début août, vous pourriez même avoir la chance d'apercevoir l'un des plus étranges phénomènes de Langkawi : un petit poisson sautillant sur ses nageoires parmi les champs de paddy, après avoir hiverné en terre sèche pendant un an.

Circuit à moto

Ne vous fiez pas aux chiffres. Langkawi ne fait guère que 500 km^2, et il ne faut pas plus d'une heure et demie pour la traverser. Cependant, vous aurez du mal à tout voir en une seule journée, et un tour de l'île vous fera bien parcourir jusqu'à 70 km. Si vous n'êtes pas pressé, louez une moto pour deux jours, et prenez votre temps pour découvrir les environs.

Quittant mon hôtel de Pantai Cenang (➤ 279) de bon matin, j'ai mis le cap au nord, contournant le chantier de la nouvelle piste d'aéroport pour rejoindre la cascade de **Telaga Tujuh** (les "sept puits"). Véritable suite de montagnes russes, la route enjambe plusieurs petites collines, passe devant Pantai Kok (l'une des plus belles plages de l'île), et me conduit au pied d'une falaise de 200 m de haut.

La cascade s'élance du rebord de la falaise, dominant l'océan. Son nom lui vient des sept bassins couverts de mousses que l'eau a creusés en rebondissant sur la roche. Si le débit est au maximum, vous pouvez vous laisser glisser d'un bassin à l'autre, mais vous risquez de sérieuses contusions – n'en déplaise à la légende, selon laquelle les fées aimeraient venir s'y baigner, conférant aux eaux des pouvoirs de guérison.

De retour sur la grand-route, je roule encore 20 km vers l'est dans le nord de l'île, passant des rizières où les buffles pataugent, jusqu'au **Kompleks Budaya Kraf**. Ce centre artisanal, destiné à mettre en valeur l'art et l'artisanat malais, consiste surtout en boutiques de cadeaux pour touristes. Compensation : des femmes souriantes font des démonstrations de tissage et de vannerie. Je passe là une demi-heure amusante à jouer aux billes locales, le *congkak*, avec un couple de jeunes filles qui s'esclaffent devant mes ridicules tentatives pour en comprendre les règles.

Un spectacle plus incongru encore m'attend 10 km plus loin, après un rond-point apparemment couronné d'un gigantesque amas de bouses de buffle, en direction de Kuah. La **Galleria Perdana** expose environ 2 500 cadeaux et récompenses d'État offerts au Premier ministre et à son épouse. On y trouve de tout, de la porcelaine aux voitures, en passant par les bijoux et les poupées japonaises. Clous de l'expo, et summum du kitsch : un portrait du bon docteur, réalisé en crin de cheval (*made in* Pékin), dont le gardien m'affirme fièrement qu'il a monopolisé 100 personnes sans interruption pendant trois mois, et un manteau long en fourrure

LE PADANG MATSIRAT

Autre légende de Langkawi, le *Padang Matsirat*, ou "Champ du riz brûlé" : peu après la mort de la princesse Mahsuri, la récolte de riz fut incendiée – par les villageois eux-mêmes avant l'arrivée des Siamois, ou par les pillards siamois ? En tout cas, les habitants affirment qu'on peut encore voir du riz noirci dans le sable, notamment après de grosses pluies.

Ci-dessous et ci-contre
Pour se déplacer à Langkawi, mieux vaut louer une moto ou un 4x4 à Kuah ou sur les plages, à moins de partir en croisière d'île en île.

À droite *Langkawi possède de bons hôtels. À Bon Ton, où l'on trouve aussi l'un des meilleurs restaurants de l'île, on peut séjourner dans un* kampung *(maison villageoise) réaménagé.*

victime dépérit lentement, tandis que le figuier effectue ce que Mobarak appelle, dans son jargon de banquier, "une OPA hostile".

Une nouvelle pause est l'occasion d'un petit cours sur les vertus médicinales de diverses plantes de la jungle, utilisées comme astringents, antiseptiques ou contraceptifs. Autour de nous, une bande de singes (des colobes à feuilles) se balancent dans les frondaisons. Au sol, deux espèces différentes de termites ont créé un réseau d'autoroutes, empruntées par des milliers d'ouvrières faisant preuve d'une ahurissante maîtrise de la circulation aux heures de pointe.

Il n'est pas nécessaire de séjourner au Datai pour partir sur ces pistes

passionnantes, ni de se lever à l'aube. Mobarak emmène également des groupes au crépuscule, heure à laquelle on peut observer la civette, l'écureuil volant géant et le colugo, ou galéopithèque volant (*Cynocephalus volans*), membre rare de la famille des lémuriens, ainsi que plusieurs espèces d'oiseaux et de chauves-souris.

Quant aux vrais amateurs d'oiseaux, Mobarak les conduira au coucher du soleil jusqu'au **Gunung Raya** : à 883 m, c'est le plus haut sommet de l'île, mais d'accès facile par une route sinueuse qui domine sur près de 11 km la canopée de la forêt. De nombreuses plantes et animaux y résident, notamment le calao bicorne (*Buceros bicornis*) qui, mesurant 1,15 m de la pointe de son bec jaune à l'extrémité de sa queue noire et blanche, règne sur les oiseaux des îles.

Dans la mangrove

À **Tanjung Rhu**, sur le cap nord-est de Langkawi, les casuarinas bordent une

À gauche *Kuah, principale ville de Langkawi, s'étire en bord de mer, face aux îles méridionales.*
Ci-dessous à gauche *Vous en apprendrez beaucoup sur les épiphytes et sur les autres merveilles naturelles de la jungle en compagnie du guide naturaliste du Datai.*
Ci-dessous *Repiquage des pousses de riz.*

longue plage par laquelle on peut, à marée basse, rejoindre les îles de Pulau Pasir, Pulau Gasing et Pulau Dangli. Des bateaux se rassemblent devant une petite jetée à l'embouchure du lagon ; vous pourrez en louer un pour rejoindre **Gua Cherita** – la grotte des Contes, accessible uniquement par mer. Prenez une lampe torche pour examiner les anciens graffitis qui recouvrent ses parois. Certains affirment y lire des versets du Coran ; d'autres, les derniers messages laissés par les survivants d'un navire indien qui aurait fait naufrage sur la côte au XIIIe siècle.

La croisière la plus intéressante combine l'exploration des grottes et l'observation ornithologique le long de la côte, avec navigation dans la mangrove le long des rivières Kilim et Kisap, plus au sud. Je prends part à une excursion d'une demi-journée. Osman, notre guide, exerce également la profession de charmeur de serpents. Je constate avec soulagement qu'il n'a emporté qu'un bel iguane vert dans son sac à dos.

Notre première étape : une des fermes piscicoles flottantes établies sur le lagon. Les filets immergés sont attachés à un échiquier de planches flottant sur des bidons de plastique bleu ; chaque carré contient une espèce différente de poisson ou de crustacé. Y jetant un coup d'œil, nous voyons un énorme mérou faire surface, dents luisantes au soleil, prêt pour son déjeuner de sprat mort, avant de replonger dans les profondeurs. Tous les poissons ne finissent pas dans une assiette : les espèces tropicales les plus colorées iront rejoindre l'aquarium de l'île.

Poison et charbon

Nous regagnons la mer en suivant la spectaculaire ligne de falaises façonnée par des siècles d'érosion. Les oiseaux abondent ; des jumelles seraient bien utiles pour mieux observer les milans sacrés qui planent au-dessus de nos têtes, tandis que nous approchons de l'embouchure de Gua Dedap pour inspecter l'entrée de la grotte. Si le bateau est trop gros pour pousser jusqu'au lagon, nous accédons sans problème à la grotte suivante, sur la superbe rivière Kilim.

On ne peut accéder à Gua Kelawar qu'à marée haute, quand les étroits chenaux de la mangrove deviennent navigables. L'odeur âcre des déjections trahit la présence de milliers de roussettes frugivores suspendues à la voûte ; Osman illumine leurs petits yeux de sa lampe torche. Une passerelle en bois traverse la salle de bout en bout, mais, par endroits, on patauge à mi-jambe.

Avant de rembarquer, Osman nous décrit les deux types de mangroves qui poussent dans la région. On peut couper le raisufara et en faire du charbon de bois, mais personne ne touche au barbutah. Brisant une feuille, il nous montre la sève laiteuse qui s'en écoule. "Si une seule goutte atteint votre œil, vous deviendrez aveugle, et si vous en mettez trois gouttes dans une tasse de thé, celui qui le boira aura des crampes d'estomac, vomira du sang, et mourra dans les trois jours." Le seul antidote connu provient du même arbre.

En revenant vers la côte, nous croisons une pirogue chargée de bûches de mangrove, et nous la suivons jusqu'à la fabrique de charbon de bois, plus au sud sur la Kisap. Là, nous nous retrouvons plongés dans un univers à la Dickens – ou dans celui de la malédiction de Mahsuri. Des enfants nus nous saluent, debout sur des piles de bois déposées sur la berge, devant une maison et une fabrique en bois et feuilles de palmes, entièrement recouverte de suie. On nous dit que le Thaï qui habite ici avec sa famille est heureux, car il gagne bien mieux sa vie qu'en Thaïlande. Le contraste s'avère brutal, après une demi-journée passée dans une nature paradisiaque, et une semaine à jouir de la beauté et du luxe de Langkawi.

PARTIR EN SOLO

QUAND PARTIR

Durant la saison sèche, les arbres sont en fleurs et les oiseaux migrateurs arrivent de Chine et de Sibérie. Mais vous verrez plus d'animaux durant la saison humide, de mai à août.

SE DÉPLACER

L'aéroport de Langkawi, sur la côte ouest de l'île, est desservi par des vols quotidiens au départ de Kuala Lumpur (KL), Penang, Ipoh, ainsi que de Singapour, Taipei et Kansai au Japon.

De Kuala Perlis, sur la frontière thaïe, neuf vedettes rapides (45 min de trajet) pour Langkawi par jour. Plus lents, des ferries partent de Kuala Kedah, à 8 km d'Alor Setar. De Penang, un ferry par jour à 8h30 (deux heures et demie de traversée). Si vous venez de Thaïlande, ferry rapide trois fois par jour au départ de Satun.

LOUER UNE MOTO

Nombreuses boutiques de location sur la plage de Pantai Chenang. Vous devriez pouvoir louer les modèles les moins chers environ 30 bahts (8 $) les 24 heures. Vérifiez la machine à fond, et faites un tour d'essai avant de payer.

Demandez aussi un casque : peu de gens en portent sur l'île, mais c'est obligatoire et vous risquez une amende si vous êtes arrêté.

Vous devrez faire le plein : vérifiez où sont les stations-service les plus proches.

LOUER UNE VOITURE

Location de voitures à Kuah, à la jetée des ferries et dans plusieurs hôtels de l'île. Vérifiez d'abord que les loueurs possèdent une licence en bonne et due forme. Au Pelangi Beach et au Bureau Bay, location de 4x4 Vitara pour 150 ringgits (40 $) les 24 heures.

LES ÎLES EN BATEAU

Bateaux de croisière d'île en île (Tasik Dayang Bunting, Pulau Singa Besar et Bulau Beras Basah) : départs quotidiens de la jetée de Kuah. La plupart des hôtels de Pantai Chenang organisent le même circuit, un peu plus cher, mais qui vous évitera la peine d'aller à Kuah et de revenir. Plus cher encore, mais plus chic, les croisières à la journée de Dynamite Cruises (► 277), menées par le Néo-Zélandais Lin Ronald sur un voilier de 18 m, le *Dynamo Hum*. Départ de la marina de Porto Malai à la pointe sud-ouest de Langkawi. Déjeuner-buffet et boissons inclus. Selon le temps et la saison, Dynamite Cruises propose également une croisière autour de la mangrove et des îlots rocheux de la côte nord-est.

CIRCUITS "DÉCOUVERTE DE LA NATURE"

L'agence d'Irshad Mobarak, Wildlife Langkawi (► 277), propose des randonnées de découverte autour du Datai, mais aussi dans la mangrove à partir de Tanjung Rhu, une excursion au crépuscule vers le Gunung Raya pour observer les calaos, et des treks de jungle plus longs autour de Gunung Mat Cincang. Jurgen Zimmerer, naturaliste allemand, propose aussi des treks en jungle et dans la mangrove.

SANTÉ

- ❑ Prenez des comprimés anti-malaria, de la lotion et des serpentins anti-moustiques.
- ❑ Portez des manches longues et un pantalon le soir.
- ❑ Emportez une petite trousse de secours.
- ❑ Souscrivez une assurance médicale sérieuse avant le départ.
- ❑ Vérifiez vos vaccins avec votre médecin au moins un mois avant votre départ.

NE PAS OUBLIER

- ❑ Sachets étanches durant la saison humide.
- ❑ Gourde.
- ❑ Affaires de toilette.
- ❑ Crème solaire et bob.
- ❑ Paire de jumelles.

SÉCURITÉ

En plongée, prenez au moins les précautions suivantes :

- ❑ Demandez à vérifier le matériel que vous utiliserez avant d'embarquer.
- ❑ Contrôlez les qualifications et compétences de l'instructeur ; tâchez de savoir si la société est agréée par la Padi ou par une autre association reconnue internationalement.
- ❑ Inspectez le bateau sur lequel vous allez embarquer. Si la houle est forte, les petites embarcations non pontées risquent de vous retourner l'estomac.

SUMATRA • JAVA

Parmi les milliers d'îles qui constituent l'Indonésie, Sumatra et Java ont de tout temps exercé une fascination singulière sur le monde occidental, par leur importance économique d'abord, puis culturelle et touristique. Terre de paysages grandioses ou paradisiaques, Sumatra est la quatrième île du monde par l'étendue, mais sa population, d'une grande richesse ethnique, reste clairsemée. Ses reliefs montagneux se hérissent d'un grand nombre de volcans, et l'éruption à l'origine du lac Toba, il y a 75 000 ans, fut sans doute la plus violente de l'histoire du globe. Java est plus que le centre géographique de l'Indonésie. Elle vit naître quelques royaumes hautement civilisés, à l'origine de chefs-d'œuvre architecturaux comme Borobudur, plus grand monument bouddhique du monde, mais aussi d'un patrimoine artistique exceptionnel : technique du batik, danses raffinées, orfèvrerie, tel le kriss. La culture javanaise est caractérisée par des influences hindoues et islamiques, en témoignent de nombreux instruments de musique et le célèbre théâtre d'ombres. Sur 120 volcans, 30 environ sont en activité, fertilisant une terre qui tente de nourrir, vaille que vaille, une population pléthorique (60 % de la population indonésienne).

Lac de cratère du mont Sinabung, Sumatra-Nord.

16 Dans la furie des rapides

par Simon Richmond

Escalade de volcans actifs, treks en forêt vierge et descente de rapides impitoyables, le nord de Sumatra n'est pas avare en aventures extrêmes. Raison de plus pour apprécier ensuite la compagnie des adorables orangs-outans du parc national du Gunung Leuser.

On frappe à la porte de ma chambre – le jour se lève. Nous étions supposés gravir le volcan à 4 h, pour voir l'aube illuminer la station de Brastagi, mais il est 6 h, et nous partons tout juste. Je suis arrivé dans le nord de Sumatra depuis hier et me voici pris dans le rythme de ce que les locaux appellent poétiquement *jam karet* – le temps "élastique".

Le caractère imprévisible de tout voyage dans les îles d'Indonésie fait partie du dépaysement. Vous ne savez jamais vraiment à quoi vous attendre, ni exactement quand, mais vous êtes à peu près sûr que cela en vaudra la peine.

5 Certaines aventures extrêmes de Sumatra – comme le rafting sur les eaux vives du cours supérieur de la Wampu ou de l'Asahan, près du lac Toba – ne s'adressent ni aux cardiaques, ni aux débutants. Options rafting "soft" pour les voyageurs qui ne souhaitent pas risquer leur peau ou leurs os. Le trekking en jungle et l'ascension des volcans demandent une bonne condition physique.

N'espérez pas pouvoir respecter un planning préétabli à Sumatra. Les meilleurs hôtels offrent des prestations inférieures à celles généralement pratiquées en Asie du Sud-Est. Compensation : vous pourrez voyager mieux en dépensant moins. Autre facteur à prendre en compte : troubles sociaux toujours possibles.

Indispensables : une bonne paire de chaussures, et des vêtements imperméables pour les randonnées en jungle. Sacs étanches nécessaires si vous voulez garder vos affaires au sec en rafting. Chemise légère à manches longues et pantalon pour vous protéger des insectes, vêtements plus chauds pour les nuits à Brastagi et Bukit Lawang.

J'ai pris connaissance de mon planning de voyage peu après mon arrivée à **Medan**, chef-lieu de la province de Sumatra-Nord. Halim, mon guide, est déjà une surprise en soi. Cet Allemand dynamique, de son ancien nom Georg, abandonné lorsqu'il se convertit à l'islam, ne s'intéresse qu'aux expéditions extrêmes en eaux vives et dans les jungles les plus reculées.

Avec son jeune assistant, Igun, nous nous sommes aussitôt rendus en voiture à **Brastagi**. Voici le programme prévu : bivouac au bord du **lac Kawar**, pour donner mes premiers coups de pagaie en canoë. Le lendemain matin nous devons escalader le mont **Sinabung** (2 451 m), le plus haut des deux volcans situés près de cette ancienne station coloniale hollandaise. Après quoi nous souhaitons louer un 4x4 avec chauffeur pour rejoindre un village perdu dans les collines. Ensuite, trek à travers la jungle jusqu'au cours supérieur de la **Wampu**, et bivouac près d'une grande cascade. Journée finale : expédition de six heures en canoë, avec passage des rapides de la Wampu, avant de rejoindre en voiture **Bukit Lawang** et son célèbre Centre de réacclimatation pour orangs-outans.

On m'assure que les eaux vives de la Wampu sont de niveau III (voir encadré ► 164) et que son cours inférieur est utilisé pour les descentes classiques en raft, l'idéal pour un débutant comme moi. Pourtant, lorsque je demande pourquoi on surnomme localement la rivière *Laubiang* (rivière du Chien), Halim me répond : "Oh, juste parce que seul un chien peut y survivre s'il tombe à l'eau."

Sur le volcan

Brastagi (68 km au sud de Medan) a conservé quelques villas de l'époque hollandaise, mais n'est guère plus aujourd'hui qu'une étape sur la route qui rallie Medan au lac Toba vers le sud. Avec ses 1 300 m d'altitude sur le plateau de Karo, Brastagi bénéficie d'un climat frais (et souvent pluvieux) : vêtements chauds et imperméable de rigueur.

Pluie persistante : impossible de faire l'ascension du Sinabung aujourd'hui. La piste qui monte aux 2 451 m du sommet serait trop glissante. Nous prenons finalement des chambres à la guest house située au pied de la colline de Gundaling, au nord du centre-ville, mais plus près du mont Sibayak : nous aurons ainsi un peu d'avance pour nous lancer demain dans l'ascension de ce volcan (2 095 m) encore en activité.

Les guides ne manquent pas à Brastagi, mais vous n'en aurez pas besoin pour gravir le Sibayak. Une piste facile (trois heures) part du marché aux fruits et légumes, au nord de la ville. Pause devant une baraque située au bout de la route, pour payer le permis d'ascension du volcan, quelques tasses d'un café épais et ravigotant sont bues, puis nous empruntons le sentier qui contourne la montagne, sans paraître s'élever vraiment.

À 2 km du sommet, une route récente en épingle à cheveux mène à des marches de ciment et à un chemin tracé le long de l'arête, paysage lunaire ponctué par le sifflement des geysers et l'éclat verdâtre de mares sulfureuses. Les derniers 100 m du sommet, éboulis de roches couronné par une station météo automatique, exigent un matériel d'alpinisme pour être escaladés sans danger. Mais nous avons déjà une vue sensationnelle du mont Sinabung et des montagnes qui entourent le **lac Toba**. J'ai bien fait de prendre des vêtements chauds, le vent est absolument glacial.

Nouvel itinéraire, nettement plus exigeant, pour redescendre vers le village thermal de **Semangat Gunung** : sur les quelque 2 000 marches qui jalonnent la pente, très abrupte, la plupart se sont effondrées, laissant de nombreux trous dangereux à négocier. Je prends mon temps, mais j'ai les jambes en coton lorsque nous sortons enfin de la jungle dans un enchevêtrement de tuyaux rouillés amenant l'eau à une station électrique thermique. Sur un panneau, la liste des gens disparus ou mis en difficulté dans l'ascension du Sibayak souligne la nécessité de respecter l'itinéraire officiel.

Un après-midi à Perbesi

La suite de notre voyage nous conduit à travers les environs fertiles de Brastagi, territoire des Batak. On peut y apercevoir leurs maisons *adat* avec leurs toits de chaume, leurs pignons colorés et ornés de cornes de buffle. Les villages les plus reculés, comme **Barusjahe** et **Dokan**, sont plus intéressants car moins touristiques que **Lingga** (16 km au sud de Brastagi) par exemple, où l'on vous demandera de payer pour prendre des photos des habitants.

Situé au sud de Brastagi, le village de Perbesi ne possède aucune maison digne d'intérêt. Mais ce que nous voulons, c'est louer un 4x4 assez solide pour affronter la piste de boue totalement défoncée qui mène à **Rih Tengah**, hameau des hautes terres, en direction du parc national du Gunung Leuser. Affaire classée à 13 h 30 et, pendant que le chauffeur et ses assistants mécanos préparent le Land Cruiser aux contraintes du périple à venir, je passe l'après-midi avec les habitants, dont les lèvres sont teintées en rouge par le *sirih*, la noix de bétel. Distraction de l'après-midi : un cochon vocifère dans son sac tandis qu'on essaie de le jucher sur le toit d'un bus déjà surchargé de paquets.

Conséquence de la pénurie de transports en commun : enfin prêt à

partir, nous embarquons huit passagers supplémentaires – mais pas complètement inutiles, lorsqu'il faudra tous pousser le véhicule dans un passage particulièrement fangeux. La nuit tombe, plongeant les hautes terres dans les ténèbres les plus opaques. La piste devient carrément infernale, mais notre chauffeur, cigarette toujours allumée au bec, s'en tire avec brio. Deux heures et demie plus tard, soulagement : **Rih Tengah** apparaît, où nous sommes accueillis par une horde de curieux. On déroule des nattes dans l'une des maisons aux toits de tôle, et la soirée s'achève autour d'un verre et à la bougie, le générateur du village étant en panne.

À gauche *Vapeurs dans le cratère du Sibayak.*
Ci-dessus et ci-dessous *Tôle ondulée, mais architecture et ornements traditionnels pour les maisons batak du lac Toba.*

Cross-country

Pluie le lendemain, et nous quittons le village pour un trek de quatre heures jusqu'au bivouac de la **Wampu**. On a pensé louer une charrette à bœufs pour transporter nos bagages, mais Halim

Leuser, habitat naturel de 2 000 à 3 000 orangs-outans. Les treks se font généralement au départ de Bukit Lawang, à la frontière est du parc, et de Kutacane, dans la vallée de l'Alas.

Le centre d'accueil du parc se trouve à Tanah Merah, à 5 km de Kutacane, et il faut s'y arrêter (ou au bureau de Bukit Lawang ➤ 280), pour acheter un permis d'entrée.

Si vous voulez être sûr de voir les singes – les orangs-outans, espèce gravement menacée, ne vivent qu'à Sumatra et Bornéo – rendez vous impérativement au **Centre de**

Ci-dessus *Rafting et tubing en eaux vives, au contact des rivières tumultueuses du nord de Sumatra.*
Ci-dessous *Déjeuner au Centre de réacclimatation des orangs-outans, Bukit Lawang.*

17 Grandeur de Borobudur

par Christopher Knowles

Non loin des marchés animés de Yogyakarta, nichée dans un cirque de volcans actifs et entourée de collines jaunies par une chaleur torride, la pyramide de Borobudur dresse ses orgueilleux stupas à la gloire du Bouddha et de l'antique civilisation javanaise.

Parvenir à **Yogyakarta** au départ de **Manille** n'est pas une mince affaire. Et si l'on prétend que vos bagages suivront, n'en croyez rien ! Le trajet passe par **Singapour** et **Jakarta**, où vous devrez franchir douanes et immigration, ce qui prend beaucoup de temps. Suffisament, pour vous faire rater la correspondance, comme ce fut mon cas. Même si les Indonésiens sont généralement adorables, les officiers de l'immigration de l'aéroport de Jakarta n'éprouvent pas une sympathie débordante pour le voyageur exténué, c'est le moins que l'on puisse dire. Mais la compagnie aérienne Garuda (➤ 177) a modifié mon billet sans problème, et j'ai pu prendre le vol suivant, trois heures plus tard.

Ci-dessous *Chacun des 72 stupas ajourés de Borobudur abrite une statue du Bouddha.*

YOGYA "BY NIGHT"

La nuit est tombée sur **Yogyakarta** lorsque j'atterris, mais la chaleur n'a rien perdu de son intensité. À peine sorti dans le hall, je me retrouve avec un bouquet de fleurs parfumées dans les bras. Roswitha se présente : originaire de Münster en Allemagne, elle s'est mariée à un Indonésien et habite depuis 12 ans Yogya, comme est surnommée la ville. À la fois fascinée et irritée par la vie en Indonésie, elle offre un témoignage bien vivant de la nature contradictoire de ce pays attachant et coloré.

Mon hôtel, le Yogya Village Inn (► 282), ne présente que des avantages. Situé en plein centre, il enserre un jardin tropical de fleurs et d'arbustes, où miroite une piscine très agréable. Dans la chambre, peinte en nuances d'ocre et de vert caractéristiques de l'art batik d'Indonésie, campent un lit en fer forgé

La principale difficulté d'un séjour à Borobudur, c'est la chaleur. Le site est en plein soleil et, pour mieux l'apprécier, il vous faudra gravir plusieurs étages. Prévoir de bonnes lunettes de soleil et de la crème solaire. Prenez de l'eau, un chapeau, et grimpez lentement.

Yogya offre tous les types d'hébergement, mais mieux vaut prendre un hôtel dans le centre pour profiter pleinement de l'ambiance. Bien situé, plein de charme, le Yogyakarta Village Inn pratique des prix raisonnables.

Pour le mont Merapi, des chaussures de randonnée sont recommandées. Des baskets peuvent être utilisées s'il n'a pas plu. Votre guide vous fournira sans doute une torche, mais apportez-en plutôt une bonne. Fraîcheur au départ, mais avec le soleil, la chaleur monte très rapidement. Pensez à prendre un poncho imperméable, un pull, des provisions et de l'eau. Ombrelle et/ou chapeau de soleil indispensables pour visiter Borobudur.

à baldaquin et un mobilier traditionnel. Divers petits récipients de céramique, remplis de crèmes et d'onguents, sont mis à la disposition de l'hôte. La salle de restaurant en bois richement ouvragé, ouverte sur un côté, donne sur le jardin et la piscine.

Mais je n'aurai pas trop le temps d'en profiter. Roswitha vient me prendre pour dîner, puis m'emmène faire un tour de Yogyakarta *by night*. Nous flânons dans le marché nocturne aux légumes, croisant deux travestis d'allure très masculine, puis nous sortons dans le parc, le *kraton*, qui se trouve en face du palais du sultan, au cœur de la vieille ville. Je me retrouve alors initié à une coutume étrange : au milieu du parc, deux grands arbres se dressent ; au bord de la route, un marchand loue des foulards aux passants. Il faut se bander les yeux et, partant de la lisière du parc, essayer d'atteindre un point entre les deux arbres. En cas de succès, votre vœu le plus cher se réalise. Bien évidemment, si la chose paraît d'abord aisée, elle s'avère très vite impossible. La ligne droite prend, peu à peu, un angle de 90° et les gloussements de Roswitha, qui me suit pas à pas, n'améliorent en rien ma performance.

POUR LA PROSPÉRITÉ

Le caractère colossal de Borobudur impressionne, mais également le fait qu'il ait aussi bien traversé les siècles. Heureusement enfoui sous les cendres volcaniques jusqu'en 1815, il a souffert depuis, de la foudre, des pillages coloniaux et des bombes terroristes, avant de subir une restauration complète entre 1973 et 1984 dirigée par l'Unesco. Une mobilisation associant 27 pays permit de rassembler les 23 millions de dollars nécessaires pour sauver le temple. Le monument fut alors totalement démantelé, puis reconstruit pierre à pierre.

SPLENDEUR ET MISÈRE

Située dans le centre de Java, à une vingtaine de kilomètres de l'océan Indien, Yogyakarta ne manque ni de charme, ni d'animation avec ses boutiques, ses marchés, ses palais et son architecture coloniale hollandaise. Considérée comme le cœur culturel de Java, Yogya possède une identité propre, fière de ses traditions et par-dessus tout de sa famille royale.

Je tiens ces informations de Mathias, qui m'emmène, cet après-midi, à Borobudur. Mais je vais d'abord profiter de la matinée pour m'imprégner de l'atmosphère locale. Au marché du quartier, j'apprends à connaître les fruits et les légumes, les noix de la région et les différents sojas. Les marchandes, chacune assise avec un air de tranquille satisfaction et de patience infinie, aimeraient bien vendre quelque chose à l'étranger, au moins pour le principe, mais à vrai dire, je ne vois pas ce que je pourrais bien faire d'un kilo de tapioca. Je remarque cependant que les marchandes voisines vendent le même type de produits sans manifester de jalousie apparente, et je retrouve le même phénomène dans les faubourgs de Yogya, au petit centre de poterie du village de Kasongan (7 km sur la route de Bantul). Comme la plupart des villages javanais, Kasongan n'a pas vraiment de centre mais on peut se passer de points de repère puisque les maisons abritent toutes un potier. La moindre pièce, superbement travaillée et peinte à la main, conserve son caractère utilitaire, et se vend à des prix ridiculement bas.

Borobudur n'est qu'à 40 km au nord-ouest de Yogya, mais il faut une bonne heure pour y arriver à cause de la circulation, sans parler d'autres obstacles. À chaque carrefour, de jeunes musiciens se précipitent à nos vitres pour nous jouer une sérénade – moins par goût pour la musique qu'en raison de leur situation matérielle misérable.

La crise économique a durement

touché l'Indonésie, et notamment Java, très vulnérable avec son énorme population de 110 millions d'habitants. Le contraste est saisissant entre ces paysages verdoyants, ces marchés abondamment approvisionnés et ces gens qui n'ont pas de quoi s'offrir un repas décent.

Dans les pas du Bouddha

Le gigantesque et pyramidal édifice de Borobudur rivalise avec Angkor en tant que sommet de l'architecture bouddhiste en Asie du Sud-Est. Il est considéré comme le plus grand monument bouddhique du monde et aussi le plus ancien d'Asie du Sud-Est. Construit sur une éminence face au mont Merapi, entouré de collines et d'une frange frémissante de cocotiers, le monument occupe le centre d'un vaste parc, où jadis se déployait une agglomération entièrement dédiée au sanctuaire.

Exposé en plein soleil, le site flamboie dans un brouillard de chaleur. Pour atteindre la pyramide, il faut marcher 20 min après l'entrée, et repousser maints vendeurs de boissons, de noix de coco, de parasols et de souvenirs en tous genres, qu'ils vous brandissent à la figure. Si vous évitez de croiser leur regard, ils finiront par se lasser ; mais dans le cas contraire, la tâche sera rude, et la chaleur ne facilite pas le dialogue.

Rien d'étonnant si Borobudur, l'une des attractions majeures de Java, se retrouve parfois surpeuplé, malgré son

De Yogyakarta à Borobudur.

étendue. Mieux vaut donc arriver au petit matin, avant l'irruption des touristes – et de la chaleur. Mais aujourd'hui, curieusement, il n'y a pratiquement personne – ce qui explique en partie le harcèlement constant et désespéré des camelots. La pyramide est colossale. Construite en pavés de pierre grise entre 750 et 850 apr. J-C., sa masse impressionne plus que sa hauteur, écrasant le paysage comme une gigantesque et sombre cathédrale. Pyramidale par sa structure d'ensemble, elle diffère néanmoins des constructions égyptiennes. Six terrasses carrées supportent quatre plates-formes circulaires où s'élève une série de stupas en forme de cloche. Sur les murailles des terrasses, des reliefs finement

L'ART DU BATIK

On trouve du batik partout dans la région, à Java, bien sûr, mais aussi à Yogyakarta où il est à dominante brun, indigo et blanc, avec des motifs géométriques. La signification du terme batik reste obscure, mais pourrait dériver du malais *tik*, "goutter", succédant au tatouage comme marque de statut social. Le batik est un tissage grand teint, réalisé à la cire d'abeille. Traditionnellement, la cire liquide est versée sur le tissu par un long bec, procédé aujourd'hui remplacé par l'estampage. Le travail peut être répété plusieurs fois, et il arrive que le batik se craquelle – caractéristique appréciée des Occidentaux, alors que les Indonésiens y voient un défaut.

sculptés racontent la vie du Bouddha et illustrent la vision cosmique du bouddhisme.

Pour comprendre cette histoire, il vous faut suivre le "chemin des pèlerins", dans le sens contraire des aiguilles d'une montre à partir de la grille orientale (vous arriverez sans doute par là). Le trajet fait 5 km en tout mais, en cas de grosse chaleur, vous pouvez vous contenter d'en étudier un détail, pour admirer le travail des sculpteurs et des architectes, et avoir un aperçu de la philosophie bouddhiste et de la vie à Java voici 1 200 ans.

Je suis monté seul au sommet pour profiter de la vue panoramique et, surtout, de la brise qui vient vous rafraîchir, si vous vous postez en certains endroits stratégiques. Pendant ce temps, Mathias m'attend fort sagement en bas, à l'ombre d'un arbre. Le soleil s'abaisse à l'horizon, tandis que nous marchons sous les longues palmes et au milieu d'étincelantes fleurs tropicales. Assis dans le parc, nous vidons une noix de coco, avant de retourner à l'hôtel.

Thé princier

Un peu plus tard dans la nuit (à 1 h 30 du matin très exactement !), je dois retrouver Mathias pour notre trek au **mont Merapi**. Mais après dîner, Roswitha m'emmène d'abord en ville. Danse traditionnelle javanaise ou théâtre d'ombres, nous avons le choix.

Le spectacle de danse se produit dans un petit théâtre ouvert, au fond d'une rue. Malheureusement pour les artistes, nous sommes les seuls spectateurs. Les danses, d'une lenteur étudiée, ont un caractère hypnotique. Dans leurs costumes splendides, d'exquises danseuses montrent leur maîtrise du corps et du mouvement, en relatant des histoires symboliques qui proviennent du *Ramayana* et du *Mahabharata*. L'orchestre, constitué de gongs et de gamelans (*gamel* signifie "marteler"), manifeste une décontraction apparente typiquement asiatique, mais n'en joue pas moins avec une précision de métronome. Les musiciens parlent, fument ou somnolent tout au long du spectacle comme s'ils n'étaient pas concernés mais ils ne

Ci-dessus *Borobudur et ses 2 millions de blocs d'andésite émergeant des cocotiers.*
À gauche *Danseuses se préparant pour le spectacle, Yogyakarta.*

manquent pas un départ, et restent parfaitement ensemble tout du long.

Après le spectacle, Roswitha me propose de visiter un autre *kraton*, celui du frère du sultan. Ce dernier fête son anniversaire (un tous les 35 jours...) le lendemain : danses et concerts ont déjà commencé, dans une salle en plein air. L'orchestre est en place, mais Roswitha profite de la pause pour m'emmener voir les appartements royaux. Au détour d'un couloir, nous apercevons le frère du sultan en habits d'apparat, qui bavarde avec quelques proches en fumant et buvant du thé. Roswitha, dans un javanais parfait, demande si nous pouvons jeter un coup d'œil au palais. Permission accordée, nous explorons le grand hall faiblement éclairé, mélange de chapelle et de salle de cérémonie. Plusieurs portraits, des inscriptions et symboles décoratifs entourent le vaste autel. Après le concert, alors que nous allions partir, le frère du sultan nous invite à venir nous asseoir et à boire une tasse de thé sucré tiède en compagnie de ses amis.

Nous avons passé là une bonne heure, dans la chaleur étouffante de la nuit tropicale, à écouter leur conversation – qui, me confia Roswitha en ricanant, se résumait pour l'essentiel à des "histoires de mecs". En tout cas, on riait beaucoup des problèmes que cet homme rencontrait avec ses quatre femmes d'âges divers. Je fus surpris de les entendre discuter d'un tel sujet devant une Occidentale, mais sans doute se seraient-ils abstenus avec une Indonésienne.

Je devais tout de même me lever à 1 h 30 du matin. Nous nous sommes donc excusés, et avons levé le camp.

En route pour la montagne de feu

Mathias se présente à l'heure dite, et nous partons sans délai. La première partie du trajet, dans la direction de Borobudur, prend bien moins de temps que la veille. À 2 h, après avoir suivi une route sinueuse au flanc du mont Merapi, nous arrivons au village de **Kaliurang** (23 km au nord de Yogya), à 900 m d'altitude, et à l'hôtel Vogel, où commence notre trek. Obscurité complète – pas un signe de vie. Mathias réussit enfin à réveiller quelqu'un, les lumières s'allument et d'autres marcheurs descendent nous rejoindre. Ils ont eu la sagesse de dormir ici, pour profiter d'une heure de sommeil supplémentaire.

À 3 h, tout le monde est prêt. Notre guide nous décrit en quelques mots le **Merapi**, et les dangers du terrain. C'est l'un des six volcans les plus actifs du monde, activité particulièrement soutenue depuis quelque temps. Le Merapi émet régulièrement des nuées ardentes et des coulées de boue qui menacent les villages du versant occidental. Nous n'avons pas le droit de franchir les limites d'une "zone de danger" et, avant le départ, le guide téléphone à l'observatoire du volcan pour connaître la situation du jour. Il emporte d'ailleurs un téléphone portable, pour que l'observatoire puisse le prévenir en cas d'éruption imminente. Nous aurions alors un délai d'environ une heure pour redescendre. Toutes ces précautions me paraissent un peu mélodramatiques, mais cela n'a sans doute rien d'exagéré. D'autant plus que nous partons précisément à cette heure peu orthodoxe, non seulement pour voir le soleil se lever, mais aussi parce que le volcan s'éveille généralement juste après l'aube. Munis de lampes torches, nous nous mettons enfin en route, tandis que Mathias s'en retourne dormir dans le minibus.

L'ASCENSION VERS LA BOUCHE INFERNALE

Nous suivons d'abord une route, puis un sentier pierreux qui nous conduit rapidement sous les arbres. Même avec les lampes torches, on ne voit pas grand-chose. Les bruits de la forêt nous environnent de toutes parts – cliquetis, bruissements des insectes ou appel d'un oiseau nocturne. Le sentier se transforme peu à peu en piste boueuse, mais notre allure reste soutenue. J'ignore ce qui nous presse ainsi. À peine si nous faisons une pause de quelques minutes, le temps d'avaler une barre de chocolat et quelques gorgées d'eau, puis nous repartons pour 45 min de marche. Enfin le signal de la halte est donné, sur un plateau herbeux, non loin de la dernière ligne d'arbres à la base du Merapi. Nous distinguons vaguement son cône tandis que les premiers rais du jour apparaissent. Notre guide, lui, s'est retiré sous un arbre pour faire un petit somme.

Avec la pénombre, nous espérions voir les éclairs rouge et orange de la lave qui dévale le flanc du cône. Mais ce matin, nous ne verrons rien. Le soleil se lève et les lumières de la ville pâlissent peu à peu. Le cône se découpe bien nettement à présent, à 2 911 m d'altitude, et l'on aperçoit les vapeurs continuelles qui s'élèvent de son cratère. Devant nous, une longue cicatrice serpente dans les broussailles, comme un torrent déboulant du sommet : c'est le chemin emprunté par la dernière grande coulée de lave. Nous prenons cette direction, escaladant les blocs de rocher que la lave a entraînés sur son passage, et passant devant les troncs charbonneux des arbres brûlés par la chaleur du torrent de ce magma. Pour redescendre, nous en suivrons le cours, jusqu'au chemin qui plonge sous les arbres.

Le soleil est maintenant complètement levé, et la température monte très rapidement. Notre guide disparaît soudain dans un fourré, puis resurgit en brandissant une énorme araignée qui lui recouvre presque tout le visage : elle n'est évidemment pas venimeuse, mais sa seule taille a de quoi vous filer la frousse de votre vie.

Nous faisons bientôt une nouvelle pause, pour le petit déjeuner cette fois, dans une minuscule cuisine construite en branchages. Au menu, thé ou café, une quantité industrielle de bananes frites et une vue absolument splendide sur le Merapi, parfaite carte postale dans son cadre de ciel bleu, de pins et de palmiers. La descente se fait ensuite sans difficultés, à travers des jaquiers, dont les fruits ronds et verts sont récoltés par des cueilleurs juchés sur leurs échelles. Nous rejoignons Kaliurang, où Mathias émerge de son minibus, frais et dispos.

PARTIR EN SOLO

QUAND PARTIR

Peu de variations de température tout au long de l'année (25/26° C en moyenne). Mais mieux vaut profiter de la saison sèche qui coïncide avec la "mousson orientale", entre juin et août.

SE DÉPLACER

Si vous vous déplacez par avion, il faut rejoindre Yogyakarta pour visiter Borobudur ou gravir le mont Merapi. Le plus simple est de partir de Jakarta d'où la compagnie Garuda (➤ 170) dessert Yogya par plusieurs vols quotidiens (1 heure). Vols quotidiens également de Denpasar, capitale de Bali (45 min).

Un service de bus relie toutes les grandes villes de Java et de Bali (le terminal est à 4 km au sud-est du centre-ville). Prix des billets variable (climatisation ou pas). Le voyage de Jakarta à Yogya (700 km) prend 12 heures. De Surabaya, comptez 8 heures. De Denpasar à Bali, 16 heures. La station de bus de Yogya se trouve 4 km au sud-est du centre-ville. Des cars de luxe privés desservent également ces villes (bureaux à la station de bus et au centre-ville).

La gare de Yogya, au centre-ville, relie Jakarta et Surabaya. Plusieurs classes : banquettes de bois en *Ekonomi* (sans réservation), sièges confortables et ventilateurs en *Bisnis*, climatisation en *Eksekutif*. Les trains de luxe ont en général des couchettes.

Le voyage de Jakarta à Yogya dure entre 9 et 12 heures, et de Surabaya, entre 5 et 7 heures. Très bon marché en *Ekonomi*, les tarifs en classe *Eksekutif* approchent ceux de l'avion.

Les *becak* (cyclo-pousse) ont disparu de Jakarta au milieu des années 1980. À Yogyakarta, ils sont encore très utilisés par les Indonésiens. Le prix (modique) doit être convenu à l'avance.

CIRCUITS GUIDÉS AU DÉPART DE YOGYA

À Yogya, cela sera facile d'organiser vos excursions guidées dans la ville, à Borobudur et au mont Merapi. Vous pouvez découvrir Yogya par vous-même mais, si vous avez peu de temps, un guide et un moyen de transport sont vivement conseillés. Paramita Tours (➤ 282) propose un service fiable, utile pour les excursions, et même l'hébergement.

DE YOGYA À BOROBUDUR

Pour vous rendre à Borobudur par vos propres moyens, prenez soit un taxi soit (bien moins cher) un bus à un arrêt dans Jalan Magelang, au centre-ville (1 h 30). Un bus mène à Kaliurang pour l'ascension du Merapi.

À EMPORTER

- ❑ Chapeau de soleil et crème solaire.
- ❑ Chaussures confortables ou de randonnée.
- ❑ Sac à dos.
- ❑ Lampe torche.
- ❑ Blouson imperméable ou poncho.
- ❑ Pellicules photo.
- ❑ Lotion anti-moustiques.
- ❑ Eau en bouteille.

SANTÉ

- ❑ Prenez des comprimés anti-malaria.
- ❑ Prenez de la lotion et des serpentins anti-moustiques.
- ❑ Portez une chemise à manches longues et un pantalon le soir.
- ❑ Emportez une petite trousse de secours de base.
- ❑ Ne buvez que de l'eau en bouteille.
- ❑ Prenez une bonne assurance médicale avant votre départ.
- ❑ Mettez vos vaccins à jour avec votre médecin un mois au moins avant votre départ.

LE SULTAN DE YOGYA

Yogya fut fondée au XVIIIe siècle par le prince Mangkubumi, suite à une dispute avec son frère, le Susuhunan de Surakarta. Le prince prit le titre de sultan et le nom dynastique de Hamengkubuwono, c'est-à-dire : "l'univers dans le giron du roi". Pendant un temps, Yogya devint l'État le plus puissant de Java, et par la suite, le symbole de l'indépendance, car il s'opposait aux colonisateurs hollandais. Yogya devint alors *daerah istimewa*, c'est-à-dire relativement autonome de Jakarta. Même si le sultanat n'existe plus, le sultan actuel, qui habite toujours dans son *kraton*, a été élu gouverneur local, signe d'un soutien populaire encore bien vivace.

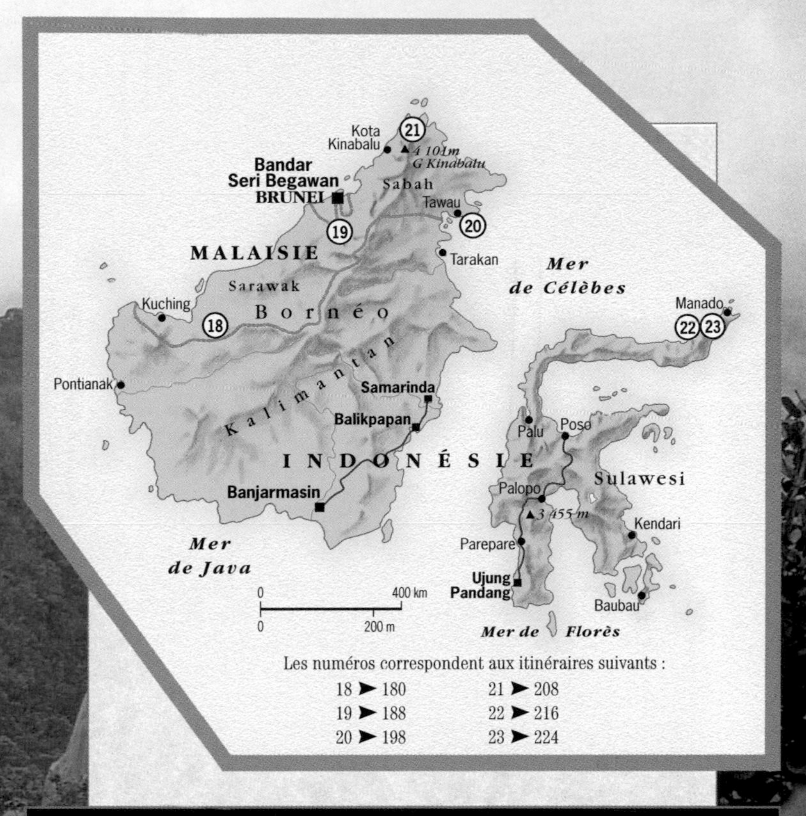

BORNÉO • SULAWESI

Bornéo et Sulawesi, qui coupent toutes les deux la ligne de l'équateur, comptent parmi les plus grandes îles du globe. Bornéo comprend aujourd'hui le sultanat indépendant de Brunei, les États du Sarawak et du Sabah, appartenant à la Malaisie, et pour la partie indonésienne, le Kalimantan. Cette île énorme (736 000 km^2), longtemps auréolée de mystère, continue de fasciner avec sa jungle impénétrable, refuge des derniers orangs-outans, et de ses mythiques coupeurs de tête. Le mont Kinabalu, qui est l'un des plus hauts sommets d'Asie du Sud-Est, et quelques superbes récifs coralliens sont des lieux enchanteurs. Sulawesi (les anciennes Célèbes), qui est postée en sentinelle sur la route du détroit de Macassar, est ramifiée d'une multitude de péninsules. Avec ses terres très montagneuses et volcaniques, ses jungles creusées de canyons et de rivières torrentueuses, elle étire indéfiniment vers le large ses plages de sable noir et ses chapelets d'îlots, paisibles paradis aux fonds marins d'une richesse exceptionnelle.

Les lames de rasoir des pinacles émergeant de la jungle du parc national du Gunung Mulu au Sarawak.

18 Un séjour chez les Iban

par Simon Richmond

Les Iban, plus importante tribu indigène du Sarawak, vivent aux confins de la rivière Batang Ai, dans des longhouses *traditionnelles en bois, et pratiquent encore de très anciennes techniques de culture et de chasse. Un circuit au départ de Kuching m'a permis de séjourner en leur compagnie, et de découvrir une région fascinante.*

Également appelés Dayak de la mer, même s'ils vivent à des centaines de kilomètres de l'océan, les Iban constituent un tiers de la population du Sarawak. Dans cet État malais logé sur le flanc nord-ouest de Bornéo, le peuple dénommé Dayak se subdivise en ramifications complexes. Il comprend les Iban, les Bidayuh (ou Dayak de la terre), les Melanau, les Kayan, les Kenyah, les Kelabit et les Penan. Ces deux derniers sont souvent regroupés sous l'appellation Orang Ulu – les peuples de l'intérieur. Beaucoup de voyageurs viennent au Sarawak pour les rencontrer et visiter leurs maisons, les *longhouses* communautaires.

En arrivant à **Batang Ai**, j'ai contemplé la jungle, n'y distinguant qu'une masse dense d'arbres exotiques, de plantes, d'herbes et de lianes. Mais selon mon guide Christopher (d'origine iban), les Iban y voient un supermarché, un hôpital ou encore un entrepôt. Et, passant d'une plante à l'autre, il me désigne nourriture, médicaments, ressources en eau, cannes à pêche et filets, outils de tissage, voire même les diverses protections contre les mauvais esprits.

Plus tard, nous gravissons la colline de Kuching, qui domine le Hilton Batang Ai Longhouse Resort (➤ 284) et son superbe lac artificiel (250 km à l'est de Kuching). Une urne chinoise géante marque l'emplacement du tombeau d'un guerrier iban, mort voici 90 ans. Tous les ans, ses descendants viennent se recueillir, déposant des offrandes en argent et des bouteilles de *tuak*, l'alcool local. Le lac a inondé les terres traditionnelles iban, mais les anciens rites perdurent.

Préparatifs de voyage

J'ai débuté mon voyage pour Batang Ai quatre jours plus tôt par la visite de Kuching, ancien lieu de résidence de la famille Brooke, rajahs blancs du Sarawak. Devenue la capitale malaise, Kuching a tout de même préservé une part de son charme colonial – surtout si vous vous promenez dans le centre-ville, où le fort et les immeubles imposants, de style néo classique, voisinent avec les shop-houses chinoises, les mosquées, et un marché animé au bord de la rivière.

Pour mieux se préparer à la

Durant la saison sèche, il faudra parfois descendre de pirogue et pousser celle-ci dans les secteurs rocheux. Le trekking de jungle est facile, mais demande une bonne condition physique.

Si vous cherchez le confort, une seule solution : le Hilton Batang Ai Longhouse Resort, avec excursion à la journée, pour les authentiques *longhouses*. Sinon, attendez-vous à vivre plus ou moins à la dure. Les *longhouses* du Hilton, même si elles allient les prestations d'un hôtel de grande classe à l'environnement de la jungle, ne correspondent pas forcément à ce que l'on cherche. Elles offrent en tout cas la possibilité de se détendre avant ou après un voyage plus poussé dans le parc national de Batang Ai.

Prenez des jumelles pour observer la faune. Bonnes chaussures de randonnée également indispensables si vous partez en trekking.

Territoires iban.

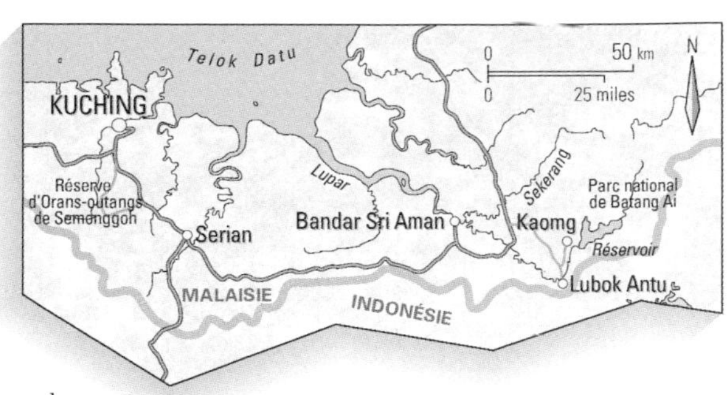

découverte d'une *longhouse*, il ne faut pas manquer l'excellent **Sarawak Museum** (gratuit), très bizarrement logé dans une maison de style typiquement normand, au milieu de jardins impeccables. Le musée comprend aussi un bâtiment plus moderne, de l'autre côté de la grand-route, le *Jalan Tun Abang Haji Openg*. Vous pouvez y voir des d'animaux empaillés, le squelette d'un serpent géant ou même un dentier retrouvé dans l'estomac d'un crocodile. La section ethnographique présente des intérieurs de *longhouses* de diverses tribus, des bois sculptés, et des photos en noir et blanc des tribus du Sarawak aux premiers temps de la colonisation.

Pour découvrir le mode de vie actuel des Iban, j'ai choisi un circuit organisé par Borneo Adventure, "Dans les pas du Bouddha" (➤ 283), qui mène à la *longhouse* de **Nanga Sumpa**, l'une des plus reculées du secteur de Batang Ai. La première partie du trajet se fait en minibus climatisé jusqu'au barrage hydroélectrique du lac de Batang Ai (quatre heures de route), suivie d'une navigation de 1h30 en pirogue sur la rivière Delok.

Mathew, notre guide, est un Bidayuh âgé de 30 ans. J'ai pour compagne de route Marci, énergique femme d'affaires texane, qui vit aujourd'hui en Australie. Mathew s'est arrêté au marché de **Serian** (50 km au sud-est de Kuching) afin de faire des provisions, et je jette un coup d'œil aux produits exotiques locaux, notamment le *jering*, fruit amer enfermé dans une noix aussi dure et de même forme qu'une carapace de tortue, le *buah tamong* rouge orangé, et sa consistance farineuse, et les *asam paya* au goût de vinaigre, coriaces baies brunes. Les épiceries chinoises de Serian sont également bien fournies en cadeaux à l'usage des très nombreux visiteurs de *longhouses* (voir "Cadeaux" ➤ 184).

SUR LE LAC

Déjeuner dans un restaurant chinois au petit village de **Lachau**, et arrivée sur la jetée du lac à 15 h 30. Le batelier tapote anxieusement sa montre tandis que nous embarquons nos affaires dans la pirogue. La semaine dernière, une crue désastreuse a mis tous les riverains sur le pied de guerre, et nous devons absolument rejoindre la *longhouse* avant les pluies de l'après-midi.

Jonathan, notre chef de bord, est un vieil Iban responsable du tourisme à Nanga Sumpa. Manang, le chaman de la communauté, nous pilote dans les chenaux, parmi les troncs flottés et les branchages arrachés par la crue. Les hirondelles rasent la surface des flots, où se reflètent la jungle et le ciel.

Une fois achevé, le barrage inonda

ART ET ARTISANAT

Si vous souhaitez acheter des pièces d'artisanat vraiment authentiques du Sarawak (sculptures sur bois, paniers tressés, nattes ou tissus *pua kumbu*), attendez de visiter une *longhouse*, où vous pourrez les acheter bien meilleur marché qu'à Kuching, même si le choix y est moins étendu. Au Main Bazaar, les pièces les moins chères proviennent de Kalimantan, la partie indonésienne de Bornéo.

une superficie de 90 km², submergeant une partie des vallées de la Lemanak, de l'Engkari et de l'Ulu Ai. Créé en 1990, le **parc national de Batang Ai** couvre 24 000 ha ; son entrée est située au confluent de l'Engkari et de l'Ai. Notre pirogue passe devant les bureaux du parc et la petite école qui accueille les enfants des *longhouses* voisines.

Ci-dessus *Cuisson du poulet au riz gluant dans une canne de bambou.*
Ci-dessous *Danse du soir dans le* ruai *de la* longhouse.
À droite *La tôle ondulée remplace les palmes dans les* longhouses *iban.*

Les berges abruptes de la rivière ont été déboisées pour laisser place au riz et d'autres cultures. Émergeant de la forêt, les montagnes marquent la frontière avec le Kalimantan, partie indonésienne de Bornéo. Les Iban émigrèrent de cette région, voici plusieurs siècles, pour trouver de nouvelles terres cultivables. Durant cette période d'expansion, du XVIe au XIXe siècle, ils eurent à combattre les tribus melanau et bidayuh le long de la côte du Sarawak, où ils se bâtirent une solide réputation de chasseurs de têtes.

CADEAUX

Vous devez absolument offrir des cadeaux pour remercier vos hôtes de leur hospitalité dans une *longhouse*. Même dans le cadre d'un circuit organisé, où vous payez votre hébergement en *longhouse* ou dans le voisinage, il est d'usage d'apporter des présents. Alcool, bonbons et cigarettes sont très bien accueillis, mais pas très bons pour la santé. Offrez des objets utiles dans la vie quotidienne tels des cahiers et des stylos pour les enfants, de la pharmacie ou des ustensiles de cuisine. Mieux encore : apportez un objet caractéristique de votre pays, le cadeau sera apprécié et offrira un excellent sujet de conversation.

"LONGHOUSE" TRADITIONNELLE

N'espérez pas découvrir des têtes coupées dans les *longhouses* d'aujourd'hui. Si vous imaginez ces habitations comme des huttes primitives, et leurs propriétaires comme des sauvages à demi nus, vous risquez d'être déçu. Comme bien d'autres *longhouses*, Nanga Sumpa abrite des gens d'aspect occidental, avec leurs tee-shirts et leurs casquettes de base-ball. Une maison possède même la télévision, et tout le monde s'y retrouve pour assister à des événements sportifs comme la Coupe du monde de football. Les murs sont décorés de posters de stars du foot ou du cinéma. Mais les Iban, sous ce vernis moderne, ont préservé un mode de vie traditionnel.

Construite en bois et dressée sur pilotis, Nanga Sumpa donne sur la rivière, qui permet un système sanitaire et un réseau de transport. Petits cochons et coqs ébouriffés (les combats de coqs font ici fureur) fouillent les flaques de boue et les ordures semées au pied de l'échelle en bois ouvragé qui mène à la *longhouse*. Le bâtiment principal abrite, sous un même toit, 28 appartements individuels, soit environ 200 personnes.

Chaque famille dispose de son propre *bilik* (lieu de vie), "chambre-salon", et cuisine. L'urne antique chinoise, qui sert à stocker la nourriture, constitue leur bien le plus précieux. Les autres objets, par exemple les nattes tissées utilisées pour s'asseoir, sont rangés dans le *sadau* (grenier). Un couloir intérieur, ou *ruai*, court le long de la *longhouse* et sert d'espace de vie pour la communauté. Il est doublé à l'extérieur par une galerie ouverte, le *tanju*.

Dans le *ruai*, on sculpte le bois au couteau, on tisse le *pua kumbu* (couvertures traditionnelles), on bavarde ou on fait la sieste. Chiens et enfants turbulents complètent la scène.

Dans les autres *longhouses*, il faut d'abord être présenté au *tuai rumah*, le chef de maison, qui vous assignera un emplacement pour la nuit sur le *ruai*. Je suis heureux de pouvoir dormir à la Nanga Sumpa, qui préserve l'intimité du visiteur tout comme celle des Iban. La *longhouse* est décorée de beaux objets artisanaux locaux ; elle offre des matelas confortables, des moustiquaires et des douches correctes.

JOURNÉE DE PÊCHE

Le lendemain, accompagnés par Johnny et Muntai, indigènes du village, nous allons remonter la rivière plus en amont pour passer la nuit dans l'une des cabanes proposées par Borneo Adventure, en plein paradis vert. Dans cette zone reculée du **parc national de Batang Ai** résident le calao, le sanglier sauvage, les gibbons et les très rares orangs-outans, que nous espérons voir durant notre trek dans les collines.

La rivière se rétrécit peu à peu, sinuant parmi les rapides. Petite pause tandis que nos guides coupent des cannes de bambou, qu'ils utiliseront comme récipients pour faire cuire le repas. Muntai nous fait une démonstration de *jala*, filet traditionnel des Iban. Un tiers du filet est enroulé autour de son épaule, les deux tiers restants serrés dans ses mains. Il le projette d'un seul mouvement fluide. Un large éventail se déploie gracieusement avant de plonger, emprisonnant le poisson entre ses mailles.

Manié par un expert comme Muntai, qui sait également choisir le bon coin, le *jala* nous rapportera de quoi faire un festin. Tout au long de cet après-midi paisible, je m'entraîne avec Mathew sur la rive de galets que domine notre cabane, mais sans succès. Maigre compensation : Johnny et Muntai reviendront eux aussi bredouilles de leur chasse nocturne dans la jungle.

Le lendemain matin, nous empruntons la piste qui s'élève sur la crête de la montagne, à la recherche des orangs-outans. Nous marchons sans bruit pour ne pas déranger les animaux, mais durant ce trek de deux heures, nous ne voyons rien d'autre que les nids abandonnés par les singes dans les hautes branches. Heureusement, la vue prodiguée par le chemin de crête sur les montagnes et sur Kalimantan vaut largement le détour, et le retour en pirogue nous plonge dans un univers de beauté et de sérénité.

Des *longhouses* comme Nanga Sumpa profitent du tourisme, mais c'est l'agriculture qui les fait vivre. Durant la journée, la plupart des Iban s'occupent de leurs champs ou défrichent la forêt en vue de futures plantations. Nous voyons un groupe passer tandis que nous prenons un bain rafraîchissant au pied d'une cascade, sur le chemin de Nanga Sumpa.

Soirée-spectacle

Après un pique-nique au bord d'une rivière, nous sommes revenus passer notre dernière soirée à la *longhouse*. Avec Marci, nous accompagnons d'autres visiteurs pour la coutume des cadeaux au *tuai rumah*. Hormis quelques Iban qui portent leur plus beau sarong, on ne voit aucun habit traditionnel. Quelques enfants s'avancent timidement pour esquisser un pas de danse, d'autres swinguent sans complexe.

Impossible de ne pas participer : Marci et moi faisons une démonstration un peu poussive au rythme de l'*engkeramung*, sorte de gamelan de gongs et de clochettes. La danse terminée, les femmes de la *longhouse* se précipitent avec leurs ouvrages : *pua kumbu*, bois sculptés, paniers, perles, et une poterie noire particulière à la tribu, dont cette communauté fait revivre la tradition. On n'est pas obligé d'acheter, mais on ne résiste pas longtemps devant la qualité de ce travail.
Le lendemain matin, déluge. La rivière monte. Craignant une nouvelle crue, nous écourtons les adieux. Dans la pirogue, paupières mi-closes sous la pluie battante, je me réjouis à l'avance de la journée de repos qui m'attend au Hilton. Quant à Marci, elle ne cesse de se repasser le film de notre séjour chez les Iban – une expérience inoubliable.

ÉTIQUETTE

- N'entrez dans une *longhouse* qu'à la suite de votre guide ou après y avoir été invité : c'est une question de respect, mais il peut y avoir aussi un *pemali* (tabou) temporaire envers les visiteurs en cas de naissance ou de décès.
- Ôtez vos chaussures, surtout avant de pénétrer dans les appartements privés de la *longhouse*, ou pour vous asseoir sur les nattes de l'aire commune.
- Restez pudique : portez un short ou un sarong. Les vieilles femmes se promènent parfois la poitrine nue, mais n'en profitez pas pour vous baigner en monokini.
- Présentez vos cadeaux au chef, qui saura les distribuer équitablement.
- Acceptez la nourriture et la boisson qu'on vous offre, ne serait-ce que pour goûter, et ne vous gênez pas pour manger – la politesse veut qu'on traite royalement ses invités.

PARTIR EN SOLO

QUAND PARTIR

La période importe peu. Vérifiez simplement les conditions météo auprès des offices du tourisme ou des agences de voyages : une crue soudaine peut vous isoler plusieurs jours dans la jungle.

SE DÉPLACER

L'aéroport de Kuching est à 11 km de la ville. Vols réguliers de Kuala Lumpur, Singapour, Kota Kinabalu, et quelques autres villes malaises. Le taxi pour le centre coûte RM16,50 (4$). Achetez un ticket au kiosque de la station de taxis devant l'aéroport.

S'ORGANISER

Pour faire un séjour dans une *longhouse* iban, adressez-vous à un opérateur fiable à Kuching (➤ 283) ; les communautés sont généralement liées à un opérateur en particulier. Choisissez-le soigneusement. Certaines *longhouses*, notamment sur la Skrang et la Lemanak, ont une réputation bien établie de pièges à touristes.

Éléments à vérifier avant de se décider pour un circuit :

- ❑ À quelle distance se trouve la *longhouse* – plus court est le trajet, plus vous avez de chance de tomber sur une communauté rompue à toutes les ficelles de l'éco-tourisme.
- ❑ Si l'opérateur fournit des gilets de sauvetage pour les parcours en pirogue.
- ❑ Quels repas sont inclus.
- ❑ Où vous allez dormir – les meilleurs opérateurs ont leur propre hébergement, pour atténuer l'impact des visiteurs sur le quotidien des indigènes.

Si vous décidez de séjourner au Hilton Batang Ai Longhouse Resort (➤ 180), vous pouvez partir en excursion pour les *longhouses* des environs. Le Hilton propose parcours de pêche, trekking de jungle et circuits à VTT. Si vous choisissez de visiter les *longhouses* par vous-même, attendez-vous à payer cher la location de bateau, et à de longues attentes et discussions sur la route de Batang Ai. Gagnez Sri Aman, 150 km au sud-est de Kuching, point de départ des expéditions sur la Skrang. En poussant plus loin, vous pourrez aussi voir des *longhouses* le long de la Batang Rajang.

QUELQUES TUYAUX

Il n'y a pas de boutique dans la région : n'oubliez rien et complétez en cas de besoin (nourriture, piles, pellicules, affaires de toilette), soit à Kuching, soit à Serian (60 km au sud de Kuching) où vous trouverez un marché animé et des boutiques habituées à fournir les groupes.

SANTÉ

- ❑ Prenez des comprimés anti-malaria.
- ❑ Utilisez de la lotion et des serpentins anti-moustiques.
- ❑ Portez une chemise à manches longues et un pantalon le soir.
- ❑ Emportez une petite trousse de secours.
- ❑ Ne buvez que de l'eau en bouteille.
- ❑ Souscrivez une bonne assurance médicale avant votre départ.
- ❑ Mettez vos vaccins à jour un mois au moins avant votre départ.

À EMPORTER

- ❑ Des chaussures de randonnée pour le trekking en jungle.
- ❑ Un blouson imperméable.
- ❑ Des cadeaux à offrir dans la *longhouse*.
- ❑ Produits anti-insectes.

BOIRE ET MANGER

Bases de la cuisine iban : poisson, poulet, riz et légumes locaux – telles les fougères de la jungle. Sur les circuits bien organisés, vous devriez pouvoir goûter riz gluant et poulet cuit à l'étouffée dans une tige de bambou. Les plus grandes *longhouses* ont parfois un magasin vendant quelques provisions de base – seule possibilité d'acheter friandises ou boissons pour compléter vos stocks. Le *tuak*, alcool de riz et gnole traditionnelle des Iban, a un peu le goût du porto. On vous en offrira dans la *longhouse* lors des danses en costumes traditionnels. Dans certains endroits, il faut payer un supplément. Si le caractère artificiel de ce genre de démonstration vous gêne, venez plutôt en mai ou en juin, période des *gawai*, festivals des moissons, où les réjouissances sont plus authentiques.

À gauche et encadré
La vie et la culture iban restent étroitement liées aux rivières du Sarawak.

19 Sur la piste des coupeurs de têtes

par Simon Richmond

Le parc national du Gunung Mulu, dans le nord-est du Sarawak, affectionne les verticales, des galeries souterraines aux aiguilles vertigineuses de ses pinacles, plantées comme une armée de glaives en plein cœur de la jungle. Quant aux coupeurs de têtes, j'ai surtout pu apprécier leur hospitalité et la beauté d'un environnement encore intact.

Je pensais être déçu. Presque toutes les grandes grottes du monde sont aujourd'hui accessibles au public, et j'avais bien du mal à m'enthousiasmer à nouveau pour un décor de stalactites et de stalagmites illuminées. Appelée *Gua Payau* ou *Gua Rusa* par les Penan et les Berawan, la **grotte du Cerf** du **parc national du Gunung Mulu**, dans le nord du Sarawak, m'a fait ressentir une émotion sans précédent.

On se trouve dans le plus vaste passage souterrain au monde : 2 km de long, 174 m de large, et 122 m de haut, largement de quoi accueillir et faire décoller une flotte de Boeing 747. Pour bien réaliser l'ampleur des distances, il suffit de s'asseoir à l'entrée, et de renverser la tête en arrière : le vertige vous prend. Grâce à ses deux entrées, un demi-jour y règne, sauf dans la partie centrale de la grotte.

La piste des coupeurs de têtes est facile à suivre, mais souvent détrempée, et il faut passer une rivière à gué. Les ascensions n'ont rien d'une promenade de santé, et la piste des pinacles non plus, avec ses rochers glissants en dents de scie.

★ Hormis le Royal Mulu Resort à l'entrée du parc, vous ne trouverez rien de plus aux campements que vous n'ayez apporté dans votre sac.

Indispensables : bonne chaussures de randonnée, bob, grande gourde, maillot de bain et poncho imperméable, lampe torche, lotion anti-moustiques, sarong (à utiliser comme drap de nuit et/ou serviette de bain). Matelas gonflable et boules Quiès, recommandés si vous voulez dormir dans la jungle ; pantalon et chemise à manches longues le soir pour vous protéger des insectes. Pour l'exploration des grottes : lampe torche, bottes et si possible un casque. Vous ne trouverez aucun matériel spécialisé au parc, apportez donc le vôtre si nécessaire. Pour l'ascension du Gunung Mulu, pensez à prendre un sac de couchage.

De nos jours, l'afflux continuel des touristes a effrayé les cervidés qui s'y réfugiaient jadis, mais pas les chauves-souris. Il y a plus d'un million de ces petites bêtes dont la fameuse roussette géante qui vaut, à elle seule, le détour. Par beau temps, il faut venir au crépuscule, quand elles surgissent des ténèbres de la grotte à la recherche de nourriture, dans un gigantesque nuage noir et un hallucinant bruissement d'ailes : ambiance hitchcockienne garantie.

Quand j'arrive devant la grotte la pluie s'est mise à tomber, et je n'assisterai donc pas à leur exode. Mais on ne peut manquer la toute-puissante odeur d'ammoniaque, dégagée par le guano qui recouvre le sol en une écume brune et boueuse. Il s'en crée de trois à six tonnes par jour, qui constituent un milieu humide où prospèrent des millions d'animalcules – j'ai bien fait de prendre une bonne paire de bottes et un chapeau.

Un peu plus loin dans la galerie, Veno, notre guide, nous fait tourner les yeux vers l'entrée sud. À cet endroit, la roche à contre-jour dessine le profil d'Abraham Lincoln (à vrai dire, la ressemblance ne me paraît pas flagrante). Au bout de la piste en ciment, nouvelle surprise : le "jardin d'Éden" – petit enclos de végétation luxuriante, créé par la lumière qui s'infiltre par une trouée de la voûte.

Le parc national du Gunung Mulu

Parmi ses 544 km² de forêt primaire et de montagnes escarpées, le plus grand parc national du Sarawak abrite plusieurs grottes spectaculaires, mais celle du Cerf est la plus impressionnante. On a exploré quelque 25 salles souterraines dans ce réseau de grottes, sans doute le plus grand du monde et qui fut découvert en 1850. Mais sur les 1 000 km de galeries du parc, une petite moitié seulement a été explorée.

Une expédition de la Royal Geographic Society, en 1976, entama le processus de classement de la région en parc national, mais il fallut attendre 1985 pour que le Gunung Mulu s'ouvre au tourisme. Aujourd'hui, 15 000 visiteurs annuels font le trek de 3 km qui relie le centre d'accueil à la grotte du Cerf, mais aussi à la grotte voisine de Lang, beaucoup plus petite mais aux stalactites et stalagmites fort bien illuminées, à la **grotte des Eaux-Claires**, la plus longue grotte d'Asie (107 km), et enfin à la **grotte du Vent**, ainsi appelée en raison des courants d'air frais qui en "climatisent" certains secteurs. Des circuits commentés existent dans certaines autres salles et galeries (► 193).

Mais le parc recèle bien d'autres merveilles. Sa forêt vierge équatoriale, irriguée par les eaux limpides de ses torrents et rivières, se prête admirablement au trekking de jungle. Et deux sommets défient les grimpeurs : le Gunung Mulu, haut de 2 376 m, et les pinacles, vertigineuses lances de calcaire hérissant la jungle aux abords du Gunung Api (1 732 m).

Luttant parmi la mêlée au comptoir d'enregistrement de l'aéroport de Miri (160 km au nord-ouest du Gunung Mulu), je me demande si je vais arriver au parc. J'arrache enfin l'une des 18 cartes d'embarquement, et me voici bientôt dans le ciel, à bord du petit bimoteur. La vue me récompense largement de mes efforts : des rivières serpentent parmi une jungle épaisse, contournant quelques majestueux sommets. Mais je remarque également de vastes zones d'arbres calcinés, victimes des terribles incendies de 1997.

Durant ma visite de quatre jours au Gunung Mulu, j'ai prévu d'explorer les grottes, de grimper aux pinacles, et d'emprunter la fameuse piste des coupeurs de têtes jusqu'à la sortie nord du parc. Comme deux nuits d'hébergement rudimentaire m'attendent en jungle, suivies d'une troisième dans une *longhouse*, je décide de démarrer en douceur, et jette mon dévolu sur l'hôtel le plus luxueux du parc, le Royal Mulu Resort (► 286). Ce n'est pas Adam qui me contredit car il revient tout juste d'une éprouvante ascension de trois jours au Gunung Mulu.

L'ascension du Gunung Mulu

Conquis en 1932 par Edward Shackelton, qui avait suivi la piste tracée par Tama Nilong, un chasseur de rhinos, le Gunung Mulu demande un engagement physique réel. Le terrain passe de la jungle suffocante aux forêts primaires des premières pentes, puis, s'élevant dans les nuages, à une fascinante et ténébreuse forêt de lichens. Il faut bivouaquer deux ou trois nuits sur la montagne, à la dure.

Quatre camps jalonnent la piste de 24 km. Si vous vous mettez en route dès votre descente d'avion dans l'après-midi, vous atteindrez facilement le camp I (6 km) en soirée, pour gravir une pente soutenue de forêt primaire durant tout le deuxième jour, jusqu'au camp IV. De là, vous pourrez gagner le sommet, tôt dans la matinée du troisième jour, avant que les nuages ne viennent vous masquer le panorama.

Ci-dessus *Femmes kenyah aux lobes distendus par le poids de leurs bijoux en cuivre du Sarawak.*

Dans l'ultime secteur, on a fixé des cordes sur les quelques passages verticaux (chargez-vous au minimum, vous récupérerez vos affaires en redescendant au camp IV). La forêt y laisse la place à des troncs d'arbres et à de nombreuses plantes carnivores, certaines plus grosses que le poing. Au sommet, une petite hutte de tôle peut vous abriter en cas de mauvais temps. Mais par ciel dégagé, la vue devient spectaculaire, découvrant la jungle, le **Gunung Api** au nord et la sinueuse ligne brune de la **Sungei Tutoh,** tout en bas. Si vous bivouaquez au camp III durant la descente, il vous faudra être réveillé par l'appel des gibbons, pour être de retour au centre d'accueil dans l'après-midi. Autre possibilité, en démarrant tôt le matin du centre : rejoignez le camp III le premier jour, faites le sommet et revenez au camp IV le deuxième jour. Le retour

Ci-dessus *Hérissant la forêt comme des glaives de pierre, les pinacles dolomitiques du Gunung Api.* À gauche *Pirogues aux abords d'une des grottes spectaculaires du parc du Gunung Mulu.*

se fera le lendemain.

Le Gunung Mulu est moins fréquenté que les autres pistes du parc. Excellente opportunité d'apercevoir des macaques, des serpents ratiers, des cochons sauvages, voire même une élégante perdrix des bois.

La jeune fille pétrifiée

Après mon séjour au Royal Mulu Resort (► 189), je commence par une croisière tranquille sur la rivière Melinau pour aller voir d'autres grottes. L'excursion en pirogue prend juste 15 min, mais si vous voulez faire un peu d'exercice, une piste

COUPEURS DE TÊTES L'ULTIME VÉRITÉ

Alimentée par les autorités du parc, la légende veut que la célèbre piste des coupeurs de têtes ait été jadis empruntée par les guerriers kayan lorsqu'ils partaient en expéditions contre leurs ennemis. Mais les locaux rétorquent que les seules têtes coupées dans le secteur furent celles des soldats japonais, qui utilisèrent cette voie durant la Seconde Guerre mondiale pour acheminer leur matériel à travers la jungle.

de 1 h 30 vous conduira aux grottes par la jungle.

Les autorités du parc ont construit des marches à l'entrée et des passerelles à l'intérieur des grottes, qui permettent un accès plus facile. La brise d'air frais qui parcourt la **grotte du Vent** soulage un instant de la chaleur extérieure. Passé le hall d'entrée, l'allée conduit à la chambre du Roi, tapissée de concrétions rocheuses. Un goulet de 4,5 km mène ensuite à la **grotte des Eaux-Claires**. Il faut une certaine expérience spéléo pour négocier cette voie souterraine, qui prend environ six heures, avec quelques franchissements à la nage.

Solution moins ardue : emprunter le sentier extérieur qui conduit à la grotte des Eaux-Claires en 5 min ou, plus rapide encore, reprendre la pirogue. Deux cents marches permettent d'accéder à l'entrée de la grotte, festonnée de plantes. On pénètre d'abord dans la **grotte de la Jeune Fille**. D'où vient ce nom ? Un explorateur (très) imaginatif vit dans une stalagmite l'image d'une jeune fille à la longue chevelure. En tout cas, si vous regardez attentivement, vous verrez crabes blancs, scorpions et araignées tenir compagnie à cette demoiselle.

La grotte des Eaux-Claires s'étend sur 107 km mais le sentier n'en parcourt qu'une petite portion, jusqu'à un belvédère surplombant la rivière souterraine. Un couple d'Australiens part en excursion spéléo, suivant le cours d'eau jusqu'à sa sortie dans la jungle (1,5 km), tandis que les autres visiteurs se rafraîchissent dans la mare étonnamment glacée située au pied des marches.

LES COUPEURS DE TÊTES

Adam et moi quittons le groupe à midi pour prendre une pirogue jusqu'à **Long Berar**, confluent de la Berar et de la Melinau. Quand le niveau des eaux baisse, il faut souvent descendre et porter la pirogue au-delà des rapides. Mais les pluies des jours précédents nous évitent cette corvée, et nous arrivons à temps pour déguster un délicieux pique-nique de curry de poulet au riz gluant. Puis nous nous lançons dans la première section (8 km) de **la piste des coupeurs de têtes**, en direction du camp V, notre base des deux prochains jours.

Notre guide, Petrus, un Berawan solide et cordial, a accompagné les expéditions d'exploration des grottes de la Royal Geographic Society, de 1980 à 1984. Il remet vite les pendules à l'heure quant aux prétendus coupeurs de têtes (➤ encadré). Malgré tout, on n'a pas vraiment de mal à imaginer une embuscade dans cette jungle de diptérocarpes où la lumière de l'après-midi se fraye péniblement un passage. Nous éprouvons même un réel soulagement à émerger en plein soleil sur les berges rocheuses de la rivière pour prendre un peu de repos. Lorsque des porteurs surgissent, nous réalisons qu'un groupe de neuf personnes nous suit sur la piste. Nous n'avons plus de temps à perdre si nous voulons trouver un endroit convenable au camp V.

La piste est large, facile à suivre, même entrecoupée de quelques passages inondés ou boueux.
À 16 h nous arrivons au campement, construction de bois solide et spacieuse, avec une véranda, une cuisine et une salle d'eau, située en bordure de la rafraîchissante rivière Melinau, et

dominée par le vertigineux massif du Gunung Benarat. Une fente noirâtre entaille à mi-chemin cette paroi de 1 580 m : la **grotte du Tigre**, que personne n'a encore pu atteindre – pas plus que le sommet du Benarat.

À L'ASSAUT DES PINACLES

6 h du matin : Petrus me réveille, il faut se lever tôt pour monter aux **pinacles**, forêt de dolomites qui percent les cimes des arbres peu avant le sommet du Gunung Api. La piste de 2,4 km est bien marquée : pour peu que le temps soit clément, que vous soyez en forme, et preniez beaucoup d'eau (un litre au minimum, deux ou trois préférables), l'ascension devrait prendre entre cinq et huit heures aller-retour. Ne vous chargez donc pas trop, un peu de nourriture et un poncho imperméable suffisent. S'il a beaucoup plu dans la nuit ou le matin, les guides annulent l'ascension : les risques de chute sur les rochers glissants et coupants deviennent trop importants.

SPÉLÉO À GOGO

Certains opérateurs et guides du parc proposent des circuits spéléo dans quinze grottes ou plus, où il vous faudra patauger ou nager dans des rivières souterraines, vous glisser par d'étroits goulets rocheux, faire de l'escalade, et même du rappel. Les grottes sont classées de 1 (facile, accessible aux débutants) à 5 (très difficile, risques sérieux, ces grottes sont réservées aux spéléos confirmés).

Dans trois des grottes aménagées (les grottes du Cerf, des Eaux-Claires et du Vent) on peut poursuivre en dehors de la voie fréquentée, et prendre des itinéraires plus intéressants parfois accessibles aux non-initiés. Expérience spéléo et forme physique exigées pour explorer la chambre de Sarawak, la plus vaste salle souterraine du monde.

L'ascension démarre à 7 h 30, en compagnie de 16 autres personnes, qui foncent allègrement dans la jungle jusqu'aux premières longueurs de cordes fixées sur une courte bande rocheuse. Suivent deux heures de progression laborieuse à travers une forêt épaisse. Les grimpeurs se scindent bientôt en trois groupes : l'avant-garde, le gros de la troupe, et les traînards, déjà essoufflés. Une fois qu'on a pris son rythme, l'ascension se fait plus facile, voire même amusante dans la partie finale, où je me hisse sur les rochers grâce à une succession de cordes et d'échelles. Le guide du parc (obligatoire) reste invisible, mais on ne risque pas de se perdre, la voie étant toute tracée.

Après une si belle escalade, les pinacles me déçoivent un peu. Ces hallebardes de calcaire de 50 m de haut, façonnées par une érosion vieille de millions d'années, offrent certes un spectacle impressionnant ; mais l'étroite crête du poste d'observation n'a rien d'un salon, surtout lorsque les autres grimpeurs s'y pressent déjà. Tout ce petit monde n'effarouche guère les écureuils gris qui fouinent dans les rochers en quête de miettes de sandwiches.

La descente demande une concentration soutenue : à la moindre erreur, vous risquez de vous retrouver plus bas, empalé sur la pointe d'une aiguille. Et pour pimenter l'affaire, voilà la pluie qui s'en mêle. Au bout de six heures au total (trois heures aller, trois heures retour) je suis l'un des premiers à rejoindre le camp, jambes flageolantes. Petrus m'annonce alors, en souriant, que la durée record pour l'ascension est de 45 petites minutes.

À TRAVERS LA JUNGLE

Pendant que nous grimpions, Adam, encore courbaturé par son ascension du Gunung Mulu, avait choisi de passer une journée tranquille à explorer les environs du camp V – notamment la

gorge de la Melinau, étroit canyon creusé par la rivière entre des falaises de 100 m de haut, à 3 km du camp V. En chemin, le courant a sculpté un bassin naturel dans la roche, assez profond pour permettre d'y plonger et de nager.

Dernier jour. Il est 7 h et le brouillard monte de la jungle tandis que nous prenons le départ : 11 km le long de la fameuse piste des coupeurs de têtes. Toute la nuit des pluies torrentielles ont tambouriné sur le toit en tôle du campement ; certains passages de la piste restent gorgés d'eau. Nous passons deux heures à tenter de contourner ces mares, pour finalement nous résigner à patauger comme des canards.

Mais les flaques ne sont rien, en comparaison de ce qui nous attend 6 km plus loin : les eaux grossies de la **Terikan** nous barrent la route. Petrus se

À droite *L'ascension des pinacles, dernier secteur, utilise une série de cordes et d'échelles fixes.* Ci-dessus et ci-dessous *Les grottes de la Fée et du Vent appartiennent au plus vaste réseau de grottes souterraines du monde.*

déshabille, et transporte nos sacs de l'autre côté. Je le suis, m'agrippant à la corde tendue d'une rive à l'autre, et luttant pour essayer de garder mon équilibre dans le courant violent qui me bat la poitrine. Tandis que nous nous séchons sur la rive, Petrus nous montre Lubang China, grotte où deux Chinois seraient morts, piégés par la montée des eaux après un orage.

En suivant la piste, nous entendons l'appel des calaos tout en haut des arbres, et Petrus repère au sol les traces d'une civette. Un froissement de feuillages trahit la présence de macaques, mais c'est à peu près tout ce que nous verrons de la faune dans cette jungle dense. Nous arrivons à Kuala Terikan juste avant midi. Des bateliers nous attendent pour nous ramener au parc. Les bières qu'ils ont achetées viennent agréablement arroser nos sandwiches. Courte halte au Kuala Mentawai Rangers Post pour informer les autorités du parc que nous avons fini et que nos têtes sont intactes. Ensuite, nous descendons la rivière jusqu'à **Rumah Penghulu Sigah**, la *longhouse* qui nous hébergera pour la nuit.

Soirée "longhouse"

Des deux *longhouses* qui prennent des hôtes le long de la Medalam, Rumah Penghulu Sigah est la plus intéressante, car construite essentiellement en bois (l'autre est en béton). Immense, elle rassemble 44 maisons particulières, soit 300 personnes qui partagent le *ruai* et la véranda extérieure commune (*tanju*). Devant elle, on trouve de jolis jardins fleuris, des poulaillers, une clinique, un atelier de construction de bateaux et une chapelle catholique. Derrière, une école, une mare à poissons et quelques carrés de légumes complètent le tableau.

C'est la coutume d'être introduit par le chef en arrivant mais, pour l'heure, le comité d'accueil se résume à une bande de gamins qui sautillent, tout excités, en répétant inlassablement : "*What's your name* ?" Adam se demande si des têtes coupées ne traînent pas encore quelque part dans la *longhouse*, mais les seuls trophées en évidence sont les coupes remportées par l'équipe de foot locale.

Le chef est de retour et s'excuse mille fois pour son absence. Il nous invite à dîner chez lui et nous propose de dormir sous la véranda. La soirée se passe agréablement, à écouter le chœur chanter dans la chapelle, et à siroter du *tuak* en compagnie du chef, qui nous explique que toutes les têtes coupées ont été enterrées, lorsque son peuple s'est converti au christianisme.

Le chant des coqs et le vacarme de la radio nous réveillent à l'aube, pour descendre la rivière jusqu'à notre destination finale, Limbang. Nous montons à bord de notre pirogue, et quittons à contrecœur ce refuge idyllique. Nous jetons un coup d'œil à des buffles qui pataugent sur les berges de la Limbang, sur fond de rizières et de palmiers. Ce paysage pastoral aurait sans doute inspiré bien des peintres, s'ils avaient pu connaître le Sarawak.

Les calaos

Dans la région du Gunung Mulu, flore et faune sont d'une richesse exceptionnelle. À l'intérieur du seul parc national, 1 500 variétés de fleurs et 109 sortes de palmiers cohabitent, sans parler des 74 espèces d'amphibies, 50 de reptiles, 4 de poissons, 281 de papillons et 458 de fourmis. Il y a 262 espèces d'oiseaux recensées, dont 8 sortes de calaos. Le spectacle est superbe lorsque ces rois des tropiques s'envolent bruyamment parmi les feuillages. Leurs gros becs cornus sont coiffés de casques aux couleurs diverses. La plus grande variété, le calao rhinocéros (*Buceros rhinoceros*), se distingue par son casque rouge orangé, sa queue noire barrée de blanc, et son cri caractéristique en vol : "kronk, krank" !

PARTIR EN SOLO

QUAND PARTIR

Il n'y a pas vraiment de saison au Sarawak, et le climat reste en permanence humide. Prévoir de brèves averses au début et à la fin de la mousson, généralement le soir ou en fin d'après-midi.

SE DÉPLACER

De Miri Vol de 35 min pour Mulu. Si vous prenez le premier vol en matinée de Kuching, vous pouvez attraper la correspondance à Miri et arriver au parc le même jour. Mais il n'y a que deux vols quotidiens, et les Twin Otter ne prennent que 18 passagers : réservez à l'avance.

De l'aéroport de Mulu, prenez un minibus, ou une pirogue pour le centre d'accueil, où vous devrez vous faire enregistrer et acquitter un (faible) droit d'entrée. Si vous voyagez en circuit organisé, acheminements et formalités sont pris en charge.

De Marudi Vols pour Mulu de Marudi, sur la Batang Baram – lieu d'embarquement si vous voulez rejoindre le parc par bateau. Avant de vous lancer sur cet itinéraire (une journée), mieux vaut vous renseigner aux offices de tourisme de Kuching ou de Miri sur les horaires des transports en commun, les prix de location des bateaux, et l'état de la rivière.

De Limbang Vous pouvez accéder au parc via Limbang, près de la frontière avec le Brunei. L'aéroport de Libang est à 2 km du centre. Prenez ensuite un bus ou un bateau jusqu'au village de bûcherons de Nanga Medamit, d'où vous pourrez louer un bateau pour le parcours de trois, quatre heures jusqu'à la station des rangers de Kuala Mentawai, tout au nord du parc.

Vous pourrez y acquitter votre droit d'entrée et trouver un logement, avec cuisine. Mais amenez vos provisions et boissons : ni boutiques, ni cafés.

Pour rejoindre le départ de la piste des coupeurs de têtes à Kuala Terikan, il faut poursuivre sur la rivière une heure supplémentaire.

S'ORGANISER

L'itinéraire classique emprunte la piste des coupeurs de têtes, du centre d'accueil à Kuala Terikan. Cela prend au moins trois jours si vous faites l'ascension des pinacles. Indispensable : réservez votre logement au parc dès que possible, car le nombre de lits est limité. Surtout au camp V, point de départ de l'ascension des pinacles, que quelques groupes suffisent à embouteiller.

TARIFS

Si vous voyagez par vous-même au Gunung Mulu et dans les environs : les prix des guides (généralement obligatoires) et des bateaux augmentent. Pour visiter les grottes et gravir les pinacles, beaucoup préfèrent donc prendre un circuit organisé.

Meilleure solution pour réduire les coûts : s'associer à d'autres compagnons de voyage. Pour les guides de la grotte du Cerf, la grotte des Eaux-Claires et celle du Vent, comptez RM20 (5 $) minimum. L'ascension des pinacles (3j/2 nuits) coûte environ RM110 (30 $), un peu plus pour l'ascension du Gunung Mulu. Pour toute la piste des coupeurs de têtes, prévoyez au moins RM200 (50 $) en guides, prix des bateaux en sus (encore plus cher).

GUNUNG MULU : QUELQUES TUYAUX

- ❑ Guide officiel du parc obligatoire pour gravir le Gunung Mulu, même si la piste est bien marquée par des repères à la peinture rouge et blanche.
- ❑ Par temps humide, sangsues inévitables.
- ❑ Le camp II n'est qu'un emplacement au bord d'un ruisseau ; les autres, simples refuges sur pilotis plus ou moins délabrés (toits en tôle), mais avec cuisine et sanitaires de base.
- ❑ Après le camp II, eau disponible seulement dans les réservoirs des camps : à faire bouillir ou à purifier.

SANTÉ

- ❑ Prenez des comprimés anti-malaria.
- ❑ Utilisez de la lotion et des serpentins anti-moustiques.
- ❑ Emportez une petite trousse de secours.
- ❑ Buvez de l'eau en bouteille.
- ❑ Pensez à souscrire une assurance médicale sérieuse avant votre départ.
- ❑ Faites le point sur vos vaccins avec votre médecin.

NE PAS OUBLIER

- ❑ Chaussures de randonnée.
- ❑ Vêtements imperméables, maillot de bain.
- ❑ Bob et crème solaire.
- ❑ Lotion anti-moustiques.
- ❑ Lampe torche pour les grottes.
- ❑ Eau en bouteille pour les ascensions

20 Sipadan, reine du Sabah

par Christopher Knowles

Il faut du temps pour s'adapter à l'univers sous-marin mais, après quelques jours de stage, j'ai pu pleinement apprécier l'irréelle magie et la sublime beauté des récifs coralliens de Sipadan, petit paradis de sable et de jungle jeté au large du Sabah.

J'ai trouvé la Malaisie en ébullition à mon arrivée. On était en pleins jeux du Commonwealth, mais le caractère généralement joyeux de ces célébrations avait pris une teinte plus sombre avec l'arrestation d'un ministre réformiste très populaire. De furieuses manifestations coïncidaient avec la visite de la reine Elizabeth (et la mienne) et risquaient de pousser le gouvernement à prendre des mesures draconiennes, peu compatibles avec les plaisirs d'un voyage d'agrément.

Pourquoi en parler ? C'est pour souligner combien ce genre de troubles peut ajouter d'incertitude à une destination déjà passablement exotique. Mais en fin de compte les convulsions se limitèrent à la capitale, **Kuala Lumpur**, tandis que la vie poursuivit son cours normal partout ailleurs dans ce grand pays. KL, surnom de la capitale, s'enorgueillit aujourd'hui d'un tout

Nul besoin d'être un athlète pour passer son brevet de plongée en haute mer, mais il faut pouvoir nager sur 200 m, faire la planche pendant 10 min (➤ 202), et ne connaître aucun souci de santé sérieux.

À Kota Kinabalu, hébergements de toutes catégories. Sur Sipadan, cabanes sur pilotis simples mais confortables, avec commodités de base (➤ 204). Disponibilités limitées : réservez longtemps à l'avance. Vous aurez sans doute à partager votre chambre. Renseignez-vous pour connaître le supplément d'une chambre simple.

Matériel en location à Kota Kinabalu et à Sipadan (vous pouvez aussi apporter le vôtre). Pas de véritables boutiques à Sipadan, tâchez donc de ne rien oublier d'indispensable, comme votre maillot de bain, par exemple.

Ci-dessous *Parés pour une plongée à chaque fois unique à l'île de Sipadan à Bornéo.*
À droite *Un plongeur approche un énorme corail mou (*Sarcophyton*), au milieu d'une forêt d'*Acropora.

COUSTEAU

nouvel aéroport, construit spécialement pour les Jeux de 1998 : un véritable paradis climatisé. Bien sûr, le non-initié risque d'être perturbé : à peine aura-t-il mis un pied dehors que la chaleur moite et vaguement sucrée des tropiques viendra l'asphyxier.

Cap sur KK

Il faut 2 h 30, pas moins, pour rejoindre en avion Kota Kinabalu (ou KK), anciennement baptisée Jesselton, qui se trouve sur la côte ouest de la partie malaise de Bornéo, le Sabah. Cette ville balnéaire de taille moyenne s'étire le long d'une étroite bande littorale, coincée entre la mer de Chine et une ligne de collines escarpées, noyées dans la jungle. Au large, l'île de Pulau Gaya et, par-delà les collines, la silhouette massive du mont Kinabalu, qui semble venir tout droit de l'Himalaya. Même si KK est l'une des villes les plus dynamiques de Malaisie, elle a quelque chose d'inachevé, avec ses baraquements et ses chantiers plus ou moins abandonnés. Mais les boutiques ne manquent pas – mélange de grands magasins chinois et de souks arabes – ni les marchés. Les étals colorés du marché central regorgent de fruits, de légumes, et de poissons frais que les pêcheurs viennent directement décharger. Et surtout on y retrouve ce brassage de cultures caractéristique des Malais – les gens les plus charmants, les plus gentils du monde. Entrez dans une boulangerie, intéressez-vous aux gâteaux locaux, et vous ressortirez peut-être avec un sac plein, que le boulanger vous aura offert avec gentillesse.

FAUNE EXOTIQUE

Malgré la petite taille de l'île, sa plage vous réserve bien des surprises si vous êtes patient et un peu aventurier : grands papillons aux couleurs éclatantes ; énormes varans (jusqu'à 1,25 m de long) qui se traînent aux abords des cabanes en quête de déchets ; gros crabes des cocotiers, qui escaladent les troncs pour aller chercher leur pitance (à éviter : leurs pinces peuvent ouvrir une noix de coco...). Chaque jour, randonnées guidées dans la jungle pour ceux qui le souhaitent. Et tous les deux jours, des bébés tortues sont lâchés de la nursery de Borneo Divers, pour les protéger des varans et des oiseaux. Ne ratez pas ce spectacle attendrissant !

"Sea, sun and dive"

On peut venir au Sabah pour bien des raisons, farniente sur des plages exquises ou rencontrer les orangs-outans, du **sanctuaire de Sepilok**. Cependant, j'ai deux projets un peu plus sportifs en tête : faire de la plongée à l'île corallienne de **Sipadan** et gravir le sommet du **mont Kinabalu**. Mais je dois d'abord acquérir les bases indispensables pour pouvoir plonger en haute mer, et passer le brevet de plongeur délivré par la Padi (Professional Association of Diving Instructors) – l'une des trois principales associations de plongée internationales, choisie par Borneo Divers (➤ 286), chez qui je vais faire mon stage.

Pour celui-ci, un hors-bord nous emmène sur **l'île de Mamutik**. Dans le sillage du bateau, je vois peu à peu l'énorme silhouette du Kinabalu se dresser, et j'observe son sommet, inquiétude et fascination mêlées. Un quart d'heure plus tard nous accostons la jetée de Mamutik, avec ses bancs de poissons scintillants, ses énormes papillons et ses oiseaux bavards.

On peut très bien séjourner sur l'île et se contenter d'apprécier sa tranquillité et l'exquise fraîcheur de sa brise marine ; ou suivre le chemin côtier pour observer les oiseaux ; ou encore plonger en apnée au-dessus des coraux. Mais on vient surtout ici pour apprendre à plonger dans ses eaux chaudes et peu profondes.

RÈGLES DU JEU

La superficie limitée de l'île impose certaines règles de bonne conduite. À l'entrée de tout lieu public (y compris les cabanes de Borneo Divers), vous trouverez une bassine remplie d'eau. Il faut vous y tremper les pieds pour en ôter le sable. Après chaque repas, vous devez débarrasser couverts et assiettes sales, et les placer sur une table à l'extérieur du restaurant. Thé, café, boissons froides, bananes et crackers à volonté à toute heure, bonus non négligeable – la plongée vous donne une faim de loup. Sous l'eau, il vous est expressément demandé de ne toucher aucune créature vivante, corail, poisson ou tortue.

APPRENTISSAGE

Finalement, je suis le seul élève du stage. Le premier jour, sous la houlette de Joseph, mon instructeur, j'ai simplement regardé une série de vidéos, scindées en cinq modules, qui expliquent les bases de la plongée. Totalement abruti par le "décalage horaire", j'ai un peu de mal à saisir tous les détails : d'un côté on vous fait miroiter les merveilles de la plongée et du monde sous-marin, de l'autre on vous terrorise littéralement avec les dangers de la surpression, de la décompression et de la narcose, ou l'ivresse des profondeurs.

Le 2e jour, c'est Alex qui m'accompagne pour ma première plongée, et m'aide à m'équiper de la bouteille, du stabilisateur, du masque et du détendeur. La plongée se fait en milieu abrité, soit dans une piscine, soit comme ici, dans une zone peu profonde et délimitée par des cordes.

Les premières minutes sont à la fois terrifiantes et mêlées d'une curieuse euphorie, quand je réalise que je suis sous l'eau mais que je peux tout de même respirer. Il faut absolument éviter de retenir sa respiration et c'est exactement ce qu'on a tendance à faire. Pour quelle raison ? je ne peux me l'expliquer. Peut-être est-ce le bruit inhabituel de votre respiration, ou l'envie de respirer par le nez, ce qui est impossible. Il faut également apprendre à maîtriser une tendance naturelle à s'agiter (dépense d'énergie = dépense d'oxygène), et parvenir à une "flottabilité nulle", ou presque. Mais pas de panique, tous ces mécanismes viennent avec le temps et surtout avec l'expérience.

La partie essentielle du stage est d'apprendre à gérer l'imprévu et les situations critiques. Un exemple : si votre masque se trouve arraché au passage d'un requin-pèlerin (créature gigantesque, mais inoffensive), il faut savoir contrôler ses voies nasales, en continuant à respirer dans le détendeur. Si vous êtes en panne d'air, vous devez partager le détendeur avec votre binôme, qui est le coéquipier sans lequel vous ne devez jamais plonger. Grâce aux conseils de Joseph et d'Alex, je finis par résoudre ces difficultés, au premier abord insurmontables. Et cette maîtrise nouvelle permet rapidement de se détendre et d'apprécier pleinement l'exploration des fonds sous-marins – jusqu'à 30 m une fois le brevet passé.

LE GRAND BLEU

Pour notre première expérience de plongée en haute mer, le bateau nous emmène un peu au large. Pour commencer, nous enfilons et vérifions chacun l'équipement de notre binôme. Pour se mettre à l'eau, il y a deux solutions : les pieds devant, ou, comme dans les films, en basculant en arrière. Je peux alors suivre mon instructeur sans trop d'anxiété, l'observer tandis qu'il tapote des palourdes géantes, ou découvre des coquillages aux motifs éclatants (comme on en trouve dans les boutiques de souvenirs, mais ceux-ci abritent encore leurs propriétaires), ou

glisse la main dans une faille où se cache un petit requin-nourrice. À son approche, une superbe pastenague à taches bleues s'échappe en soulevant un nuage de sable. On entend des bruits étranges : bateau à moteur passant en surface, ou explosion étouffée d'une grenade jetée à l'eau – forme de pêche locale efficace, mais bien sûr complètement illégale.

L'avant-dernier jour du stage, tandis que nous remontons à bord, le climat tropical nous offre un témoignage de ses caprices de diva : une tornade traverse la baie comme une furie, gagnant les côtes et soufflant sur les maisons précaires d'un faubourg de KK. Le lendemain, gros titres dans le journal local : "Ce n'est PAS une tornade !" Je suppose qu'ils cherchent à calmer une population prompte à s'affoler.

De nouvelles tâches nous attendent le dernier jour. On apprend à ôter son masque en plongée pour le vider de son eau et le remettre en place. Retrouver son chemin et gagner un point X en utilisant son compas. Nager 200 m sans s'arrêter, puis faire la planche pendant plusieurs minutes. Et pour finir, examen "QCM", que vous pouvez passer dans votre pays, avant le stage pratique. Me voici enfin plongeur en haute mer certifié, paré pour l'exploration du mur corallien de Sipadan.

Ci-dessus *Plongeur photographiant un lit d'*Acropora, *en évitant soigneusement de toucher aux coraux.*
À droite, encadré *Le soleil enflamme les eaux paisibles de la mer de Chine, près de Kota Kinabalu*
En bas *Ranger éclairant une tortue nichée sur la plage de Sipadan.*

Au paradis des coraux

Peu de sites en Asie – et même dans le monde – peuvent rivaliser avec l'îlot de Sipadan, atoll situé au large du Sabah. Mais pour y arriver, il faut déjà le vouloir... Comme partout en Malaisie, il faut se lever de bonne heure pour aller où que ce soit – aujourd'hui, 4 h du

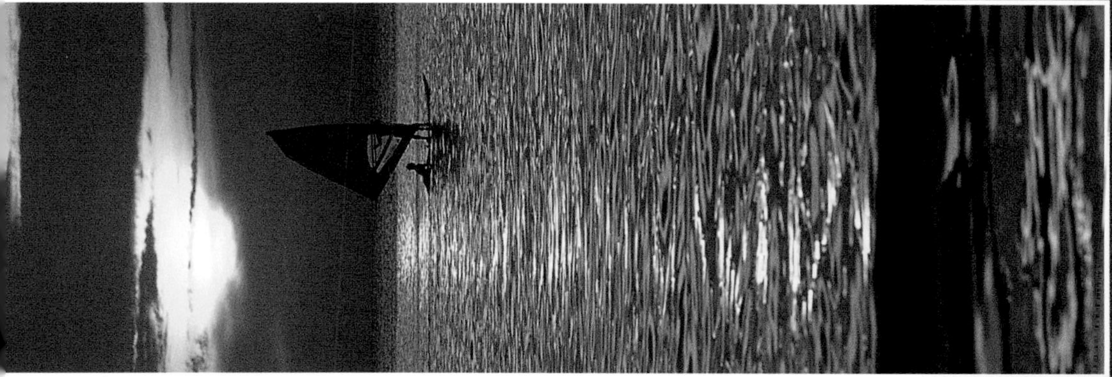

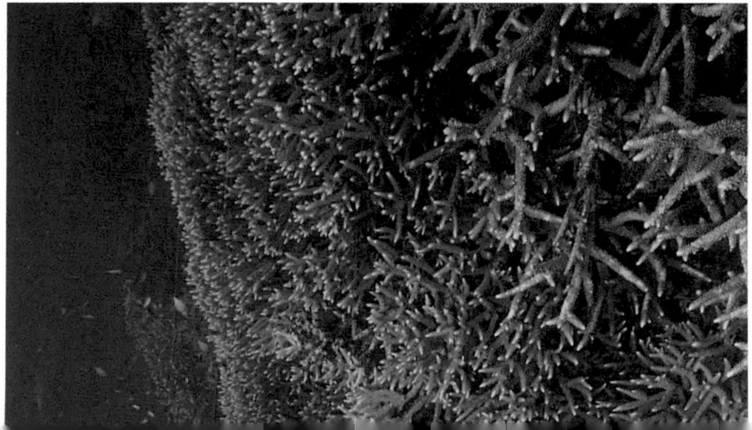

matin, expérience pénible en ce qui me concerne, car je ne suis rentré du Kinabalu qu'à 20 h la veille. La ville de Tawau est à une heure de vol de KK, qui se trouve à 140 km au sud-est. Suivent deux heures de bus jusqu'au port de Semporna, 40 km au nord-est de Tawau, et enfin, une heure en vedette rapide, d'où il arrive qu'on aperçoive, avec un peu de chance, une troupe de dauphins.

Le capitaine aime bien faire rugir les 400 chevaux de ses moteurs : virage serré sur l'aile au sortir du port, grande gerbe, un village sur pilotis s'éloigne, et nous voilà propulsés sur les vagues du grand large, en direction de **Sipadan**. Lorsque l'île émerge soudain, losange solitaire posé sur l'horizon, on se croirait presque dans un rêve. Toute petite – on peut en faire le tour à pied en 20 min – ses sables blancs frangent un cœur de jungle émeraude. Devant la plage, un anneau de corail s'étend sur 45 m ; puis, ses eaux d'aigue-marine rencontrant le saphir des grands fonds, il plonge sur 2 000 m de muraille corallienne, où prospère un véritable kaléidoscope de vie marine.

À notre arrivée, un représentant de Borneo Divers fait son discours d'introduction et nous présente Rajid, notre instructeur de plongée. Suit un petit tour du site, on repère les installations, y compris le redouté caisson de recompression, au cas où l'un de nous subirait l'ivresse des profondeurs. Enfin, on apprend quelques règles primordiales de la base.

Plage et palmes

Nous disposons de chambres propres, éclairées, pourvues de prises de courant, d'un ventilateur et d'une petite salle de bains. Que demandez de plus ? Je partage la mienne avec Ray, un Anglais qui vit et travaille au Sabah depuis plusieurs mois. Il est également plongeur débutant, mais beaucoup plus assuré que moi. Le groupe s'est maintenant considérablement étoffé, d'autres participants étant venus nous rejoindre depuis KK, où j'ai d'ailleurs fait opportunément la connaissance de Prakash. J'avais oublié d'emporter mon maillot de bain. Mon short aurait fait l'affaire, mais l'hôtel a réussi à l'égarer au dernier moment. Prakash m'a prêté un maillot et un short – coup de chance, car les boutiques de Sipadan ne vendent pas grand-chose d'autre que des cartes postales et des tee-shirts.

Pour notre première plongée de l'après-midi, la mise à l'eau se fait depuis la plage – contrairement au saut depuis un bateau – et nous allons faire des exercices de navigation sous-marine. Une fois équipés à la cabine de location, nous traversons la plage et entrons dans l'eau. Marche sur 45 m jusqu'à hauteur du bout de la jetée (qui sert également de bar, sous le nom de Drop-Off Café), puis nous dégonflons nos gilets pour nous immerger dans l'eau tiède. Nous ouvrons les yeux et, tandis que les bulles se dispersent, le rebord du tombant de corail se dessine : nous voilà suspendus au-dessus d'un profond abîme bleu.

La visibilité est à couper le souffle – si j'ose dire. Pendant que nous descendons peu à peu, de petits poissons évoluent par myriades tout autour de nous. Un requin-léopard s'approche, puis s'écarte soudainement : visiblement, on ne l'intéresse pas. Devant moi, une tortue pagaye en direction de Ray, qui regarde dans l'autre direction. Lorsqu'il se retourne, la tortue effleure son masque de son bec crochu. Effrayé, il fait un écart. Je réprime un éclat de rire – peu conseillé dans ce genre d'environnement. Nous descendons jusqu'à 18 m de profondeur avant de remonter en surface.

Un peu plus tard, nous repartons pour une deuxième plongée, depuis la plage toujours. Ces flots d'apparence tranquille cachent un fort courant. Fatiguées par l'ascension de la veille, mes jambes ont du mal à palmer, et je me retrouve malgré moi ramené à la surface. En binôme consciencieux, Ray me suit tout du long pour vérifier que je vais bien.

Un bout de paradis

Le soir tombe. Le soleil se couche en grand apparat, striant le ciel de pourpre et de violet. Les gens se rassemblent sur la jetée pour assister à ce fabuleux spectacle. Les ténèbres s'installent peu à peu, tandis que les vagues clapotent doucement sur les piliers de la jetée. Des éclairs traversent les vagues et quelques chanceux remontent de leur plongée de nuit : ils ont vu un poisson-perroquet de 2 m. Mais il serait dommage de faire attendre le dîner. Au menu : soupe, *sashimi* de thon frais pêché, poissons cuits, riz, frites et corbeille de fruits.

À Sipadan, le plongeur débutant découvre une ambiance conviviale. Curieusement, beaucoup fument, et on ne se refuse pas quelques petits verres (même si l'abus d'alcool est plutôt déconseillé). On passe ainsi des soirées très animées en compagnie de gens de tous les horizons.

Michael est australien et avocat. Prakash travaille dans la construction de villas pour de riches Australiens, et semble déjà connaître tout le monde sur l'île. Axel, employé des postes allemandes, a pris un congé sabbatique de neuf mois. Andrea et Cristina, Romaines, sont passionnées de photo sous-marine ; Claudia est partie de Suisse, pour un voyage d'un an. René et Rahel, également suisses, sont en vacances ; Susan, hygiéniste américaine, est une fan d'aviron ; son amie est hôtesse de l'air. Il y en a que j'observe, mais que je ne connais pas. Par exemple, ce vieil homme, avec un foulard rouge sur la tête, m'intrigue. Il embarque chaque matin dans un kayak en plastique, aidé par un plus jeune, avant de partir ensemble faire le tour de l'île.

VIDÉOS PLONGÉE

À la fin de la journée, on passe un bon moment à éplucher les livres illustrant la faune et la flore sous-marines de la région, pour essayer d'identifier ce qu'on a vu. On étudie aussi les vidéos montrées chaque soir après dîner. Elles sont réalisées par Stephen Fish (ça ne s'invente pas), un Américain qui gagne sa vie sur Sipadan en vendant ses films aux plongeurs qu'il accompagne sous l'eau. Pas donné, mais un film vous montrant face à face avec un requin, c'est tout de même autre chose que la traditionnelle vidéo des vacances, n'est-ce pas ?

Découverte du tombant

Le lendemain, trois plongées sont au programme. En général, on descend toujours plus profondément lors de la première plongée, et nous atteignons les 30 m, limite conseillée pour les plongées non professionnelles. Des murènes pointent leurs museaux menaçants hors de leur cachette. Une étincelante draperie de petits poissons dévale les flancs des coraux. Un couple d'énormes thons passe en patrouilleurs. Des balistes montent la garde à l'entrée de leur refuge – quelqu'un m'a dit avoir eu sa palme mordue par un individu particulièrement belliqueux. L'un de nous a vu un barracuda. Et voici des requins, des tortues, des poissons-clowns, des poissons-perroquets, et bien d'autres encore que nous tenterons d'identifier à notre retour dans divers livres, rafraîchis par les ventilateurs du restaurant.

Comme ma réserve d'air s'épuise, Rajid me tend un sac de détritus en décomposition qu'il a ramassé sur le fond, et me conseille de remonter. À la suite de quoi, comme par enchantement, je perds mon masque. Ce genre de mésaventure est très apprécié dans le petit monde des plongeurs, et on ne se privera pas de me harceler avec cette histoire tout au long du séjour. “Vu quelque chose d'intéressant ce matin ? Rien, sauf une raie manta avec un masque de plongée !”

Au Drop-Off Café, la mer s'illumine une fois de plus. Cette nuit, ce ne sont pas des torches, mais les algues et le plancton phosphorescent qui éclairent l es vagues comme une poussière d'étoiles sous-marines. Certains soirs, les moniteurs se réunissent sur la jetée pour chanter, jouer de la guitare et de la batterie improvisée faite de bouteilles et de boîtes de conserve. La scène est d'une beauté irréelle, au milieu de cette nappe phosphorescente, où l'écho des grésillements d'insectes et des cris de geckos se répercute.

À Sipadan, les jours se suivent et se ressemblent. Ils sont évidemment marqués par ce qu'on a vu sous la mer. Des nudibranches aux rayures éclatantes au terrible poisson-pierre, en passant par les aiguilles de mer zébrées dérivant juste sous la surface, et même, dans ces eaux pourtant limpides, des ombres passant au loin. Les bateaux vous conduisent en différents secteurs du récif, chacun ayant sa propre particularité – **Barracuda Point**, **Coral Garden**, **Turtle Cave**. Vous n'êtes même pas obligé de plonger. Un tuba suffit pour aller nager au-dessus des grands abysses bleus et silencieux : avec un peu de chance, on se retrouve en compagnie d'un orque, ou d'un impressionant requin-pèlerin.

Borneo Divers, opérateur de plongée très réputé.

PARTIR EN SOLO

QUAND PARTIR

La température ne varie pas beaucoup au fil de l'année et les pluies de mousson ne préviennent pas. Période un peu plus sèche entre janvier et avril, et visibilité meilleure entre la mi-février et la mi-décembre.

SE DÉPLACER

Des vols directs desservent Kota Kinabalu au départ de Kuala Lumpur, et de toutes les grandes villes de Malaisie. Bus longues distances également, avec correspondances possibles si vous venez du Sarawak ou du Kalimantan. Bateaux trois fois par jour pour Pulau Labuan, au sud de KK – site très apprécié des plongeurs sur épaves.

S'ORGANISER

Pour Sipadan, meilleure solution si vous en avez les moyens : réserver tout le voyage (vol pour Tawau, transferts à Semporna et Sipadan), via Borneo Divers (➤ 286) ou autres opérateurs sur l'île, comme le Sipadan Dive Centre (➤ 286). Vols pour Tawau au départ de KK, KL, Lahad Datu et Sandakan, ou de Tarakan en Indonésie. Service maritime au départ de Tarakan (via Nunukan) et de Sulawesi. Bus possible entre KK et Tawau (11 heures environ). Service régulier de minibus entre Tawau et Semporna (110 km).

STAGES DE PLONGÉE

Eaux chaudes et peu profondes de KK excellentes pour l'apprentissage (mais récifs coralliens sans intérêt pour les plongeurs confirmés). Borneo Divers (➤ 286) propose des stages de quatre jours sur Mamutik, rapidement accessible par bateau (départ de la jetée proche de Jin Datuk Saleh Sulong). Services réguliers toute la journée, mais tout juste fiables. En cas de bateau fantôme, les free-lances s'empresseront de vous dépanner, à vous de négocier.

Le stage de quatre jours (à partir de 900 RM/240 $ par personne) comprend :

- ❏ formation complète.
- ❏ cours par vidéo.
- ❏ inscription aux examens.
- ❏ quota requis de plongées (avec bateau).
- ❏ location du matériel.
- ❏ déjeuners.

Borneo Divers est un peu plus cher que les autres, mais c'est aussi l'opérateur de plongée le plus réputé d'Asie.

PLONGER À SIPADAN

Petite, exclusive, Sipadan (➤ 286) s'adresse à une clientèle aisée. Le forfait de 200 $ par jour comprend :

- ❏ transferts de Semporna aller-retour.
- ❏ hébergement.
- ❏ tous les repas.
- ❏ trois plongées bateau par jour.
- ❏ plongées plage illimitées.

Location du matériel en sus.

Pour être sûr de tout voir, séjour de 48 heures minimum recommandé. Et même si la plongée reste votre premier objectif, sachez que le snorkelling vaut également la peine (mais coût élevé).

Stephen Fish peut vous accompagner et immortaliser votre exploration des fonds sous-marins avec sa caméra vidéo. Ce n'est pas donné (120 $), mais vous pouvez partager le coût avec d'autres participants.

QUELQUES TUYAUX

La MasterCard est plus généralement acceptée que les autres cartes en Malaisie.

SANTÉ

- ❏ Prenez des comprimés anti-malaria.
- ❏ Utilisez de la lotion et des serpentins anti-moustiques.
- ❏ Le soir, portez une chemise à manches longues et un pantalon.
- ❏ Emportez une petite trousse de secours.
- ❏ Buvez de l'eau en bouteille uniquement.
- ❏ Souscrivez une assurance médicale avant votre départ.
- ❏ Assurez-vous que vous êtes bien à jour dans vos vaccins (consultez votre médecin).
- ❏ Emportez vos médicaments personnels si besoin.

NE PAS OUBLIER

- ❏ Maillot de bain.
- ❏ Brevet de plongée valide.
- ❏ Tongs ou équivalent.
- ❏ Strict minimum de vêtements et lessive.
- ❏ Lampe torche.

SÉCURITÉ D'ABORD

Le principe du binôme vise à s'assurer que tout problème potentiel sous l'eau sera soit évité, soit réglé rapidement. Tout plongeur doit ainsi faire équipe avec un partenaire. Chacun vérifie le matériel de l'autre avant de plonger, et garde un œil sur l'autre pendant la plongée. Un code gestuel permet aux coéquipiers de communiquer en cas de besoin.

21 À l'ascension du Kinabalu

par Christopher Knowles

Le mont Kinabalu présente un spectacle imposant, voire un peu effrayant pour le montagnard novice. Ses craintes se verront amplement justifiées, puis balayées comme par enchantement, lorsque, parvenu aux 4200 m du sommet, il pourra contempler une mer de nuages enflammée par l'aurore.

Je venais juste de passer la veille mon brevet de plongeur en haute mer (➤ 202). Mais je devais attendre un peu pour fêter l'événement, car le lendemain, il me restait à faire l'ascension du **Kinabalu**. Jadis appelé *Aki-nabalu*, le "lieu de repos des ancêtres", nul ne devait l'approcher, sauf pour mourir. Cette croyance explique que la montagne soit restée inviolée jusqu'à une époque relativement récente.

À 6 h du matin, John, Malais d'origine indienne, vient me chercher à l'hôtel Holiday Pack de Kota Kinabalu (➤ 287), pour m'abandonner aussitôt devant le petit déjeuner d'un restaurant, prétextant une course. Il faut savoir qu'en Malaisie les départs sont souvent très matinaux, "au cas où" – ce qui n'est pas plus mal, car le "cas où" finit généralement par se produire. Et John refait son apparition, suivi de Marc et Maarten, deux avocats néerlandais qui m'accompagneront (et m'apporteront un précieux soutien) durant les heures difficiles qui m'attendent lors de l'ascension de la plus haute montagne du Sud-Est asiatique.

Sans exagération, cette aventure est l'une des plus dures que j'aie connues. Même si elle ne demande pas de compétences techniques en escalade, il faut bien comprendre que cette randonnée est tout sauf une promenade. D'un autre côté, beaucoup de gens, et de tous les âges, parviennent au sommet, s'ils le veulent vraiment.

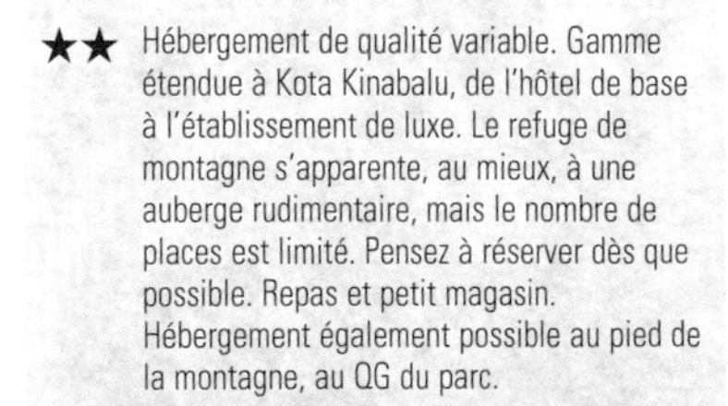

★★ Hébergement de qualité variable. Gamme étendue à Kota Kinabalu, de l'hôtel de base à l'établissement de luxe. Le refuge de montagne s'apparente, au mieux, à une auberge rudimentaire, mais le nombre de places est limité. Pensez à réserver dès que possible. Repas et petit magasin. Hébergement également possible au pied de la montagne, au QG du parc.

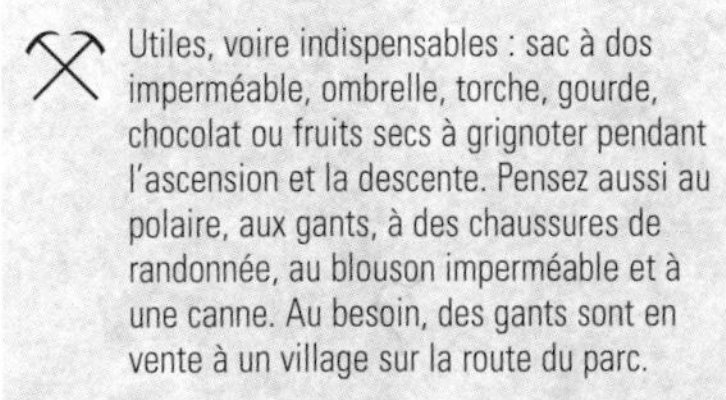

Utiles, voire indispensables : sac à dos imperméable, ombrelle, torche, gourde, chocolat ou fruits secs à grignoter pendant l'ascension et la descente. Pensez aussi au polaire, aux gants, à des chaussures de randonnée, au blouson imperméable et à une canne. Au besoin, des gants sont en vente à un village sur la route du parc.

Il faut entre deux et trois heures pour arriver au camp de base, selon la circulation. La belle artère à quatre voies qui part de Kota Kinabalu, en abordant les premières pentes du Kinabalu, à 50 km au nord-est de KK, se transforme ensuite en route de montagne sinueuse. En Malaisie, un trajet en voiture n'est pas sans rappeler *Le Salaire de la peur*. On peut bien sûr s'en tirer, avec un minimum d'habileté, mais les manœuvres de dépassement, version malaise, ont de quoi effaroucher l'Occidental non averti. Et les routes, généralement de bonne qualité, peuvent s'effondrer sans crier gare en une série de tranchées et de cuvettes, avant de revenir à la normale.

Au camp de base

Nous avons traversé des paysages de plantations, de camps forestiers et de collines entièrement déboisées, puis de palmiers verdoyants, pour arriver à une sorte de camp de base, le QG du parc situé à l'entrée du **Gunung Kinabalu**. Réservez un peu de temps pour visiter le parc : il abrite une faune et une flore d'une richesse exceptionnelle, comportant des espèces que l'on ne rencontre que dans cet écosystème. Par temps clair, ce qui est souvent le cas en matinée, profitez-en pour photographier la montagne, car l'occasion ne se représentera peut-être pas de sitôt...

Goûtant la fraîcheur de l'altitude (nous sommes à 1 585 m), nous attendons John qui est allé au QG du parc nous faire enregistrer. Nous déchiffrons avec un étonnement amusé le panneau qui indique les meilleurs temps d'ascension et de descente : 2 h 40. Je suis flatté de voir qu'un compatriote détient le record, mais ne me sens guère rassuré pour autant. On essaye tout de même de faire bonne figure, en échangeant quelques plaisanteries.

Illusions perdues

Après l'enregistrement (passeports requis), il reste encore 4 km à parcourir pour atteindre le point de départ de la piste, la *Power Station*, où John nous conduit. Salut amical, et nous voici abandonnés à notre sort.

Un guide de montagne nous accompagne, quelques pas en retrait. Raimin, qui se révélera infatigable par la suite, ne parle pratiquement pas un traître mot d'anglais, et ne répond à nos questions que par oui ou par non, sans que nous puissions savoir s'il a réellement compris. Mais il ne nous lâche pas d'une semelle, connaît toutes les astuces, et nous aurait sans doute volontiers porté nos sacs si on le lui avait demandé.

Optimistes, nous démarrons à la cadence de chasseurs alpins – d'autant plus vite qu'il n'y a qu'à descendre pour l'instant. Cela ne va malheureusement durer que 200 m. Après quoi les choses sérieuses vont commencer.

Encore frais, nous grimpons avec enthousiasme une série de marches : sans doute vont-elles bientôt céder la place à une piste confortable, qui gravirait gentiment les flancs de la montagne en une longue série de lacets. Erreur. Les marches se succèdent, indéfiniment. Au début nous échangeons quelques mots. Puis la pente ne nous permet plus que de serrer les dents, et d'économiser notre souffle.

Nous traversons alors une épaisse forêt de bambou. Lors d'une pause, aucun bruit ne se fait entendre hormis nos respirations haletantes et le froissement des immenses fougères qui se balancent doucement à la moindre brise.

Nous savions que la piste serait marquée tous les 500 m. Surprise désagréable : la première signalisation n'apparaît qu'au bout d'une véritable éternité. Enfin nous arrivons à un petit abri. Je sors une mangue séchée – les fruits secs sont énergétiques et réduisent les effets de l'altitude – tandis que Marc et Maarten croquent une barre de chocolat. Nous mâchons en silence, avalons une gorgée de nos gourdes, les yeux dans le vague. Puis nos regards se

FLORE SPECTACULAIRE

Parmi toutes les plantes de la montagne, les plus fascinantes sont peut-être les neuf espèces de plantes carnivores sarracéniales. La plus grande, la Rajah Brooke, peut contenir plusieurs litres d'eau, et tuer des animaux de la taille d'un rat. Mais en général les carnivores se contentent d'insectes, qui se collent au cœur gluant de la plante, et chutent vers leur mort. Demandez à votre guide de vous en montrer. On trouve également la plus grande fleur du monde dans la région du parc (mais pas sur la montagne) : la *Rafflesia*, nommée d'après le célèbre botaniste et colonisateur Stamford Raffles, peut atteindre 1 m de large. Malgré sa taille, elle est difficile à repérer, car elle ne fleurit que quelques jours par an, entre mai et juillet.

croisent et on éclate de rire : la journée sera longue.

RUDE ÉPREUVE

Pierres logées dans la terre orange, ou petites barres de bois, les marches se font plus inégales à mesure que nous progressons, et le rythme n'est pas facile à trouver pour les négocier : il faut entrer dans une sorte de transe, où l'on s'immerge graduellement, et qui permet de continuer. Maarten, le plus maigre de nous trois, révèle des aptitudes de bouquetin et laisse bientôt Marc et moi à notre allure de mules. Tous les 50 pas environ, nous nous arrêtons pour reprendre haleine, les intervalles se réduisant à mesure que nous montons et que l'air se raréfie. Au détour du sentier

Ci-dessus *QG du parc : enregistrement et guide obligatoires.*
Ci-contre *Au-dessus des nuages : c'est très dur, mais on finit par y arriver.*
Ci-dessous *Kota Kinabalu, toits de tôle et ciel d'ardoise.*

ZONES CLIMATIQUES DE LA MONTAGNE

Si le Gunung Kinabalu abrite plus de la moitié des familles de plantes à fleurs de la planète, sans parler de la richesse de sa faune, c'est en grande partie en raison de la diversité de ses zones climatiques. En seulement 3 km, la végétation passe de la forêt tropicale des basses terres (jusqu'à 1 300 m) à la forêt alpine et aux brouillards (à partir de 2 600 m). L'ascension vous fait surtout traverser cette zone, où prospèrent orchidées, plantes carnivores et rhododendrons. Passé 2 600 m, vous rencontrerez des théiers tordus et rabougris, puis une végétation naine de lichens et de boutons d'or qui parviennent à s'accrocher aux dalles granitiques du sommet.

nous apercevons Maarten qui nous attend à l'ombre pour une pause chocolat. Raimin, imperturbable, et ne montrant pas le moindre signe de fatigue, s'assied sur un rocher pour s'allumer une cigarette. Un écureuil, manifestement habitué aux miettes des visiteurs, se glisse à une distance respectable. De petits oiseaux vert olive sautent de branche en branche. Marc, avec humour, nous raconte qu'il commence à apprécier certaines caractéristiques de son pays : le plat !

Nous commençons maintenant à croiser des gens qui redescendent. Ils nous jettent un regard apitoyé et, avec cette autosatisfaction propre à ceux qui ont atteint leur objectif, nous annoncent que l'effort en vaut la peine, mais que, si nous trouvons ça dur, nous n'avons encore rien vu. Je rencontre aussi de vieilles connaissances – Hank et Heidi, du stage de plongée de KK. Maarten tombe même sur le copain d'un copain en Hollande. Il nous faut également, de temps à autre, laisser passer ceux qui font l'ascension au pas de course : on les entend arriver, la rapidité de leur pas contrastant comiquement avec le rythme pénible de notre progression. Ébahis, nous les regardons disparaître, avalant la pente en guise de préparation pour le Climathon qui a lieu chaque année en octobre. Des fous, probablement, ou alors des extraterrestres déguisés en humains. Marchant plus lentement, mais avec habileté, les locaux transportent des provisions jusqu'au refuge. Petits, noueux, ils font ce trajet régulièrement.

La forêt verdoyante de bambou est bientôt remplacée par d'énormes massifs de rhododendrons, aux larges feuilles luisantes et dont les fleurs roses s'épanouissent au bout de branches tordues et desséchées. Au troisième kilomètre, nous nous arrêtons déjeuner de provisions faites au bureau du parc. Nous sommes à mi-parcours.

La régularité toute relative des marches cède à présent la place à un sentier semé de rochers, sorte de voie romaine après tremblement de terre. Les buissons se réduisent en taille et en nombre, tandis que nos pauses se font plus nombreuses. Juste le temps de reprendre son souffle, et suffisamment de force pour atteindre le point suivant qu'on s'assigne mentalement.

BREF RÉPIT

Enfin, après 6 km de marche et à 3 550 m d'altitude, nous y voilà : la **Laban Rata Resthouse**, notre refuge pour la nuit, grande hutte perchée à flanc de montagne. Il nous a fallu 4 h 59 – moins de cinq heures, en quelque sorte ! J'ai réservé depuis un certain temps, et la perspective d'une bonne douche m'euphorise littéralement. Mais Marc et Marteen, qui n'ont réservé que la veille, doivent encore monter 5 min plus haut jusqu'à un simple dortoir, d'où ils devront redescendre pour prendre leurs repas.

Ceci dit, à part qu'elle se situe sur le même lieu que les repas, ma cabane "de luxe" n'offre pas grand avantage. Nous sommes six à partager la chambre, et les robinets ne délivrent qu'une eau glacée. Mais nous avons au moins nourriture et boissons chaudes, immense réconfort lorsqu'on est passé par une telle épreuve...

Marc et Marteen sont allés prendre un peu de repos, tandis que je me réchauffe avec un grand bol de Milo, qui est le chocolat suisse d'Asie du Sud-Est. Dehors on ne voit rien d'autre qu'un tourbillon de nuages en contrebas. Nous attendons tous qu'il se dissipe, qu'on puisse au moins profiter de nos 3 300 m d'altitude si chèrement conquis. Enfin le voile se déchire : ruée générale sur le balcon pour immortaliser ce moment.

Nous dînons à 18 h, et personne ne traîne ensuite pour se mettre au lit. Il reste encore 3 km pour atteindre le sommet, et le départ est prévu à 3 h du matin – sombre perspective. J'ai beau être épuisé, impossible de fermer l'œil. Est-ce l'altitude, ou la tension qui refuse de tomber, je ne sais trop. Mais les autres ont le même problème. On flotte dans un monde entre veille et sommeil, rêves et conscience. La pluie s'en mêle également. Elle cesse à 2 h, et après une bonne tasse de thé brûlant, nous voilà à peu près parés. Notre objectif est d'atteindre le sommet avant 5 h 40, pour voir le lever du soleil – s'il se lève.

Au-dessus des nuages

Le sol est détrempé et, en dehors du maigre faisceau de nos torches, il fait nuit noire. Nous sommes une douzaine à progresser, obligeant nos jambes lourdes à reprendre le rythme des marches. Le manque de sommeil et l'altitude s'additionnant, cette fois, même Marc me distance. Le cortège s'étire et s'amenuise peu à peu, tout comme la végétation, qui finit par capituler, impuissante à prendre pied sur cette roche dure et grise que nous foulons maintenant. Les marches ont disparu, remplacées par des cordes. L'obscurité n'a pas que des inconvénients. Au moins je n'ai pas à plonger l'œil dans le précipice qui s'ouvre sur ma droite. Certes, je le retrouverai sur le chemin du retour – mais chaque chose en son temps. Pour le moment, l'essentiel est d'avancer.

À 5 h 40 le promontoire isolé du **pic de Low**, sommet du Kinabalu, se dessine comme un pouce recroquevillé tout au bout d'une longue pente de granite gris. Les premières lueurs de l'aube tremblotent, et je dois reprendre mon souffle tous les 10 ou 15 pas. Il fait très froid. Lampes éteintes, je distingue les silhouettes des premiers qui se lancent à l'assaut final. J'ai très envie de laisser tomber, et de regarder le soleil se lever d'ici. Mais Raimin, qui m'a accompagné tout du long, m'encourage, et je fais un dernier effort. À 6 h pile, j'atteint les 4 102 m du pic de Low, juste à temps pour assister au lever du soleil dans toute sa splendeur : une mer de nuages incendiée de rose baigne les pentes en contrebas. Dans le lointain, d'autres sommets émergent. Décoller des gants trempés, extirper l'appareil d'une poche et figer ce moment sur la pellicule me demande beaucoup d'énergie mais je ressens une joie intense à me trouver là, au sommet de nulle part, au-dessus des nuages.

Toute dernière fois ?

Il fait trop froid pour s'attarder : tout le monde rebrousse chemin pour entamer la descente. Maintenant qu'on est arrivé en haut, plus rien ne nous fait peur (pas même les cordes) et la bonne humeur règne. Tout en bas le brouillard matinal s'élève des cimes émeraude de la forêt.

Nous sommes de retour aux cabanes en une heure. Le temps de prendre un solide petit déjeuner, une douche froide, de remplir nos sacs, et nous repartons. La descente n'est plus qu'une formalité maintenant, pense-t-on. Nouvelle illusion : d'autres muscles sont sollicités, mais la douleur reste la même. Il nous a fallu tout juste moins de quatre heures. En gros, nous avions parcouru 12 km de terrain très difficile depuis le matin, et

18 km depuis la veille. Seule la joie d'avoir pu conquérir le sommet nous fait supporter la descente. Et quelle descente ! Vers la fin, une violente averse nous rattrape et, malgré nos jambes flageolantes, nous franchissons le dernier kilomètre en un quart d'heure, triomphants, les yeux remplis d'étoiles.

Dans la cabane de l'entrée du parc, d'autres marcheurs épuisés viennent se mettre à l'abri avec nous, attendant une éclaircie. Beaucoup hochent la tête, l'air dubitatif, en murmurant : "Jamais plus !" Peut-être bien... mais il faut l'avoir fait au moins une fois pour pouvoir le dire.

PARTIR EN SOLO

QUAND PARTIR

Choisissez plutôt la saison sèche pour faire l'ascension – mars et avril offrant les meilleures garanties de visibilité. La pire période est sans doute novembre et décembre, en pleine saison des pluies. Mais ne prenez pas ces généralités pour parole d'Évangile : le temps ici est très capricieux.

SE DÉPLACER

Principal point d'accès au parc du Kinabalu : la ville de Kota Kinabalu (KK), nichée au pied de la montagne, sur le littoral occidental du Sabah, partie malaise de Bornéo.

Vols nationaux pour KK depuis Kuala Lumpur, capitale de la Malaisie, et de toutes les villes importantes de Malaisie. Vols internationaux pour KK depuis Hongkong, Singapour, Manille, Brunei, Séoul, Jakarta, Taipei et Tokyo. Vols également du Kalimantan (Bornéo côté indonésien).

La ville est également desservie par des bus longues distances, vous pouvez donc venir d'autres régions de Bornéo, comme le Sarawak.

Ferry trois fois par jour de Pulau Labuan, paradis fiscal situé au sud de KK et fréquenté par les plongeurs sur épaves. Traversée 2 h 30.

La gare de KK, 5 km plus au sud de la ville, dessert Beaufort et Tenom.

À gauche *Ballet de nuages autour du Kinabalu.*
Encadré *Frigorifié, mais heureux, sur le toit de Bornéo.*

Pour rejoindre le parc HQ, depuis KK, deux possibilités : adressez-vous à un tour-opérateur (nombreux en ville, dont Borneo Divers (➤ 287), ou bien prenez un bus ou un minibus pour Ranau, et demandez à être déposé au parc. Comptez deux à trois heures de trajet. Les grands bus (au moins deux par jour) sont plus lents, mais parfois climatisés, et bien sûr plus spacieux. Pas de gare routière à KK : les bus partent généralement de Jin Tunku Abdul Rahman.

S'ORGANISER

Comme le nombre de marcheurs sur la montagne est limité par quotas, vous devez absolument réserver bien à l'avance votre hébergement – mais les réservations de dernière minute ne sont pas exclues.

Attention, au moment du Climathon annuel, début octobre, vous aurez beaucoup de mal à trouver un hébergement.

QUELQUES TUYAUX

Accompagnement par un guide local obligatoire. Et n'oubliez pas de prendre votre passeport pour vous faire enregistrer à l'entrée du parc.

MasterCard plus généralement acceptée en Malaisie que les autres cartes de crédit.

SANTÉ

- ❑ Prenez des comprimés anti-malaria.
- ❑ Utilisez de la lotion et des serpentins anti-moustiques.
- ❑ Le soir, portez une chemise à manches longues et un pantalon.
- ❑ Emportez une petite trousse de secours avec une crème anti-bactérienne.
- ❑ Buvez de l'eau minérale uniquement.
- ❑ Vérifiez que vous êtes couvert par une bonne assurance médicale.
- ❑ Mettez vos vaccins à jour avec votre médecin un mois au moins avant votre départ.

NE PAS OUBLIER

- ❑ Blouson de randonnée imperméable.
- ❑ Veste ou chemise polaire.
- ❑ Passeport.
- ❑ Lotion anti-insectes.
- ❑ Maillot de bain si vous allez aux bains chauds de Poring.
- ❑ Piles de rechange et pellicules pour votre appareil photo.

BAINS CHAUDS

À 40 km du parc HQ, mais encore à l'intérieur du Gunung Kinabalu, vous trouverez à Poring un moyen bien agréable de vous décontracter les muscles après l'ascension du Kinabalu. Dans un ravissant jardin face à un pont suspendu sur la rivière, les bains chauds sulfureux se prennent dans de profonds bassins dallés. Trouvez-en un qui fonctionne, et vous pourrez y rester autant de temps que vous le souhaiterez. Restaurant, chambres et découverte de la canopée par une passerelle de cordes suspendue à 35 m de hauteur. Réservez un taxi ou minibus au parc HQ, ou à l'avance depuis KK.

22 Les tarsiers de Tangkoko

par Christopher Knowles

Frangé par une plage de sable noir sur la côte nord de Sulawesi, le parc national de Tangkoko abrite une faune exceptionnelle : l'adorable tarsier, petite peluche noctambule aux grands yeux rêveurs, le macaque brun et ses facéties enjouées, le tendre calao et autres habitants de la jungle m'ont laissé un souvenir enchanteur.

Manado, 150 km au nord de l'équateur. Une Jeep m'emmène au parc national de Tangkoko, où je vais partir en trekking à la découverte des tarsiers et des macaques bruns. J'ai un chauffeur, James, et, à mon grand soulagement, la climatisation : pour un étranger habitué aux climats tempérés, c'est un luxe plus appréciable que le meilleur des repas.

Normalement, le trajet direct pour Tangkoko, à 50 km à l'est de Manado, ne prend pas plus de trois heures, mais nous décidons de faire un détour par le sud en passant par Tomohon pour admirer les splendides paysages des hautes terres de Minahasa.

Au bout de 40 min environ, la ville de **Tomohon**, située à 25 km au sud de Manado, est en vue, au pied des volcans actifs qui surplombent Manado. Passer la nuit ici permet de partir le lendemain matin vers l'un des deux volcans les plus proches dont le plus haut s'élève à 1 585 m. En partant du Happy Flower Homestay, on peut marcher directement jusqu'au cratère du mont Lokon, situé non pas au sommet de la montagne comme on pourrait l'imaginer, mais dans une cuvette voisine, suite à une éruption très récente du Lokon.

Le chemin qui gravit les pentes du Lokon me rappelle curieusement un sentier de campagne occidental, malgré la présence de grands cocotiers. Peut-être est-ce l'air, qui est ici un peu plus frais, le parfum de cette terre volcanique fertile, où poussent des légumes fort peu tropicaux, tel des carottes et des choux-fleurs.

La chaleur, naturellement, reprend vite ses droits à mesure que la matinée avance, mais à cette altitude, on est loin de l'humidité suffocante qui règne sur la côte à Manado. Le chemin s'incurve en douceur au long des pentes, puis pénètre une zone forestière où les papillons tourbillonnent, tandis que les lézards sillonnent les taillis dans un perpétuel froissement de feuillages. Le sentier émerge à découvert, pour replonger dans une épaisse savane. Je dois me forcer un chemin à travers les

3 — Aucune difficulté majeure si vous êtes en bonne condition physique. La randonnée en jungle se fait presque entièrement sur du plat, et les sentiers sont dégagés. Mais la chaleur est oppressante, et les insectes très présents. Trajet éprouvant si vous arrivez par les transports publics.

★ Durant le trek en forêt, ne laissez pas un cm² de peau à découvert. C'est inconfortable par cette chaleur, mais les moustiques ne sont pas seuls en cause : une espèce de mite prospère dans l'humus et le bois pourri, et si vous la laissez vous attaquer la peau, il en résultera une démangeaison qui peut se prolonger pendant des mois. Hébergements pour tous les goûts à Manado, mais à Tangkoko il faudra vous contenter de gîtes spartiates, le Ranger Homestay (► 288) étant apparemment le mieux équipé. Jenli, chef ranger, est en train de construire son propre gîte. Apportez serviette et savon.

⚒ Prenez une quantité de lotion anti-moustiques, une torche, un appareil photo, des jumelles, des piles et des pellicules de rechange, des chaussures de marche, des chaussettes, et un poncho imperméable. Si vous pensez vous baigner, n'oubliez pas votre maillot de bain.

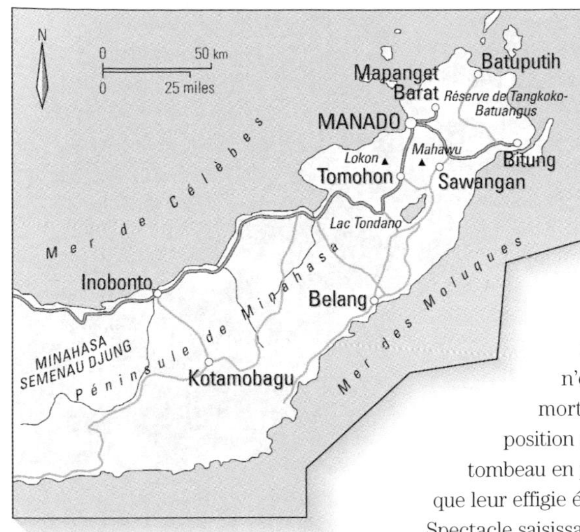

Région de Minahasa, pointe nord de Sulawesi.

herbes, avant d'atteindre soudain le sommet. Un sentier longe l'extrême bord de la caldeira fumante. Le soufre empuantit l'air, et la vapeur émet des sifflements irréguliers. À l'intérieur du cratère on apperçoit un petit lac vert, et des rochers éclaboussés de jaune sulfureux. Il serait possible d'en faire le tour par le chemin mais, avec cette brise instable, je risque de me retrouver enveloppé d'un nuage de gaz toxique.

Je n'ai d'ailleurs aucune raison de bouger : le cratère est bien assez terrifiant comme ça, sans compter qu'une éruption soudaine n'est pas totalement exclue. Quant à la vue, superbe, elle s'étend au nord vers Manado, la mer et les îles au large, notamment **Bunaken**, et au sud vers les autres volcans de **Minahasa** qui veillent comme des sentinelles sur la plaine en contrebas.

Religions d'hier et d'aujourd'hui

De Tomohon, il faut trois heures pour arriver au village de Batuputih et à la réserve nationale de Tangkoko, sur la côte au nord-est de Manado. Nous nous arrêtons en chemin pour visiter les tombes étranges de **Sawangan**. Avant l'arrivée des colons hollandais et du christianisme qui balaya toutes les religions antérieures, les indigènes de Sulawesi pratiquaient un culte funéraire animiste : ils n'enterraient pas leurs morts, mais les plaçaient en position assise à l'intérieur d'un tombeau en pierre, le *waruga*, tandis que leur effigie était sculptée à l'extérieur. Spectacle saisissant que ces rangées de huttes en pierre dans leur décor de jungle, entourées par les tombes plus récentes des colons hollandais et des indigènes convertis. Mais il s'agit en fait d'un regroupement artificiel, car les tombes se trouvaient à l'origine dispersées un peu partout dans le Minahasa, et ne furent transférées ici qu'après une épidémie de choléra survenue au début du XXe siècle, pour créer une sorte de musée en plein air. Mais on ne se sent pas dans un musée. Devant notre attitude recueillie, quelqu'un qui nous aurait croisés, James et moi, nous aurait sans doute pris pour des familiers venus rendre hommage à leurs lointains ancêtres.

La religion, aujourd'hui chrétienne, compte beaucoup pour les habitants de Sulawesi. Des églises majestueuses dominent leurs villages, toits pentus et façades blanches encore très marqués par le goût hollandais. Bien des agglomérations, malgré leur petite taille, comptent plusieurs églises, chacune dédiée à une congrégation différente.

Le contraste est étonnant entre le caractère paisible des églises et les méthodes de vente des commerçants locaux. C'est à qui produira le plus assourdissant vacarme ! D'énormes haut-parleurs extérieurs crachent leur sono aussi fort que possible pour attirer le client à l'intérieur – où il se trouvera probablement plus au calme que dehors, et suffisamment soulagé pour acheter n'importe quoi. En revanche le calme est presque palpable dans les plus petits villages, qui ne vivent que de l'agriculture. Le nord de Sulawesi produit une quantité importante de clous de girofle. Séchés au bord des routes sur des nattes en rotin, ils embaument l'air de leur parfum, qui pénètre jusqu'à l'intérieur de la voiture. Partout dans les villages, on croise une version hippomobile de la *jeepney* philippine : petites carrioles aux couleurs et chromes étincelants, tirées par des poneys, et qui véhiculent le plus souvent un couple de jeune femmes manifestement ravies de se montrer en si splendide équipage.

La route de Tangkoko

Le revêtement se dégrade de plus en plus. James ne paraît pas trop s'en inquiéter mais, en cas de forte pluie, la route doit devenir complètement impraticable. Nous avons d'ailleurs failli

À droite Les Waruga, *tombeaux sculptés conçus pour abriter le corps assis en position fœtale, cimetière de Sawangan.*
Ci-dessous *Marché de nuit à Manado.*

rester englués dans une fondrière sablonneuse mais, grâce à la pente, nous avons pu redescendre en marche arrière sans trop de peine, et repartir. Ce qui n'a pas empêché un bus local d'apparaître dans notre rétroviseur, bondé comme à l'accoutumée de passagers, de bagages et d'animaux en tout genre. Il nous colle un moment, jusqu'à ce que James se range pour le laisser passer : il s'empresse ensuite de disparaître en cahotant dans un nuage de fumée et de poussière.

La route n'est plus maintenant qu'une large piste qui serpente à travers une épaisse forêt de palmiers. De temps à autre nous passons devant des fermiers occupés à extraire l'huile de palme. Mais, hormis une pelleteuse mécanique abandonnée, peinture orange écaillée et vitres explosées, la végétation est reine. La mer surgit, éclair bleu entre les cimes des palmiers. "Dix minutes encore", m'annonce James avec un sourire. Et bientôt – il est 16 h – nous entrons dans le petit village de **Batuputih**, en lisière du **parc national de Tangkoko**.

Le Ranger Homestay, où nous avons choisi de séjourner (le seul gîte équipé de moustiquaires), se situe juste en face de l'entrée du parc. Les chambres sont d'une simplicité monacale : on y trouve une cuvette, une louche et un ventilateur minimaliste qui brasse vaguement l'air humide.

James est sorti chercher notre guide, Jenli, chef ranger originaire de la région. Pris de passion pour sa forêt, il a d'abord observé le travail effectué pour préserver la flore et la faune, avant d'en faire son métier. En 12 ans, il a eu le temps d'explorer le moindre sentier de forêt.

LE MONT MAHAWU

En prenant un bus local à Tomohon, vous pourrez vous rendre au mont Mahawu, randonnée plus facile que le trek au mont Lokon. Renseignez-vous sur place pour connaître le niveau d'activité du volcan, puis prenez un bus en direction de Rurukan. Dites au chauffeur "Gunung Mahawu" et il vous déposera, comme par magie, sur le chemin d'accès à la montagne.

Mais la vie n'est jamais simple, même dans un tel environnement. Il s'est retrouvé confronté à la concurrence des guides amateurs du village qui, à force de mensonges éhontés, sont parvenus à se faire une clientèle. Pour notre part, on nous avait raconté que Jenli s'était évanoui dans la nature, ivre mort. Par le passé, des clients qui avaient réservé ses services se sont même vu annoncer, à leur arrivée, que Jenli était tout bonnement mort et enterré.

DANS LA JUNGLE

Nous franchissons un pont en bois, d'une étroitesse invraisemblable, et après nous être fait enregistrer au bureau, pénétrons dans le parc. Deux kilomètres le long d'une piste forestière, et nous nous arrêtons pour descendre. Équipés de torches, protégés contre les moustiques par nos pantalons et nos chemises à manches longues, lotion copieusement appliquée sur toute portion de peau exposée, nous suivons un chemin qui s'enfonce dans les taillis.

Juste derrière les arbres sur notre gauche, le grondement des rouleaux résonne étrangement, mais la mer demeure invisible. L'air reste lourd et humide tandis que la lumière commence à faiblir, et les bruits de la nuit tropicale – bruissements, sifflements et hululements en tout genre – entament leur concert, répercuté dans le crépuscule. Des lianes pendent, largement assez grosses pour supporter les acrobaties d'un Tarzan local, et des voûtes d'osier s'inclinent au-dessus du chemin. Nous devons parfois baisser la tête pour passer sous d'énormes fougères, ou enjamber un tronc d'arbre abattu, mais le sentier n'offre guère de difficultés. D'énormes ficus nous surplombent, leurs socles grisâtres encerclés de racines grises plissées comme une robe à crinoline.

Nous marchons depuis une heure, quand Jenli s'approche d'un trou creusé dans un arbre, et regarde à l'intérieur. Satisfait, il hoche la tête. Il a trouvé un nid de tarsiers. Comme il ne fait pas encore complètement nuit, il propose d'attendre que les animaux sortent pour leur chasse nocturne.

La nuit tombe en quelques minutes. Jenli scrute attentivement les buissons alentour. Soudain il se penche en avant pour plonger le faisceau de sa lampe torche dans les yeux ronds et aveuglés d'un animal à peine plus gros qu'un rat. Sa longue queue reste immobile tandis qu'il fixe, hypnotisé, le rayon de lumière. Ses yeux disproportionnés, comme ceux de son célèbre cousin le lémur, lui donnent un air d'innocence enfantine.

J'ignore lequel est le plus fasciné, de cette charmante petite bête ou de nous, mais nous devons éteindre nos lampes et la laisser poursuivre sa chasse. Nous allons repartir, quand un craquement résonne dans les taillis, puis un cri : "Décidément, le monde est bien petit !" Et là, dans les ténèbres de la jungle, je découvre Mark et Clare, un couple de Sud-Africains que j'ai rencontré il y a quelques jours sur un site de plongée à l'île de Bunaken.

Nous avons atteint notre objectif pour cette nuit, et rentrons au gîte. Mark et Clare, qui n'ont pas de véhicule pour les reconduire dans ce noir de poix, profitent de notre voiture. Ils descendent à l'entrée du parc, et nous les regardons s'éloigner par un autre pont : le genre de construction classique de cordes et de planches, qui dans des films comme *Indiana Jones* se balance dangereusement au-dessus d'un gouffre vertigineux : ici, une rivière boueuse, 5 m en contrebas. Le pont oscille effectivement, et il lui manque plusieurs lattes. Jenli me murmure que plusieurs personnes sont déjà tombées la semaine dernière. Dans cette nuit opaque, les torches ne servent pas à grand-chose. Mais Mark et Clare atteignent la berge en face sans encombre, et nous nous saluons d'un : "À la prochaine !"

Calaos and co.

Nous reviendrons demain matin – à l'aurore, il va sans dire. En attendant, dîner de poissons et de fruits au gîte, pendant que James me conte l'histoire de sa vie. Il est entré au séminaire pour devenir prêtre, avant de réaliser, comme il dit, que sa vocation ne s'appuyait pas sur des motivations suffisamment solides. Au bout de quatre ans, il s'aperçut que les femmes l'intéressaient bien plus, et il a même envisagé d'être marin, pour vivre le fameux "une femme dans chaque port". Finalement, peut-être poussé par ses parents, il a étudié le tourisme à Jakarta, avant de revenir chercher du travail à Manado. Il est maintenant sur le point de se marier à une musulmane (au grand dam de sa famille), et d'embrasser une nouvelle vocation, le commerce du riz.

Après dîner, je suis allé faire un tour vers les autres habitations. Un petit groupe d'enfants jouent aux billes dans la poussière, sous l'œil de voisins bavards. Au-dessus de nos têtes, l'immense ciel de minuit, grand voile épinglé d'étoiles, scintille sous la caresse des grands cocotiers.

5 h le lendemain : debout, parés pour un trek de trois heures dans la forêt. Encore plongée dans l'obscurité, la forêt bourdonne comme une ruche. Nous entendons le babillement des tarsiers, mais aujourd'hui nous sommes à la recherche d'un gibier plus consistant. Au pied d'un ficus, Jenli me montre un creux dans le tronc : un nid de calaos. Pour les voir, il nous faut attendre le retour des parents, partis en chasse. Nous restons là silencieux à guetter le lever du jour et à écouter l'appel des perroquets, dans cette atmosphère lourde de terre humide. Avec les premiers rayons de soleil, un grand battement d'ailes retentit au-dessus de nos têtes, et un premier calao vient se percher sur les hautes branches d'un arbre voisin.

Nous le regardons lisser ses ailes, attendant patiemment le retour de son (ou sa) partenaire – lequel ne semble pas très pressé... Mais la patience est une vertu cardinale chez les observateurs de calaos. Enfin le voici : et chacun de se frotter, se bécoter, le tout avec une adresse et une douceur étonnantes, vu la taille de leurs énormes becs multicolores. Après quoi notre couple s'envole rapidement en direction du nid pour s'occuper de sa progéniture.

Les macaques bruns

Nous allons maintenant changer de point de mire, et scruter plutôt les branches basses, pour tenter d'apercevoir des macaques bruns. Cette espèce, particulière à Sulawesi, habite ses forêts en nombre considérable. Une villageoise a montré quelque chose à Jenli. Nous le suivons rapidement par un nouveau sentier, guidés par des bruits d'animaux. Nous nous retrouvons bientôt entourés par au moins trente clowns de toutes les tailles – une bande de macaques bruns. On aperçoit le grand chef, accroupi pour surveiller tout son petit monde ; un couple en train de copuler énergiquement et plusieurs jeunes singes qui se pourchassent de branche en branche, à quelques mètres à peine de l'endroit d'où nous les observons. Il sont parfaitement conscients de notre présence, mais nous ignorent superbement. Pas un seul ne s'approche pour quémander de la nourriture ou essayer de nous intimider. Apparemment, il n'ont aucune peur des humains, et en même temps – ce qui est encore mieux – les touristes et leur sentimentalité mal placée n'ont pas déteint sur eux. Peu à peu la petite

troupe s'enfonce plus profondément dans la forêt (chaque bande contrôle un territoire délimité) et nous les suivons un moment, sous le charme, avant de prendre le chemin du retour.

Nous passons devant un autre ficus géant, entièrement creux : à l'intérieur du tronc ses racines se tordent en immenses treilles. Un peu plus loin, James me demande de plonger ma lampe torche à l'intérieur d'un autre arbre, où je découvre une constellation de perles orange pendues dans la pénombre : des yeux de chauves-souris.

Le grondement des rouleaux retentit à nouveau, de plus en plus proche, et nous arrivons bientôt à une plage de sable volcanique noir. La jungle, avec ses arbres chargés de fruits, s'avance presque jusqu'au ras des flots. Nous longeons la plage jusqu'à une clairière où la voiture nous attend.

On peut certainement répéter ces randonnées dans la jungle, et faire chaque fois de nouvelles découvertes. On y trouve des pythons impressionnants – jusqu'à 12 m de long, paraît-il – et le babirusa, sorte de sanglier sauvage. On peut également y bivouaquer, mais ces treks ont déjà largement dépassé mes espérances.

Le voyage de retour à Manado s'avère moins pénible que prévu. Je pensais que nous aurions les pires difficultés à franchir certaines pentes, mais James s'en est tiré avec brio. Nous avons avec nous un couple d'Anglais, et un Néo-Zélandais, Mike, muni d'une jambe artificielle. Voyageur impénitent, il a été victime d'un accident lors d'un séjour en Crète. Mais il manifeste en toutes circonstances une humeur joyeuse et une détermination que rien ne semble pouvoir entamer. Les petits désagréments de mon séjour à Tangkoko, par ailleurs ensorcelant, me paraissent bien dérisoires en comparaison des obstacles qu'il doit surmonter.

TANGKOKO OU BATUPUTIH ?

Une confusion règne parfois entre les appellations Tangkoko et Batuputih. Tangkoko est le nom donné à la région du parc et à la montagne (l'essentiel de la réserve couvre ses pentes). Batuputih, qui se trouve 40 km au nord-est de Manado, ne désigne en fait que le village situé au bout de la route de Bitung. Faites attention : les bus qui relient les deux utilisent ce nom.

Ci-dessus *Arrivage de bananes à Manado.*
À droite *Longue plage de sable volcanique frangée de cocotiers, en bordure de la jungle.*

PARTIR EN SOLO

Quand partir

La température ne change guère, mais août et septembre sont plus secs, et la période de décembre à février plus humide. Mousson imprévisible, mieux vaut se renseigner sur place, car la route de Tangkoko risque fort d'être impraticable après de fortes pluies.

Se déplacer

Le plus simple pour arriver à Tangkoko, c'est de passer par le port de Manado, à trois heures de route sur la côte ouest. Vous y trouverez facilement une voiture et un chauffeur pour vous conduire à Tomohon, puis à Tangkoko.

Par avion Vols quotidiens pour Manado au départ de Jakarta, sur Garuda, compagnie nationale indonésienne (durée du vol : 1 h 30). Vols quotidiens également de toutes les grandes villes d'Indonésie.

Quelques vols internationaux desservent Manado. Silk Air, le transporteur régional de Singapour Airlines, opère au moins deux fois par semaine entre Singapour et Manado. Bouraq relie une fois par semaine Manado à Davao, sur l'île de Mindanao, Philippines. Chez Garuda, il est question de mettre en service une liaison avec le Japon.

En bus On peut rejoindre Tangkoko en bus au départ de Manado. Prenez un bus pour Bitung au terminus de Paal II, et changez à Girian.

En bateau Tangkoko est également accessible par bateau. Le principal port de Manado n'est qu'à deux heures de route de la ville. Pelni (compagnie maritime d'État) opère la liaison tous les quinze jours entre Bitung et divers ports de Sulawesi, et jusqu'à Jakarta et Surabaya. Service hebdomadaire, le mardi en principe, de Bitung à Davao, Philippines (durée 35 heures). Divers services pour Balikpatan, Kalimantan (Bornéo indonésien). Si vous arrivez en bateau, prenez un bus jusqu'à Tangkoko. Service navigation intermittent entre Bitung et Batuputih, mais aucune information claire sur le sujet.

S'organiser

Tous les visiteurs qui pénètrent dans le parc doivent prendre un guide local et se faire enregistrer à l'entrée. Essayez d'embaucher l'un des rangers officiels – ce sont les mieux informés et ils font de réels efforts pour lutter contre la contrebande d'animaux sauvages.

Santé

- ❑ Prenez des comprimés anti-malaria.
- ❑ Utilisez de la lotion et des serpentins anti-moustiques.
- ❑ Manches longues et pantalon le soir.
- ❑ Buvez de l'eau minérale uniquement.
- ❑ Souscrivez une bonne assurance médicale avant votre départ.
- ❑ Au moins un mois avant votre départ, consultez votre médecin sur les vaccins nécessaires.

Ne pas oublier

- ❑ Maillot de bain.
- ❑ Chaussures de randonnée et chaussettes.
- ❑ Vêtements légers qui recouvrent tout le corps (ou au moins les jambes).
- ❑ Lotion anti-moustiques.
- ❑ Blouson ou poncho imperméable.
- ❑ Lampe torche et piles de rechange.
- ❑ Jumelles.
- ❑ Gourde.

23 Les coraux de Manado

par Christopher Knowles

Un anneau magique encercle la petite île de Bunaken, au large de Manado : ce tombant, l'un des plus beaux récifs de plongée en Asie, déploie jour après jour les pages féeriques de son livre de corail.

Port de la mer des Célèbes, tout près de l'équateur, **Manado** se perche sur l'extrême pointe nord d'une île fantastiquement découpée, à l'ouest de Bornéo et au sud des Philippines : Sulawesi. Ville importante, riche de 200 000 habitants, Manado est le passage obligé de tous ceux qui viennent visiter la région de Minahasa.

Toute la ville respire un air de prospérité languide. Parsemé de navires en état de décrépitude, le port présente un aspect de semi-abandon, comme si rien n'avait bougé depuis cent ans. En face, plusieurs îles se découpent, notamment **Manadotua**, avec son volcan parfaitement dessiné et recouvert d'une végétation aussi dense que de la mousse. Grande première en Asie, le cœlacanthe (➤ 228), poisson préhistorique découvert en 1938 au large de la côte est de l'Afrique du Sud, a été pêché en 1997 dans les eaux qui baignent ses plages volcaniques. Tout près de Manadotua, une île sans relief s'allonge, son échine hérissée d'une forêt : **Bunaken**, dont les côtes plongent sur un tombant de 180 m, l'un des plus beaux récifs coralliens d'Asie.

Bunaken, tout comme Manadotua et trois autres îles à proximité, fait partie d'un parc océanique de 75 000 ha, magnifique réserve de fonds marins encore pratiquement vierge de toute pollution, industrielle ou touristique. Du moins pour l'instant. Déjà quelques opérateurs peu scrupuleux endommagent les coraux avec les ancres de leurs bateaux – une bonne raison pour les éviter, sans compter que leur matériel n'est probablement pas des plus fiables.

De Manado à Bunaken

Si vous ne séjournez pas dans l'un des hôtels luxeux de Manado, vous trouverez les meilleures informations à l'hôtel Mini Cakalele (➤ 288), guest house bon marché pour routards, près de la zone portuaire. L'auberge propose des forfaits de plongée, et des croisières à Bunaken. La navigation prend environ 40 min, en outrigger motorisé. Le trajet est quelque peu mouvementé, dans la houle et le vent du large, mais à ce moment précis vous ne verrez plus que le vieux temple chinois qui domine la ville basse et, dans le lointain, les montagnes de Minahasa.

J'ai embarqué avec un couple de

Si vous n'avez pas encore votre brevet de plongeur, vous pouvez passer le stage Padi à Bunaken. Les conditions de plongée sont excellentes, mais attention au courant sur le tombant corallien. L'encadrement est exceptionnel avec Froggies Divers (➤ 288). On peut organiser ses croisières de plongée sur place, mais mieux vaut réserver à l'avance, surtout si sous voulez séjourner sur Bunaken.

★★ Gamme très vaste d'hébergement à Manado. Sur Bunaken vous avez le choix entre plusieurs gîtes.La construction de petits cottages est prévue, vous y trouverez un meilleur niveau de confort que les aménagements d'un gîte, propres mais très spartiates.

Tout le matériel de plongée est en location sur place. Outre la lotion anti-moustiques, la crème solaire et un bob, pensez à emporter une petite réserve de vinaigre. Il adoucit les effets du corail de feu, difficile à éviter dans le secteur.

Hollandais qui ont déjà passé plusieurs jours sur l'île, et un Allemand plutôt décontracté, Detlief, qui se rend à Bunaken pour apprendre la plongée. L'étrave pointe vers le village, à l'extrémité de l'île où se trouve son église blanche, pain de sucre glacé étincelant au soleil. Puis le bateau vire serré pour prendre l'entrée du récif corallien, et venir s'immobiliser à quelques mètres de la plage. Tenant nos bagages à bout de bras, nous pataugeons dans les racines de mangrove. Des dizaines de petits crabes s'égaillent dans toutes les directions, pour s'évanouir soudainement dans le sable mouillé. La plage se déploie en une longue courbe basse qui borde la forêt. Une brise infime vient à peine chatouiller les feuillages denses.

À la Robinson

Papa Boa's Homestay : c'est ici que nous logerons, sur la plage. On y trouve un réfectoire couvert, point de rencontre de cette partie de l'île, et autour, quelques huttes de chaume sur pilotis. À l'intérieur, lits, moustiquaires et salle d'eau réduite au strict minimum – un tonneau rempli d'eau et une louche. Les installations sont rudimentaires, mais propres, pratiques et plutôt bien intégrées à l'environnement.

Detlief et moi restons assis à bavarder en attendant Christiane, qui est à la tête de Froggies Divers (► 288), l'un des principaux opérateurs de plongée de Manado. Elle débarque à 16 h pour décharger tout son matériel au gîte : le QG de Froggie Divers se situe un peu plus loin sur la plage, à quelques minutes de bateau. Christiane, cigarette au bec, jette un coup d'œil sur mon carnet de plongée et, prompte à juger mes compétences (plutôt limitées), m'annonce que je ferai équipe avec un dénommé Angus. Ce n'est pas un Écossais, comme je le pensais au départ, mais en fait un jeune Danois du nom d'Anders, qui se prépare au brevet de moniteur de plongée.

D'autres participants nous rejoignent bientôt à table : nationalités, âges et milieux sociaux les plus divers sont agréablement mêlés. Tous sont animés par une seule motivation, la plongée, et le mode de vie qui l'accompagne. Sorin est américain, mais d'origine scandinave – il vient de plaquer son job de chasseur de têtes à Singapour ; Mark et Clare, Sud-Africains qui travaillaient à Londres, prennent des vacances prolongées en Asie et en Australie avant de rentrer au pays. De mon point de vue, ces deux-là appartiennent à la catégorie des plongeurs fous, capables de tout et de n'importe quoi pour le fun. Mark me raconte une plongée au large de la côte sud-africaine, durant laquelle il est allé explorer une grotte sous-marine, et s'est retrouvé, à la sortie, nez à nez avec un énorme requin...

Il y a également plusieurs plongeurs hollandais, un Anglais qui a passé plusieurs années à Taïwan, et une famille allemande, comportant deux petits enfants, qui habite Singapour. Le dîner est romantiquement éclairé à la lampe tempête car l'électricité n'est délivrée que par un générateur capricieux. Le barracuda est au menu. Quel spectacle ! sa gueule ouverte révèle une rangée de dents acérées. Les écailles bleues grillées reflètent l'indigo profond de la nuit.

RÉBELLION

Manado peut paraître tranquille aujourd'hui mais, en 1958, ce fut une tout autre histoire. Les habitants du nord de Sulawesi ont toujours été plus proches des colons hollandais que les autres Indonésiens, héritage qui les poussa sans doute à se joindre aux habitants de Sumatra dans une vaste rébellion armée contre le président Sukarno. Leur échec fut suivi par des représailles sévères : l'aviation indonésienne bombarda Manado en février 1958, et la ville fut reprise en juin.

À gauche *Palmes, tuba et mer d'émeraude, Manado.*
Ci-dessous *Pêche miraculeuse.*

Ci-dessus *Guest house et restaurant, entre palmes et sable à Bunaken.*

LE CŒLACANTHE, NOTRE ANCÊTRE ?

Difficile de croire, en observant un poisson, qu'il s'agisse de notre ancêtre – même lointain. Les nageoires des poissons, le plus souvent, sont reliées aux os comme des rayons flexibles, mais chez certaines espèces rares, et notamment le cœlacanthe, découvert pour la première fois en Asie au large de Manado en 1997, chaque nageoire possède une structure osseuse interne qui ressemble à une main primitive. Ces poissons n'avaient rien d'exceptionnel durant l'ère du dévonien, voici 400 millions d'années, et il se pourrait bien que les premiers vertébrés terrestres leur soient apparentés. On pense qu'ils ont pu ramper hors de l'eau avec leurs nageoires, et s'adapter peu à peu à leur nouvel environnement, pour finir par développer des poumons et ressembler à des tritons. Des tritons naquirent les reptiles, puis les oiseaux et les mammifères. Le cœlacanthe, qui atteint 1,60 m est le plus proche parent vivant des premiers vertébrés terrestres, et il ressemble de très près à certains fossiles datant de 140 millions d'années.

TRAÎTRE COURANT

Le lendemain matin, le petit déjeuner – fruits, pain et confiture, thé et café – est accompagné du chant d'un coq particulièrement en forme. La flottille de Froggie Divers arrive sur les lieux, chaque bateau est chargé de ses bouteilles et de tout le matériel nécessaire. Anders et moi partons avec Karl-Heinz et Rocky, moniteur de plongée originaire de la région.

Le récif corallien de Bunaken s'étend sur plusieurs centaines de mètres au large. Le bateau nous conduit rapidement en lisière et jette l'ancre. Les combinaisons sont enfilées, le matériel vérifié, et hop, mise à l'eau ! Les premières secondes d'une plongée déroutent toujours un peu, avec toutes ces bulles qui explosent autour de la tête et le son de votre propre souffle amplifié par le masque. Petite danse en surface, en attendant que tout le monde soit prêt, puis le signal est donné, le stabilisateur purgé, et vous commencez à descendre dans le grand bleu, sans oublier de compenser en vous pinçant les narines et en soufflant doucement jusqu'à ce que les tympans claquent. En même temps il faut essayer d'inspirer aussi régulièrement que possible, et de maîtriser son expiration, un peu comme un moteur au ralenti.

Vos yeux s'accoutument bientôt à leur nouvel environnement et les formes se précisent – des flèches de couleur, des formes plus lointaines, à peine visibles, et enfin le magnifique jardin de corail qui se déploie sur le tombant du récif.

Je m'aperçois vite qu'Anders est un binôme modèle : toujours à mon côté, il me maintient à la verticale par le bras, et reste prêt à intervenir, en deux coups de palmes, au moindre problème. Je dois dire que son aide m'est précieuse, car le courant se manifeste avec une force stupéfiante, accélérant sans crier gare pour nous balayer comme des fétus de paille, à la limite de tout contrôle. Il nous faut donc l'apprivoiser et l'utiliser à notre avantage. Comme Anders bien sûr ne peut pas me parler, il fait de son mieux pour me montrer par gestes comment s'y prendre, tandis que le mur de corail défile devant nous en un mouvement accéléré. À peine si je peux distinguer quelque chose, sauf à ancrer mon doigt de temps à autre dans la roche, pour observer un peu le détail des coraux.

PETITS ET GRANDS

L'un des aspects les plus intéressants de la plongée à Bunaken, c'est la vie des animaux miniatures, tel les nudibranches iridescents (sortes de limaces marines) qui vivent dans les interstices des coraux, ou les éponges rouge et orange, les anémones, les coraux fouets, les danseuses espagnoles, les éponges tubulaires et les vers arbres de Noël. Nous apercevons également d'innombrables pastenagues à taches bleues, un mince poisson-trompette, et un énorme poisson-globe. Les fonds marins de Bunaken, d'une richesse exceptionnelle, abritent également des raies manta, des barracudas, des mérous, des poissons-archers, des poissons-clowns et des poissons-perroquets aux couleurs éclatantes, des napoléons énormes et des requins-corail inoffensifs, l'éblouissante et rare murène-ruban, sans compter les tortues et les dauphins.

Je suis parvenu à économiser mes réserves et à rester au fond pendant plus d'une heure, ma meilleure performance à ce jour, et de loin. Mais les autres sont bien plus expérimentés que moi, et nous devons les attendre une demi-heure encore avant de regagner le QG de Froggie Divers pour prendre notre déjeuner. Ici également, la simplicité est de mise, avec une grande aire ouverte pour le restaurant, une hutte pour stocker le matériel, et une sorte de bungalow pour l'hébergement.

LE MALÉO CHAUVE

Si vous rencontrez un oiseau au plumage noir et blanc de la taille d'une poule, alors vous venez de faire connaissance avec le maléo, qui ne se trouve qu'à Sulawesi. On ignore la raison de sa calvitie. Selon certains, elle empêcherait son cerveau de surchauffer quand il fouille le sable des plages. Le maléo est l'un des très rares oiseaux à ne pas couver ses œufs par la chaleur de son corps. Il utilise la chaleur du sable, d'une terre volcanique, ou la proximité d'une source thermale – nombreuses à Sulawesi. Il creuse des trous dans le sable ou la terre pour y enterrer ses œufs. Après l'incubation, l'oisillon se fore un passage pendant plusieurs jours avant d'émerger à l'air libre.

Mais partout l'ordre et la propreté sont de règle, reflétant la manière dont Christiane conçoit son travail. Après nous être rassasiés de poisson-dauphin, nous passons un moment à étudier livres et photos sur les poissons de la région, ce qui permet à nos corps de récupérer. On dispose de tables qui déterminent le temps de repos nécessaire entre chaque plongée. Les calculs prennent en compte la profondeur atteinte durant la première plongée, puis les suivantes, et le temps passé à chaque palier. La précision est d'une importance vitale en ce domaine, car les problèmes de décompression peuvent occasionner des lésions graves.

DÉRIVE DANS LE COURANT

Retour sur le mur de corail : le courant a perdu un peu de force, mais demeure encore assez puissant pour réclamer toute notre vigilance. Cette fois du moins, je me sens mieux armé pour en négocier les effets. Anders m'a prévenu qu'il ne restera pas autant avec moi que ce matin et m'a montré les méthodes à appliquer.

Tout me paraît plus facile maintenant, malgré le flux qui me balaye. Emporté comme dans un rêve, je me laisse dériver, suivant le déroulement féerique de ce long parchemin multicolore. De temps à autre, je perds de nouveau le contrôle, me fais piquer par des coraux de feu ou m'érafle sur la roche, mais dans l'ensemble j'évolue avec bien plus de souplesse.

J'apprends à ne pas réagir aux difficultés en déployant mes bras pour retrouver mon équilibre : c'est une dépense d'énergie supplémentaire. La plongée, finalement, n'a rien de naturel pour l'être humain. Il est normal après tout que l'instinct vous dicte le même comportement que sur la terre ferme – exactement l'opposé de ce qu'il faut faire sous l'eau. À Bunaken j'ai réalisé combien le brevet de haute mer ne sert que d'introduction à un apprentissage bien plus long.

Ci-dessous *Incendie au couchant à Manado.*
À gauche et à droite *Le tombant corallien de Bunaken abrite un véritable parc floral sous-marin, trésor inestimable mais fragile, que tout plongeur apprend d'abord à respecter.*

Soirée animée

Ce soir, c'est la fête au QG de Froggie Divers, en l'honneur de deux membres de l'équipe de plongée qui viennent de se marier. Durant la traversée, nous observons avec attention le plancton phosphorescent qui scintille merveilleusement dans notre sillage.

Au programme de ce soir, vin de palme et petit orchestre.

Le concert démarre bien sagement : le son des guitares, une basse improvisée avec une vieille caisse à thé, une bouteille et une cuiller accompagnent quelques chants polynésiens. Mais à mesure que la boisson coule à flots, les interprétations des musiciens se font plus chaotiques, quoique toujours bien rythmées. Seul accroc, lorsqu'un villageois local, un peu éméché, insiste pour prendre en charge la partie de basse. Et le voilà parti à pincer les cordes avec une frénésie furieuse, persuadé de jouer en accord et sur le bon tempo. Les autres continuent comme si de rien n'était, avec une nonchalance qui me fait sourire. Quelle tolérance ! Un peu plus tard, tout le monde est convié à danser le *pato-pato*, chorégraphie plutôt compliquée et un peu confuse, censée raconter l'histoire du lever du soleil.

Pendant ce temps Christiane, 60 ans et pas une once de graisse, évoque les bons et mauvais côtés de sa vie en Indonésie. Pour résumer, accéder à un mode d'existence normal, sans même parler de réussite matérielle, demande une lutte de tous les instants si vous êtes étranger. Toutes les institutions sont contre vous, et pourtant, insiste Christiane avec force, la seule manière de s'en sortir, c'est de marcher avec le système. Grâce à une très forte détermination et à un altruisme inné, Christiane a finalement réussi à gagner l'estime de ses collègues indonésiens.

Envers et contre tous, elle est parvenue à bâtir une agence réputée, en mettant l'accent sur la sécurité et la préservation du récif. L'avenir semble d'ailleurs lui donner raison : une nouvelle base est en prévision, sur la plage voisine de Papa Boa, avec, en outre, une paire de bungalows en location qui offriront un hébergement plus confortable pour ceux qui le souhaitent.

Minuit passé. Les musiciens, toujours pleins d'énergie, nous raccompagnent, et nous embarquons sous le ciel équatorial illuminé d'étoiles. On a beau apprécier les merveilles du monde sous-marin et la féerie de la plongée, les mystères du cosmos n'en perdent pas leur éclat pour autant.

LA PLONGÉE SUR TOMBANT

La plongée sur tombant demande une technique particulière. Le principe de base est de rester près du mur – exactement l'inverse de la tendance naturelle à se tenir à distance, de peur d'entrer en contact avec le récif. Mais en fait votre corps, en prenant la posture adéquate, va simplement suivre le courant à quelques centimètres du mur. Si au contraire vous vous éloignez trop, vous risquez d'être emporté au large. La meilleure position est la plus hydrodynamique, celle qui vous permettra de conserver votre équilibre : bras croisés sur la poitrine et genoux légèrement repliés, comme une momie égyptienne.

EXCURSION AU LAC TONDANO

Si vous avez le temps, faites un tour du côté du lac Tondano, 40 km au sud-ouest de Manado. Il faut environ deux heures pour en faire le tour en voiture (15 km du nord au sud). Grâce à son altitude – le lac est à 600 m au-dessus du niveau de la mer – le climat y est bien plus agréable que sur la côte. Les villages qui parsèment ses rives, avec leurs majestueuses églises, ne manquent pas de caractère, on n'y retrouve pas les stigmates de la misère comme trop souvent ailleurs dans la région. Quant au paysage, malgré son cachet indéniablement tropical, il rappelle parfois la beauté sereine des lacs italiens. La pêche du lac agrémente un peu partout les menus des restaurants.

PARTIR EN SOLO

QUAND PARTIR

Les températures varient peu en cours d'année. Pluies de mousson imprévisibles, mais août et septembre plus secs dans l'ensemble, contrairement à décembre-février.

SE DÉPLACER

Par avion Un seul accès à l'île de Bunaken : via Manado, port situé à l'extrémité nord de Sulawesi. Pour se rendre à Manado, le plus simple est de prendre l'avion. Vols quotidiens au départ de Jakarta sur Garuda (1 h 30). Vols quotidiens au départ des grandes villes indonésiennes, notamment Ujung Pandang (sud de Sulawesi), Ambon, Denpasar, Gorontalo, Palu et Ternate, soit sur Garuda, soit sur Bouraq ou Merpati. Liaisons aériennes également pour Biak, Jayapura, Poso, Luwuk et Sorong.

Quelques vols internationaux rallient Manado. Silk Air, succursale de Singapore Airlines, effectue la liaison avec Singapour deux fois par semaine. Bouraq assure un vol hebdomadaire pour Davao, port philippin de l'île de Mindanao.

En bus La gare routière de Manado, Malalayeng, se trouve très à l'extérieur de la ville, environ à 30 min en *bemo* (minibus ou *jeepney* locale). Vous pourrez ensuite prendre des bus pour Gorontalo (250 km), et pousser plus au sud ou au centre de Sulawesi.

Par bateau On peut également arriver à Manado par bateau. Bitung, principal port de Manado, se trouve à 55 km sur la côte ouest de la péninsule. Pelni (compagnie maritime d'État) fait le cabotage entre Bitung et divers ports de Sulawesi, jusqu'à Jakarta et Surabaya (départ tous les 15 jours). Service hebdomadaire (généralement le mardi, comptez 35 heures de traversée) pour Davao, Philippines, et divers services pour Balikpapan au Kalimantan (Bornéo indonésien). Départs de la ville de Manado, et de Singkil (1,5 km au nord), pour divers ports de Sulawesi, pour Ambon et pour les îles Talaud. Les styles de bateaux diffèrent, mais offrent généralement cinq classes de cabines, dont une classe économique. Échantillon de prix : sur Pelni, la première classe coûte environ 380 $ de Jakarta à Bitung (quatre jours de navigation).

DE BUNAKEN À MANADO

La navigation de Manado à Bunaken prend environ 40 min. Si vous pensez séjourner sur l'île, faites vos réservations à l'avance de Manado — le Smiling Hostel vous arrangera cela au mieux, et l'acheminement en bateau du même coup. Sinon, vous avez un service quotidien pour le village de Bunaken, mais pas pratique si vous séjournez plus loin sur la côte.

PLONGÉE

Froggies Divers (► 288) est basé sur Bunaken. D'autres opérateurs, Barracuda (► 288) en particulier, proposent des forfaits plongée sur Bunaken. Ni l'un ni l'autre ne sont les moins chers dans le secteur, mais rappelez-vous que la plongée économique n'est pas toujours synonyme de qualité, ni surtout, de sécurité.

SANTÉ

- ❑ Prenez des comprimés anti-malaria.
- ❑ Utilisez de la lotion et des serpentins anti-moustiques.
- ❑ Manches longues et pantalon le soir.
- ❑ Emportez une petite trousse de secours.
- ❑ Buvez de l'eau minérale uniquement.
- ❑ Souscrivez une bonne assurance médicale avant votre départ.
- ❑ Au moins un mois avant votre départ, consultez votre médecin sur les vaccins nécessaires.

LES INDISPENSABLES

Si vous séjournez sur Bunaken, emportez vos affaires de toilette, notamment savon et serviettes, et une lampe torche (avec piles de rechange) très utile quand l'électricité tombe en rade, ce qui arrive souvent. Il existe un petit magasin sur la plage, mais vous risquez de ne pas trouver ce qui précisément vous manque, par exemple certain type de batterie. Par ailleurs, pensez à emporter vos carnets de plongée, brevets, maillots de bain (surtout !), bob, crème solaire, tongs ou équivalent.

PHILIPPINES

Cet immense chapelet d'îles, petites et grandes, qui s'étend de la latitude de Hongkong au nord jusqu'à effleurer Bornéo au sud, reçoit curieusement peu de visiteurs. Les amateurs d'aventure ne s'en plaindront pas : ils trouveront aux Philippines de vastes zones où une nature presque originelle rivalise avec l'hospitalité souriante des habitants, ce qui contribue au charme de ce pays terriblement attachant. Mais il faut d'abord quitter Manille, monstre urbanisé où de saisissants contrastes s'affrontent, de l'extrême richesse à la plus affligeante pauvreté. Partout ailleurs on découvrira une culture vivante, mélange d'héritage colonial espagnol, de modernité à l'américaine, et surtout de traditions ancestrales encore solidement ancrées, dans un cadre tantôt grandiose, tantôt idyllique, et le plus souvent habité par une sérénité, une lumière et une poésie dont les violences d'un climat capricieux rehaussent encore l'éclat.

Symphonie tropicale, lac Sebu, Mindanao.

24 À La rencontre des T'boli

par Christopher Knowles

J'ai découvert le lac Sebu, au sud de l'île de Mindanao, dans un décor paisible de collines, de palmiers et de rizières, agrémenté d'une somptueuse cascade et de cours d'eau argentés où s'affairent les pêcheurs. Ajoutez-y le sourire sincère des T'boli, et vous aurez une idée, peut-être, de ce que fut le paradis terrestre.

Malgré l'heure matinale, la salle d'attente de l'aéroport de **Manille** est bondée. Soudain, tous les gens assis autour de moi se relèvent, et se mettent à parler très fort. À ma grande surprise, ils entonnent la prière du Seigneur, répondant aux invocations du prêtre agenouillé en habits sacerdotaux, au fond de la salle. Peut-être cette messe improvisée va-t-elle sauver la compagnie nationale qui vient de faire faillite la semaine dernière !

Peu de touristes se rendent à **General Santos** (1 150 km de Manille), ville située à l'extrémité sud de **l'île de Mindanao** et qui doit son nom à un héros de la révolution. Je prend un avion à moitié vide, qui propose une forme assez unique, à ma connaissance, de distraction en vol : à la place du film traditionnel, des cameras vidéo, placées dans le fuselage de l'avion, retransmettent en direct les images du voyage aux passagers. Une fois dans les nuages, le scénario devient plus flou, mais décollage et atterrissage n'ont rien à envier aux pires films-catastrophe.

1 Le voyage au lac Sebu n'offre pas de difficultés réelles (à moins de prendre les transports en commun), et une fois sur place vous pourrez vous promener à loisir. La randonnée en jungle ne dure pas longtemps mais la chaleur et le terrain peuvent fatiguer.

Grand choix d'hébergement à General Santos. Gamme plus limitée au lac Sebu, mais vous trouverez au moins un hôtel d'un niveau de confort décent. Dans un proche avenir, il sera possible de séjourner dans une famille T'boli. Le climat du lac Sebu est plus supportable que celui de la plaine, mais reste chaud – et imprévisible.

Prévoyez quelque chose pour la pluie, un maillot de bain, et pour la randonnée en jungle, de bonnes chaussures anti-dérapantes. La lotion anti-moustiques est toujours utile, sans parler des autres insectes, parfois très désagréables : pantalon et chaussettes sont conseillés.

À l'aéroport de General Santos, je suis accueilli par Boy Santiago (► 289), qui s'occupe, entre autres, d'un restaurant et d'une salle de bowling – mode de vie bien en accord avec l'atmosphère de Far West qui règne dans cette ville assez récente, dominée par un volcan de 2 000 m. Dans un pays comme les Philippines, où incertitude et quotidien ne font qu'un, mieux vaut avoir plus d'une corde à son arc.

Le port de General Santos s'est spécialisé dans la pêche au thon pour le marché japonais. Truffée de banques et de restaurants, la ville respire un air prospère en parfait contraste avec la crise économique qui frappe la région.

Arrivée chez les T'boli

Après avoir goûté le sashimi du restaurant japonais local, Boy et moi partons en Jeep pour le lac Sebu, situé 50 km à l'est de General Santos. Une route interminable et très fréquentée nous conduit à travers la plaine qui s'étale au pied du volcan, passant une série de bourgades embouteillées par les cyclo-pousse et les *jeepneys*. Toutes ces Jeep converties en bus, peintes de couleurs criardes et parées de chromes étincelants, circulent hérissées de têtes, de bras, de jambes et de bagages en tout genre. À l'extérieur des villes, champs d'asperges et d'ananas, friands de terre volcanique, se marient aux bananeraies et aux bosquets de cocotiers.

Surprenante histoire d'amour chez les Philippins que celle qu'ils entretiennent avec la religion (et avec les armes). Dans chaque petite ville, la moindre congrégation chrétienne a son église, sa chapelle ou une salle de réunion, sans compter les innombrables pompes funèbres, commerce sans doute florissant quand on voit les restaurants afficher en vitrine : "Vente d'armes", à côté du menu du jour.

Nous nous sommes arrêtés à une échoppe pour acheter quelques fruits, avant d'emprunter une piste défoncée, gravissant des pentes verdoyantes, semées de rizières émeraude, en direction du lac Sebu. Des huttes de paille et de bambou, perchées sur pilotis, se font plus fréquentes, tandis qu'en arrière, par-delà les forêts, la plaine s'étend jusqu'à la mer scintillante.

Un panneau nous souhaite la bienvenue dans le territoire des T'boli, et nous découvrons bientôt un petit lac en contrebas, sillonné de filets de pêche. Un peu plus loin, à quelque 300 m d'altitude, le **lac Sebu** surgit, encerclé de hautes collines, de forêts de bambou et de champs en terrasses. Pendant quelques minutes, le spectacle de ce paysage d'une tranquillité sereine, d'une beauté irréelle, me fait croire que j'ai découvert une sorte de paradis caché.

TERRES ANCESTRALES

Nous bifurquons sur une nouvelle piste de terre, suivant le panneau qui indique Punta Isla Resort(► 289), hôtel perché sur un promontoire, surplombant le lac aux eaux de jade grisé, au milieu duquel une île frangée de palmiers. Tout au long des rives se trouvent des maisons T'boli sur pilotis. Des pirogues glissent çà et là, des pêcheurs sont occupés à tendre ou

SUR LE QUAI

On ne se lasse pas de regarder les pêcheurs débarquer leurs prises sur le port. Les embarcations multicolores et leurs balanciers se disputent la place, et viennent s'amarrer devant un grand hangar ouvert où les mareyeurs ont leurs balances. Le poisson, surtout du thon, une fois remonté des cales, est balancé dans l'eau croupie du port. Des assistants (parfois de très jeunes) plongent pour ramener le poisson, gueule dégoulinante de sang, sur leurs épaules, et ils gravissent les marches en vacillant pour le faire peser. On aligne alors les poissons sur un étal pour les inspecter. Un tube est fiché dans leur chair, puis reniflé et étudié par les mandataires des gros acheteurs. Les couleurs, la fièvre et la chaleur, la mer et les palmiers métamorphosent cette scène gore en spectacle fascinant.

relever leurs filets, et un petit vapeur fait le tour du lac. Où que vous alliez, l'ancien et le moderne s'entrecroisent. À l'hôtel, les chambres ont des baldaquins de bambou et des couvre-lits rouges brodés, mais elles bénéficient du confort moderne. À quelques enjambées de là, on entre dans le monde de paille et de bambou des T'boli.

À quelques centaines de mètres, au second étage de sa maison sur pilotis, une femme est en train de tisser, semblant imperméable à l'ennui. Invité à entrer, j'enlève mes chaussures, et je la trouve assise devant un métier de fabrication artisanale, les pieds posés sur une sorte de pédale qui maintient la chaîne tendue. Le motif qu'elle tisse paraissant issu de rêves nourris au bétel, et les couleurs, noir et rouge, proviennent de teintures extraites de fibres d'écorce et de feuilles. Ce rouleau de 10 m l'occupera plusieurs semaines. Les villageois en utiliseront une partie, mais l'essentiel sera vendu à General Santos. Autour d'elle, un panier de noix

Ci-dessus *Maison traditionnelle T'boli en paille et bambou, sur pilotis.*
Ci-dessous *On trouve même des maisons traditionnelles aux abords du complexe hôtelier moderne de Punta Isla.*
À droite *Scène de pêche aux abords du lac Sebu.*

de bétel, des gongs, instruments très répandus dans ces familles, et le bonnet traditionnel, que j'ai d'abord pris pour un abat-jour ! Un peu plus loin, j'observe avec joie, dans son atelier en sous-sol, un fondeur de cuivre en plein travail. C'est l'un des quatre fabricants de cloches connus dans la région. Cette tradition s'est transmise de génération en génération, depuis les premiers contacts des tribus des hautes terres avec les musulmans des côtes, voici plusieurs siècles.

En dehors de quelques rares villages, les T'boli privilégient traditionnellement l'habitat dispersé. Leurs maisons, appelées *gunu bong*, font à peu près 15 m de long sur 10 m de large, et reposent sur des pilotis de bambou de 2 m. Tandis que les jeunes T'boli, comme partout ailleurs, ont adopté les jeans, leurs parents, et notamment les femmes, continuent à porter les bijoux traditionnels, y compris une sorte de collier tendu d'une oreille à l'autre, coincé sous le menton, et un turban coloré, nommé *kayab*. Pour les voir parés de leurs costumes traditionnels aux couleurs éclatantes, il faut venir le jeudi ou le samedi, quand ils descendent de la jungle et de leurs collines pour se rendre au marché.

Scènes crépusculaires

Boy fait venir à l'hôtel mes guides, Oyo et GingGing, deux femmes T'boli. On discute un peu du programme des deux prochains jours, et elles me préviennent qu'autour du lac il peut faire très froid la nuit. Il est également question d'un incident survenu à la cascade que je dois visiter le lendemain. Quel genre d'incident précisément, je l'ignore, mais une certaine nervosité est palpable, séquelle des attentats menés par des groupes terroristes.

Le soir tombe : cigales et criquets débutent leur sérénade, un gamin chevauche un énorme buffle après une dure journée de labeur dans les champs, et le laisse brouter sur le bord de la piste, juste devant l'hôtel. Des feux s'allument ici et là, illuminant les huttes d'un éclat orange, semblable à de grosses bougies flottant sur la rive opposée du lac. Un fusil-mitrailleur est posé en travers du comptoir de l'hôtel. Suspendu à son fil par une poulie, un panier va et vient de la cuisine à la salle à manger, chargé d'assiettes remplies de poisson grillé. Chiens, chats et canards fouillent activement les abords du restaurant. Des aigles tournoient lentement au-dessus des fermes piscicoles. Des martins-pêcheurs s'éclaboussent, tandis que de petits oiseaux jaunes au long bec sautent, sans cesse, de branche en branche. Enfin, la chaleur s'estompe, faisant place à une tiédeur nocturne.

Un destrier des temps modernes

Réveil dans la cacophonie stridente des bruits de la jungle à l'aurore. Peu après le petit déjeuner, apparition tardive de GingGing, qui montre une indifférence royale à toute forme de planning pré-établi. "Skylab" est dehors, m'annonce-t-elle sans autre précision. Le destrier "Skylab" offre un parfait exemple du mode de transport en vigueur dans la région (hormis le buffle et le cheval) : c'est une petite moto qui, avec un peu d'imagination et surtout beaucoup d'optimisme, prétend pouvoir convoyer cinq passagers. À l'arrière, un écriteau : "Bienvenue à bord" me fait sourire. Et nous voici tous trois (GingGing, Benny le chauffeur et moi-même) embarqués pour la plus grande des sept cascades des environs : **Second Falls**.

Notre équipée bringuebalante s'arrête rapidement devant une maison : il faut payer un droit d'entrée au gardien, et prendre, à pied, un sentier boueux parsemé de fleurs roses et bleues. Toutes sortes de parfums capiteux embaument l'air humide ; sur les talus se dressent des bosquets de bambous énormes, utilisés comme piliers dans les maisons T'boli.

Nous nous enfonçons de plus en plus profondément dans la jungle ; le sentier se fait plus raide, plus caillouteux, et plus glissant à chaque pas. Peu à peu un grondement de tonnerre résonne au loin. "Vous entendez les chutes ?" "Oui, oui", j'acquiesce fiévreusement, plein d'espoir. "Mais la route est encore bien longue", ajoute GingGing avec un petit sourire charmant.

COMBATS DE COQS

On n'est pas obligé d'apprécier, mais les combats de coqs (*sabong*) font partie du quotidien aux Philippines. Généralement organisés le dimanche, ou un jour de fête, dans une arène de bois, les combats commencent souvent tôt le matin. Les bookmakers, ou *kristos*, entrent dans le ring avant chaque combat pour encourager les spectateurs à parier. Ils empochent les mises, se fiant à leur seule mémoire. Classés comme des boxeurs, selon leur poids, les volatiles portent des éperons aiguisés et on les excite pour les rendre agressifs. Le combat ne dure parfois que quelques secondes, mais il est déclaré nul tant que le vainqueur n'a pas frappé deux fois le vaincu de son bec.

Un bain dans la jungle

Non seulement la route est longue, mais il fait chaud. Très chaud même. Un canal d'irrigation en bambou me tente un instant, mais nous passons à côté sans nous arrêter et nous continuons notre descente. Au bout d'un moment, nous dévalons une pente boueuse, apparemment impraticable, sur laquelle nous nous laissons glisser. Tout au fond, un nuage de vapeur nous attend. J'essaye d'éviter les lianes épineuses, sans le moindre succès. Là-haut, quelqu'un s'écrie : "Vous avez pris le mauvais chemin !" C'est trop tard maintenant. J'enlève mes chaussures, les jette plus bas, pour mieux m'agripper avec mes orteils (une idée de GingGing). Enfin nous arrivons au fond, sains et saufs. Un chemin empierré nous conduit le long d'une petite rivière bruissante, jusqu'aux chutes.

D'un coup, tout est oublié : chaleur, boue, épines. En plein cœur de la jungle, une falaise en fer à cheval dresse ses parois, hautes de 90 m. De la corniche, une rivière se précipite en longues tresses blanches. L'eau ne tombe pas directement dans le bassin. Ménageant ses effets, elle s'effondre derrière un paravent de pierre, près de la base, qui émousse l'impact de la chute, et la disperse en grands voiles de vapeurs diaphanes. Escaladant les gros blocs de rochers et remontant le torrent qui alimente la rivière, on arrive au bassin. Nous sommes à quelques mètres à peine des chutes, mais ne courons aucun danger. Après la chaleur et la fatigue du chemin, je me plonge dans l'eau fraîche avec enthousiasme. C'est un bonheur indicible de se baigner parmi les bambous et les palmiers, au bruit fracassant d'une cascade, tandis qu'un peu plus bas dans la rivière une paysanne ramasse des coquillages. Même Tarzan n'aurait pas rêvé mieux !

Le retour présente moins de difficultés : nous avons retrouvé le bon chemin, et la remontée offre, heureusement, de meilleures prises. J'ai remis mes chaussures, idée judicieuse, car j'ai failli marcher sur une espèce de chose bizarre, qui s'avère être une scolopendre de 15 cm, dotée d'une coquille noire luisante et de pattes bien rouges, dont Benny m'informe ensuite qu'elle est très venimeuse. Nous faisons halte devant un petit groupe de huttes. Une truie allaite sa progéniture criarde ; un homme passe, chevauchant son buffle attitré, qui tracte un énorme tronc de bambou.

Matinée-spectacle

Nous enfourchons à nouveau notre destrier "Skylab" pour une randonnée cahotante plus loin dans les collines : nous allons visiter de nouveaux villages, et voir le travail d'autres tisserands T'boli. Il n'y a pas d'électricité là-haut, et le temps est scandé par le rythme immuable des moissons, les préparatifs pour le marché, chevaux chargés de sacs en fibre de bananier. L'atmosphère est paisible, même si, selon GingGing, les villages se chamaillent parfois pour des histoires de terres. En redescendant, cramponné habilement à l'arrière de "Skylab", je vois briller doucement les eaux du lac Sebu par-dessus la ligne des

RÉGION À RISQUES

Des postes militaires de contrôle jalonnent la route de General Santos au lac Sebu. Ils sont inoccupés, et apparemment inutilisés pour l'instant. Mais, au début des années 1990, Mindanao s'est malheureusement bâti une dangereuse réputation : le kidnapping, essentiellement d'étrangers (de préférence riches et d'origine philippine), par des groupes islamistes. Il semblerait qu'à présent les enlèvements se concentrent plutôt dans la partie orientale de l'île. La situation pouvant très vite évoluer dans un sens ou dans l'autre, renseignez-vous auprès de votre ambassade avant de partir.

Ci-dessus *GingGing, notre guide T'boli, exécute une danse de mariage.*

Encadré Longhouse *T'boli.*

arbres, carte postale sans doute illusoire d'une vie tropicale idyllique.

À **Hellabong**, village de GingGing et d'Oyu, le déjeuner est servi dans la maison tribale, qui est l'équivalent de notre salle des fêtes. Au menu : riz et poisson, à déguster avec les doigts, dans leurs larges feuilles de bananier, puis café local, avant la séance de danses et de chants traditionnels. Cette cérémonie de bienvenue demeure en vigueur dans une région encore peu touchée par le tourisme.

Tout le voisinage, jeunes et moins jeunes, semble avoir été convié. L'introduction est instrumentale : tambours, gongs de cuivre, harpe éolienne, flûte, luth en bambou et tronc martelé avec enthousiasme par une vieille dame fort énergique. C'est ensuite au tour des jeunes filles (y compris GingGing) de présenter un choix de danses : costumes traditionnels de longues jupes tissées, ceintures cousues de clochettes et peignes fantaisie dans les cheveux.

Au début de chaque danse, les jeunes filles viennent frapper un tambour, rituel qui se répète à la fin. À notre grand plaisir, les thèmes se succèdent : le temps des récoltes, où un foulard symbolise la cueillette des fruits, le mariage (où les hôtes persuadent une GingGing récalcitrante de balancer les hanches), la danse des guerriers et enfin la danse des singes, effectuées cette fois par les garçons. Pour cette dernière, les plus jeunes se sont déguisés en bébés singes, tandis que les plus vieux jouent, avec sérieux, les parents. Cette partie du spectacle remporte un franc succès auprès du public, et finit par provoquer l'hilarité générale. À la fin, tout le monde entonne, avec clameur et enthousiasme, les chants traditionnels, notamment une prière pour que les T'Boli retrouvent leurs territoires ancestraux : vœu d'ailleurs en partie exaucé par le gouvernement, qui est récemment intervenu pour éviter qu'ils ne perdent toutes leurs terres.

À travers les stores de paille, j'observe le lac Sebu, fondement de leur prospérité, et symbole presque surnaturel pour les T'boli, tandis que leur hymne résonne tel un chant de grâce.

Bredouille

Le lendemain matin, partie de pêche en pirogue sur le lac. Apparition tardive comme à l'accoutumée de "Skylab", cette fois occupé par Oyo, son fils Jayjay, GingGing et Benny, qui a dû s'enrhumer, car il porte un passe-montagne. Nous descendons sur la rive pour trouver une pirogue, tandis qu'Oyo confectionne nos lignes avec des cannes de bambou.

Dans ce style de pirogues, très étroites, mieux vaut embarquer avec précaution et rester coi si l'on ne veut pas honteusement chavirer dès le départ. Perchée à l'arrière, Oyo, pourtant enceinte jusqu'aux yeux, pagaye comme si elle n'avait jamais fait autre chose de toute sa vie, demeurant à l'ombre des arbres de la berge.

Mais il faut bien s'aventurer en plein soleil (qui soulève une forte odeur de poisson du fond de la pirogue), pour rejoindre les filets de pêche, et nous naviguons alors dans un jardin aquatique de splendides lotus aux pétales délicatement ouverts. Nous nous frayons un passage, cherchant le site idéal où s'arrêter, quand quelqu'un observe que nous avons oublié les appâts. Après une

DROITS TERRITORIAUX

Environ 60 000 T'boli vivent sur leur territoire d'origine, les hautes terres de Tiruray, autour du lac Sebu. Les T'boli sont l'une des trois tribus (les Philippines en comptent 60) qui ont obtenu du gouvernement le droit d'occuper le territoire de leurs ancêtres (d'où les panneaux indiquant que vous entrez en territoire T'boli).

vaine tentative pour nous dégager de l'emprise des lotus, nous réalisons que nous sommes bel et bien échoués sur un lit de fleurs violettes. Il faut débarquer, haler la pirogue en terrain plus ferme, puis grimper jusqu'à une maison, en haut de la berge, pour quémander quelques vers.

Retour à la pirogue : les poissons cette fois refusent de mordre. Apparition d'un vieillard coiffé d'un chapeau ubo (genre de coiffe mongole portée par une tribu des environs), qui pagaye jusqu'à notre hauteur et, arborant un sourire rougi au bétel, nous demande un peso. L'essentiel de la pisciculture se trouve entre les mains de gros propriétaires, et les T'boli, dont beaucoup gagnent leur vie en pêchant de façon traditionnelle, récoltent à peine 20 pesos pour six ou sept poissons. Nous restons bien patiemment à surveiller nos lignes, en vain – quelques frémissements, mais aucune prise. Nous rentrons bredouilles à l'hôtel, où le déjeuner nous sera fourni par des pêcheurs plus chanceux.

Nos routes se séparent déjà ; GingGing, Oyo et Benny me souhaitent bon voyage. La culture T'boli me paraît être entre de bonnes mains, si ces trois-là en sont représentatifs. En tout cas, ils semblent avoir réussi à trouver un équilibre entre les modes de vie traditionnel et moderne. Pour combien de temps encore, l'avenir seul le dira.

La Jeep est revenue dans l'après-midi pour me ramener à General Santos. Le chauffeur me demande si j'ai besoin d'un garde du corps pour mon séjour en ville. L'histoire récente du pays a sans doute connu quelques soubresauts, mais je trouve qu'il exagère un peu. Je me suis promené dans le centre-ville en fin de soirée, et n'ai rien remarqué d'extraordinaire – hormis quelques bars à demi déserts, et de petites échoppes vendant leurs plats cuisinés.

Aéroport de General Santos, salle d'attente : une vidéo explique aux passagers comment charger des containers sur un avion. Je m'étonne du film choisi, et plus encore de voir combien le public semble fasciné. C'est seulement à la fin que tout s'éclaire : ce ne sont pas des passagers, mais des employés de l'aéroport, et la salle d'attente sert également de salle de cours.

L'AIGLE DE MINDANAO

Mindanao, deuxième île des Philippines par la taille après Luzon, compte plusieurs parcs nationaux, dont le plus important est sans doute celui du mont Apo, situé au nord-est de General Santos. Sa création, en 1936, visait à protéger la plus haute montagne des Philippines : le mont Apo, volcan actif de 2 954 m. Mais ce que vous prenez pour des neiges éternelles, sur son sommet, n'est en fait qu'une épaisse croûte de soufre blanchâtre. Comme une grande partie de Mindanao, dont les terres volcaniques sont recouvertes de forêts, le parc ne manque pas de paysages spectaculaires. Réputé pour la richesse de sa faune, plus particulièrement pour le célèbre aigle des singes (qu'il dévore, comme son nom latin l'indique : *Pithecophaga jeffreryi*). Également appelé haribon, il fut sacré "plus belle des créatures volantes" par l'aviateur américain Charles Lindbergh. Ce majestueux rapace n'est malheureusement plus représenté que par quelques survivants (environ 300), mais un programme d'élevage serait en cours pour sauver l'espèce d'une extinction définitive. Un Philippine Eagle Nature Centre (également appelé Eagle Camp) a été créé à Malagos, 36 km au nord-ouest de Davao. Au milieu des jardins botaniques, on peut y observer les animaux rares ou menacés des Philippines, notamment quelques aigles, élevés avec succès dans cette réserve.

PARTIR EN SOLO

QUAND PARTIR

Les Philippines se trouvent sur la route des typhons ; pour les éviter, mieux vaut voyager entre la mi-décembre et la mi-mai. Cela dit, Mindanao est moins exposée que les régions nord, mais la saison humide dure ici d'avril à septembre, tout en étant moins pluvieuse qu'ailleurs. Évitez de vous déplacer pendant les congés religieux car les routes sont très encombrées.

SE DÉPLACER

Pour se rendre au lac Sebu, le plus simple est de passer par la ville de General Santos (➤ 236), à l'extrême sud de Mindanao.

En avion Vols réguliers Manille-General Santos (Philippines Airlines et Air Philippines). Vols également depuis l'île de Cebu, et d'Iloilo sur l'île de Panay. Davao est située sur le côte au nord-est de General Santos. Cette ville, dont la croissance est la plus rapide après Manille, est desservie depuis Manille et Cebu. Idem pour Zamboanga, qui se trouve à la pointe de la péninsule, sur la côte ouest de Mindanao.

Liaison aérienne Manado (Sulawesi)-Davao, par Air Bouraq, mais cette compagnie n'a pas très bonne réputation. Vols également à partir de Kuala Lumpur.

En bus Bus (climatisés) Manille Davao. Départs deux fois par jour. Durée du trajet (incluant les passages des ferries Surigao-Liloan et San Isidro-Matnog) : environ 40 heures.

En bateau Vous apprécierez pleinement l'atmosphère des mers du Sud le temps d'une traversée. Départ de Davao pour General Santos tous les lundis : le trajet dure environ neuf heures. Service également depuis Zamboanga les mercredi et jeudi, comptez environ 12 heures de navigation.

Tous les quinze jours, Pelni Lines relie Davao à Bitung ou Manado (Sulawesi), mais aussi Ujang Pandang et Denpasar (Bali). Service hebdomadaire entre Bitung et General Santos.

S'ORGANISER

De General Santos au lac Sebu, comptez environ trois heures de voiture. Vous pouvez aussi prendre les transports en commun, - changer plusieurs fois et passer des heures sur le toit d'une *jeepney*, si le cœur vous en dit. Mieux vaut louer à l'avance une voiture avec chauffeur, car c'est plutôt bon marché.

Possibilités d'hébergement restreintes au lac Sebu, il est donc préférable de réserver à l'avance. Idem pour louer les services d'un guide T'boli (sans qui vous aurez du mal à entrer en contact direct avec les populations locales), mieux vaut vous organiser à l'avance et passer par Boy Santiago à General Santos, par exemple (➤ 289).

SANTÉ

- ❑ Prenez des comprimés anti-malaria.
- ❑ Utilisez de la lotion et des serpentins anti-moustiques.
- ❑ Manches longues et pantalon le soir.
- ❑ Emportez une petite trousse de secours : aspirine, antibiotiques, pansements...
- ❑ Buvez de l'eau minérale.
- ❑ Souscrivez une bonne assurance médicale avant votre départ.
- ❑ Au moins un mois avant votre départ, consultez votre médecin sur les vaccins nécessaires.

NE PAS OUBLIER

- ❑ Blouson imperméable.
- ❑ Maillot de bain.
- ❑ Bob.
- ❑ Lotion anti-moustiques.
- ❑ Chaussures de randonnée.
- ❑ Pantalon léger, chaussettes et chemises à manches longues.
- ❑ Piles de rechange et pellicules photo.
- ❑ Bouteilles d'eau.

PRÉCAUTIONS DE BASE

Les troubles politiques ont longtemps écarté Mindanao des circuits touristiques. Principal risque : le kidnapping par les terroristes du Front national de libération moro, qui se battent pour la création d'un État musulman indépendant dans l'île. Ce danger semble avoir presque disparu, mais il est vivement conseillé de vous renseigner sur la situation juste avant votre départ auprès des Affaires étrangères ou de votre ambassade, à Manille.

À gauche *Pêcheur au filet, à l'arrière de sa pirogue sur le lac Sebu.*

25 Les épaves de Coron

par Christopher Knowles

Sur les épaves de l'île de Busuanga – une flottille de cargos japonais y fut coulée par les Américains durant le dernier conflit mondial – je n'ai découvert ni trésor ni squelettes. En revanche, j'ai été totalement conquis par le mystère et la fascinante beauté de ces eaux sereines, à l'écart des grands circuits touristiques.

Manille ne change pas. Surpeuplée, bruyante et polluée, mais vibrante d'un optimisme souriant. Ce n'est pas vraiment une belle ville, mais plutôt une fourmilière fascinante. De toute façon, la route la plus directe pour Coron, petit port sur l'île de Busuanga, passe par **Manille**.

L'aventure commence dès l'aéroport, avec le vol Manille-Busuanga assuré par Air Ads Inc. (➤ 289), petite compagnie basée dans un hangar de l'aéroport national. Les passagers se serrent dans une minuscule salle d'attente. Infos trafic à la télévision locale. L'enregistrement et la pesée (bagages et voyageurs !) précèdent l'embarquement.

Nous traversons un hangar, au milieu d'hélicoptères, en direction d'un biplan d'allure préhistorique. Sueurs froides. Et soupir de soulagement, tandis que nous rejoignons à l'extérieur un *Britten-Norman Islander*, beaucoup plus moderne. Pilote et copilote se présentent, petit briefing, et les huit passagers montent à bord, pour s'asseoir selon un plan basé sur la répartition des poids. L'espace vital est réduit au minimum et, une fois les moteurs en marche, toute conversation est empêchée par le bruit. Mais au moins on voit ce qui se passe, au-dedans comme au-dehors.

Panorama sur les embouteillages de Manille, virage et cap à l'ouest, vers la côte. Nous survolons bientôt quelques îlots coralliens, leurs anneaux de sable blanc, puis d'eaux bleues de toutes nuances, voilées çà et là par une fine écharpe de brume. Pilotage de haut niveau, négociant avec maestria les empilements de nuages, fertiles en turbulences.

Pour plonger sur épave, il vous faut avoir votre brevet de plongée en haute mer (➤ 66). Mais, pour profiter pleinement de l'expérience, il vous est conseillé de passer un certificat supplémentaire de plongée sur épave – sans quoi vous ne pourrez pas pénétrer à l'intérieur des bateaux. Le kayak de mer n'est fatigant que si vous devez pagayer contre la marée. Les gilets de sauvetage sont fournis, mais bien sûr il faut savoir nager.

L'hébergement sur Busuanga est très divers. Il y a le magnifique Kubo Sa Dagat, (➤ 289) construit sur pilotis au milieu de la baie, ou des bungalows et cottages à Coron. Également plusieurs bungalows et autres gîtes luxueux plus loin, le long de la côte.

Tout le matériel est proposé en location par Discovery Divers (➤ 289).

Busuanga, l'aéroport

Une heure et vingt minutes plus tard, nous amorçons la descente sur les collines verdoyantes de **Busuanga**. L'île appartient au groupe des îles Calamian, à l'ouest de Mindoro et de Manille, et au sud de la grande île de Palawan, qui sépare la mer de Sulu de la mer de la Chine du Sud. Virage à droite et, tapi dans le fond d'une vallée, l'aéroport surgit, simple piste de terre avec son hangar. Dans son prolongement, on aperçoit un ruban de ciment qui, à l'origine, devait remplacer l'ancienne piste. Mais les autorités concernées, à court d'argent, ont abandonné le projet, ne laissant à Busuanga qu'une piste de terre maintenant tronquée.

En guise de terminal, une hutte et deux paillotes. Il ne se passe pas grand-chose à l'intérieur – une poignée de passagers attendent leur vol de retour, un ou deux chiens sommeillent sur une table, un couple de coqs se pavane d'un air renfrogné. Un certain Goudie se présente pour m'accueillir – j'ignore totalement pourquoi, et ne réaliserai que plus tard qu'il s'agit du directeur de l'hôtel où je vais séjourner pendant les deux nuits à venir. L'acheminement à Coron se fait en *jeepney* – croisement entre la Jeep et l'auto tamponneuse – mais il faut encore attendre la fin de l'embarquement du vol de retour, car nous emmenons le personnel d'Air Ads Inc. avec nous.

La route de Coron

Nous quittons l'aérodrome par un large chemin de terre, étonnamment ferme hormis quelques secteurs où la surface, défoncée par les pluies et la circulation, s'est effondrée en profondes ornières. Longue attente derrière un véhicule embourbé, qui finit par s'en sortir, encouragé par une salve de cris et de plaisanteries en tout genre. Nous traversons maints cours d'eau et prairies – on pourrait se croire en Normandie, s'il n'y avait la chaleur et le caractère exotique du bétail local, avec ses longs fanons plissés et ses oreilles de lapin.

Nous arrivons à Coron 45 min plus tard et nous découvrons un front de mer frangé de petites maisons, avec jardins et paillotes sur pilotis. Quelques fragiles jetées en bambou dessinent le port, où danse un essaim d'embarcations colorées. Plus loin, les collines se fondent en ombres charbonneuses, telles des encres chinoises.

Goudie me guide le long d'une jetée pour me présenter Gunter, qui dirige Discovery Divers (➤ 289). Ce jeune Allemand vit ici depuis sept ans, et prospecte sa clientèle essentiellement par Internet, comme beaucoup d'opérateurs dans cette partie du monde. Il me présente Yushie, une jeune Japonaise qui sera ma monitrice, puis évalue mon niveau pour planifier les plongées du lendemain. Yushie viendra me prendre à l'hôtel à 9h.

En bangka

Goudie accoste avec notre nouveau mode de transport : une grande bangka blanche. Cap vers le centre de la baie, à la perche dans les hauts-fonds. Le vent se lève soudain, accompagné d'un véritable déluge : je réalise maintenant pourquoi la période que j'ai choisie pour venir (octobre) n'est pas la plus appréciée des plongeurs.

Une demi-heure plus tard, le bateau pénètre une zone plus abritée : là, en plein milieu de la baie, une sorte de palace se dresse sur pilotis. Cette demeure privée d'un riche homme d'affaires de Manille est devenue aujourd'hui l'hôtel Kubo Sa Dagat.

PLONGÉE SUR ÉPAVES

Le niveau de plongée en haute mer vous suffit pour plonger sur épaves, mais ne permet pas, en revanche, de pénétrer à l'intérieur d'un bateau. Pour y être autorisé, le plongeur doit effectuer un stage spécialisé qui lui exposera tous les risques. Par exemple, on peut se trouver très désorienté à l'intérieur de la cale d'une épave. C'est un espace sombre et souvent vaste : l'unique porte d'accès, qui vous semblait si évidente vue de l'extérieur, peut disparaître rapidement dans les eaux troubles. Il arrive aussi qu'on endommage son équipement sur des angles vifs ou des fragments métalliques. Un stage approprié vous apprendra à réagir dans ces situations, et vous fera mieux apprécier l'expérience.

Simple, car construit essentiellement en bambou et bois local, mais astucieusement conçu, il offre des chambres propres, des parties sanitaires communes (pas d'eau chaude, guère indispensable par ce climat), et l'électricité solaire. Une jolie salle de restaurant ouverte accueille la brise de la forêt, de l'autre côté de la baie. Aux murs, entre les poutres, une cible de fléchettes, et une image de la Vierge Marie suspendue dans les cieux servent de décoration.

Les six chambres peuvent accueillir 19 personnes. Mais pour l'instant, je suis le seul et unique client. Dès mon arrivée, on me sert un sublime plat de poisson fraîchement pêché, du *lapu-lapu*, ou *garoupa*, accompagné de haricots et de grosses bananes sucrées.

Contre vents et marées

Après le déjeuner, le kayak de mer est au programme. Goudie (de son véritable nom Godofredo) est chargé de m'emmener sur les flots du large. L'hôtel domine une sorte de lagon, vaste baie protégée et presque entièrement encerclée par un marais de mangrove et de collines couvertes de jungle. Même si elles sont soumises à la marée, ses eaux demeurent généralement paisibles, on peut d'ailleurs y naviguer en kayak même par une petite houle, sauf quand les grains se lèvent, avec une rapidité souvent imprévisible.

Goudie embarque dans un kayak bleu – le mien est d'un agréable rose fuchsia. Ces kayaks en plastique moulé sont conçus pour naviguer en mer le long des côtes : il faut faire attention à ne pas chavirer

en embarquant mais, une fois installé, on trouve vite son équilibre. Nous allons faire route vers l'autre bout de la baie, puis remonter un petit cours d'eau. La traversée me paraît beaucoup plus difficile que prévu. C'est seulement en

Ci-dessus *Enregistrements, arrivées, départs : tout-en-un au "terminal" de l'aérodrome de Busuanga.* À gauche *Chambre à louer : toits de chaume et pilotis de rigueur, comme bien souvent sur l'île.* Ci-dessous *La* jeepney, *mode de transport totalement... inexportable, sur le chemin de l'aéroport à Coron.*

approchant de l'autre rive que je réalise pourquoi j'ai si mal aux épaules : nous avons dû pagayer à la fois contre le vent et contre la marée descendante. Du même coup, lorsque nous abordons la berge, nos kayaks raclent le fond vaseux, sillonné de racines. Nous continuons encore un peu à pagayer, mais il nous faut bientôt débarquer et hisser nos embarcations jusqu'à l'entrée du ruisseau. Mes pieds nus s'enfoncent dans la vase molle et s'écorchent aux racines de mangrove.

Notre infortune amuse les occupants d'une bangka, des enfants qui nous crient : "Hello !" au passage, puis, tous en chœur : "I love you !" Les pastenagues et les espadons affectionnent ces parages, mais Goudie m'assure que nos éclaboussures suffisent à les éloigner.

Danse avec les flots

Des pêcheurs traînent leurs filets dans le courant, à la recherche de crevettes. Quelques échassiers s'envolent. Des libellules vibrent sur place, puis filent comme des flèches. Une fois passée l'entrée, le cours d'eau s'approfondit. Mais bien sûr il nous faut encore progresser à contre-courant ; dans l'air humide et silencieux, on n'entend que le bruit de nos pagaies. Sur les deux berges, un rideau de racines de mangrove plonge dans l'eau boueuse. De temps à autre un craquement sec retentit : sans doute des singes, mais qui restent invisibles. Un moustique vient me bourdonner à l'oreille, tandis que des oiseaux s'envolent.

Au bout d'une demi-heure environ, le courant devient plus fort. On décide de faire demi-tour, anticipant le plaisir d'une descente paisible et sans effort. Les kayaks filent, et nous laissons le courant nous emporter à sa guise, pagaies relevées. Notre silence rend les oiseaux moins timides – un éclair de saphir illumine les feuillages tandis qu'un martin-pêcheur pique une tête devant moi.

À l'embouchure, le flot nous porte encore sur quelques mètres, puis il faut de nouveau débarquer. Mais cette fois, lorsque nous repartons, le jusant et la brise nous dirigent droit vers l'hôtel. Quarante-cinq minutes de bonheur, tandis que nous dansons sur les flots, vaguelettes giflées par le vent battant doucement contre les flancs du kayak. Quelque part sur la rive, dans un petit village de pêcheurs, un chien hurle à la mort.

Plus tard dans la soirée, une grosse averse de pluie tropicale vient noyer le bruit des moteurs des bateaux de pêche qui rentrent au port. J'observe les acrobaties aériennes et les plongeons silencieux d'une sterne, tandis qu'au milieu des brumes crépusculaires un troupeau d'oies sauvages survole la jungle pour gagner sa retraite de nuit. Peu à peu un silence presque complet s'installe, tout juste rompu par les murmures d'un étudiant qui répète sa leçon d'anglais. Le sommeil me gagne sans peine, bercé par le cliquetis des lézards noctambules et la respiration lente des flots sous le plancher de ma chambre.

Descente sur l'épave

Le lendemain matin à 9 h, après un petit déjeuner pantagruélique (huit gaufres au sirop d'érable, quatre beignets au corned-beef et un œuf sur le plat), Yushie surgit avec son ravissant bankga blanc à balanciers rouges. On embarque le déjeuner à bord, et trois jeunes femmes de l'hôtel, qui s'occuperont de la cuisine. Yushie est originaire de Sapporo, dans l'île de Hokkaido, au Japon. Après plusieurs années passées à bourlinguer, elle s'est retrouvée à Coron, où elle s'est fait engager par Discovery Divers. Plongeuse confirmée, elle parle assez bien l'anglais, et surtout, qualités essentielles pour accompagner un débutant, elle respire le calme et l'assurance.

Nous mettons le cap à l'ouest, longeant la côte sud de Busuanga, pour rejoindre **Concepcion**, où se trouve notre première épave. Des falaises à pic et des collines de granite vert, dont la mer sape peu à peu les bases, nous dominent. Ici ou là, des bouées marquent l'emplacement de pêcheries de perles, et nous croisons des bangkas aux couleurs éclatantes. Le long d'une plage, mon regard est attiré par quelques paillotes solitaires plantées sur pilotis. Malgré la saison, le temps est chaud et ensoleillé, et la mer couleur saphir.

Au bout d'une heure, nous arrivons à l'épave, signalée par une bouée, en plein milieu de la baie. C'est le *Taiei Maru*, l'un des huit cargos japonais coulés par les chasseurs-bombardiers américains le soir du 24 septembre 1944.

Fantômes du grand bleu

Il y a ici un courant de tous les diables, et j'ai toutes les peines du monde à rejoindre Yushie qui m'attend, agrippée à l'amarre de la bouée. Enfin j'atteins la corde, purge mon gilet stabilisateur, et nous descendons vers l'épave. En peu de temps, cinq ou six mètres à peine, les eaux troubles s'éclaircissent, et nous apercevons la silhouette verdâtre d'une coque rouillée incrustée de coraux. Si incrustée d'ailleurs que ses contours se distinguent tout juste des fonds marins.

Passant devant les cales ouvertes, nous visitons l'un des ponts, avant d'aller nous percher sur la passerelle. Puis nous faisons le tour du navire, le courant nous entraînant maintenant le long de la poupe, qui est en train de se séparer du reste de l'épave. Comment ne pas se représenter le navire fendant les flots voici plus d'un demi-siècle, quelques secondes avant de sombrer sous les bombes américaines.

Ce fantôme sert aujourd'hui de refuge à l'énorme poisson-ange, tout comme au poisson-globe et aux nudibranches. À l'ombre du mât de charge, nous surprenons une splendide rascasse volante, rôdant au-dessus d'une poutrelle rouillée, ailes d'épines déployées comme des voiles dans le courant.

De retour à bord, nous partons nous ancrer près d'un récif de corail. Un énorme déjeuner nous attend : riz, poulet et mouton sauce soja, et deux plats de poisson, dont un steak de thon. Nous enchaînons par une petite séance de masque et tuba dans ces eaux cristallines, tapissées à perte de vue de gorgones éclatantes et autres massifs coralliens. Et maintenant, en route pour des fonds plus sérieux : le petit *Olympia Maru*, couché sur le flanc.

Le courant est nettement moins violent dans ces parages, mais les eaux sont très troubles. Le bateau n'est visible que de près, accentuant le caractère mystérieux et fantomatique de l'épave. Cette fois nous pénétrons dans la cale du cargo, ressortant par un énorme trou découpé sur le flanc. C'est par là que les Philippins ont pu extraire les machines, qui avaient survécu au raid.

Un énorme thon passe devant nous, et nous remarquons un poisson-pierre, parfaitement camouflé dans son enceinte d'algues et de bernaches. Puis vient le temps de remonter, celui de ranger notre matériel, de nous étendre au soleil, de prendre une bonne bière fraîche, avant

BUSUANGA, 1944

Jusqu'en ce fatidique 24 septembre 1944, la marine japonaise n'avait pas douté de sa sécurité, à l'abri des criques et des baies de la côte de Busuanga, près de Coron. De plus, les porte-avions américains patrouillaient bien loin de là, à l'est des Philippines, et l'espace aérien de la région demeurait la chasse gardée de l'aviation japonaise. Les Américains en décidèrent autrement, et mirent discrètement sur pied un raid aérien. Quelque 15 cargos armés japonais se trouvaient ancrés dans la zone de Concepcion et de Tangat, y compris un escorteur et quelques-uns de leurs derniers pétroliers. Dix de ces navires furent coulés, tandis que les Américains ne perdirent que trois avions. Un pilote fut tué, mais deux autres se cachèrent sur l'île et furent sauvés plus tard par les résistants philippins.

de songer au retour – course euphorisante dans la brise fraîche et le clapot de la baie.

SOLITAIRE

Ce soir, une brusque tempête vient balayer la baie. Pour digérer notre dîner (un festin de plus), Goudie et moi jouons au solitaire sur mon ordinateur, dans le hall de l'hôtel, à la lumière d'une ampoule. Curieux spectacle sans doute, tandis que la tempête fait rage autour de nous, que celui d'un Goudie aux anges découvrant comment une souris en plastique peut déplacer des cartes à jouer sur un écran. Sa joie ne connaît plus de limites quand il réussit sa partie du premier coup.

Le lendemain, aux aurores, départ pour Coron, son petit port animé d'une ambiance nonchalante. Selon Gunter, les gens qui débarquent à Coron s'attendent à trouver une sorte de paradis corallien. Alors qu'en fait Busuanga, avec ses eaux tièdes, ses petites baies, ses criques cachées et ses épaves, exerce un attrait bien différent, plus sauvage, qui évoque l'atmosphère des romans de Conrad. En même temps, le site respire une joie de vivre profondément attachante. Je regrette beaucoup de devoir quitter l'île sans avoir eu le temps de mieux la connaître.

Le vol de retour secoue nettement plus qu'à l'aller. À côté de moi, un jeune Polonais s'émerveille de vivre une telle aventure : survoler dans un si petit appareil une mer semée d'îlots coralliens, qui étincellent comme des diamants... Quant à moi, je ne partage guère cet enthousiasme pour les petits avions, même si notre traversée de la mer de Sulu, au ras des vagues ou presque, ne manque pas de... sel. Changement de décor : voici bientôt Manille et ses banlieues tentaculaires. J'apprécie à sa juste mesure notre atterrissage (bondissant) sur la piste bien ferme et parfaitement asphaltée de l'aéroport, dans le sillage d'un énorme jumbo-jet. Ce qui ne m'empêche pas de regretter la modeste piste en terre de Busuanga...

À droite *Une rascasse volante, également surnommée poisson-lion, surgit toutes nageoires déployées de l'épave de Black Island (également à gauche).*
En haut *Épave d'un chalutier sur les hauts-fonds de l'entrée du lac Barracuda, île de Coron.*

PARTIR EN SOLO

QUAND PARTIR

Les plongeurs sur épaves viennent à Coron toute l'année, mais la meilleure période est d'avril à juillet. À éviter : de mi-septembre à mi-octobre.

SE DÉPLACER

Par avion Les compagnies les plus importantes sont Philippine Airlines, Air Philippines et Cebu Pacific. À moins de se trouver déjà dans la région, le moyen le plus rapide de se rendre à Busuanga est de prendre l'avion à Manille. Vol quotidien (1 h 30) par avion jet d'Air Ads Inc. (➤ 289), depuis l'aéroport national de Manille. L'enregistrement a lieu tôt le matin, et n'oubliez pas que les embouteillages peuvent bloquer les rues de Manille à n'importe quelle heure. Vous pouvez enregistrer vos bagages, mais il y a très peu de place en cabine pour vos sacs. Depuis Palawan, vols Pacific Airways pour Busuanga (avion encore plus petit).

Du petit aéroport de Busuanga (YKR), le trajet pour la ville de Coron (à ne pas confondre avec l'île du même nom) prend environ une demi-heure, selon l'état de la route : une *jeepney* conduit les passagers en ville pour quelques pesos. Petit aérodrome également juste derrière Coron, où quelques vols (moins réguliers) Pacific Airways atterrissent.

Par bateau Pour ceux qui voyagent déjà dans la région, un bateau dessert Coron depuis l'île voisine de Culion. Départ de Culion le matin les mardi, jeudi et dimanche. Le voyage prend deux heures environ. Réservez si possible.

Si vous vous trouvez plus au sud, sur Palawan, la plus grande île de la région, il existe un service pour Coron depuis Taytay, la vieille capitale (à visiter : les vestiges de son fort espagnol du XVIIe siècle). Départ le mercredi et le samedi à 8 h. Traversée sur un grand trimaran, qui met huit heures environ, sauf en cas de gros temps : le bateau s'abrite alors devant l'île de Lipanacan durant la nuit, avant de continuer vers Coron.

S'ORGANISER

Hébergement en tout genre à Coron et vous n'aurez pas de mal à trouver une chambre bon marché dans l'un des cottages qui bordent la rue principale ou qui plongent leurs pilotis dans les eaux du port. Si vous choisissez Kubo Sa Dagat (➤ 289), ou tout autre hôtel sur la côte, essayez de réserver à l'avance, par exemple auprès d'Asiaventure à Manille (➤ 289). Vous pourrez ainsi organiser votre acheminement de l'aéroport ou de Coron. Beaucoup de ces hôtels louent des kayaks.

PLONGÉE

Discovery Divers (➤ 289) propose toutes sortes de forfaits adaptés à vos goûts et à vos capacités. Stage de plongée en haute mer pour environ 270 $, et si vous avez déjà votre brevet, qualification épaves pour 180 $. Forfaits plongée incluant l'hébergement, la pension complète et deux plongées, à partir de 69 $ par jour.

NE PAS OUBLIER

- ❑ Maillot de bain.
- ❑ Brevet de plongée en haute mer (➤ 200), et épaves le cas échant, si vous l'avez.
- ❑ Tongs ou équivalent.
- ❑ Lampe torche et piles de rechange.

SANTÉ

- ❑ Prenez des comprimés anti-malaria.
- ❑ Utilisez de la lotion et des serpentins anti-moustiques.
- ❑ Chemise à manches longues et pantalon le soir.
- ❑ Emportez une petite trousse de secours.
- ❑ Buvez de l'eau minérale.
- ❑ Souscrivez une bonne assurance médicale avant votre départ.
- ❑ Au moins un mois avant votre départ, consultez votre médecin sur les vaccins nécessaires.

QUESTION DE NOM

On finit par s'y perdre avec tous les noms similaires utilisés parmi les îles. L'île au large de laquelle se trouvent les épaves s'appelle Busuanga, mais sur l'île même vous trouverez également deux villes appelées Busuanga – le vieux Busuanga au nord-ouest, et le nouveau Busuanga au nord. Coron se trouve sur la côte sud de Busuanga, qui fait partie du groupe des îles Calamian, mais qu'on associe souvent avec la grande île de Palawan, plus au sud.

INTRODUCTION

Pour vous aider à préparer votre aventure, les "Pages Bleues Contacts" dressent la liste des organismes et des établissements relatifs à chacun des 25 périples (► 18-256). Ce carnet d'adresses présente les tours-opérators, localisés en Europe, au Canada et/ou dans le pays concerné, ainsi que les hôtels, bars et restaurants, commentés par les auteurs : ces derniers sont souvent situés dans les endroits reculés, pensez à les contacter avant votre départ.

TÉLÉPHONE

Les numéros sont donnés avec l'indicatif de la ville. Pour appeler depuis l'étranger, faites précéder le numéro d'appel de l'indicatif international, suivi de celui du pays.

INTERNATIONAL

Depuis l'Europe 00
Depuis le Québec 001

PAYS

Cambodge 855
Indonésie 62
Laos 856
Malaisie 60
Myanmar (Birmanie) 95
Philippines 63
Singapour 65
Thaïlande 66
Viêt Nam 84

AMBASSADES ET CONSULATS

AMBASSADES FRANÇAISES

Cambodge
1, bd Monivong, Phnom Penh
☎ (23) 430020
Fax (23) 430041

Indonésie
Jl.M.H. Thomrin 20,
Jakarta Pusat 10310
☎ (21) 3142807

Laos
Av. Sethathirat,
BP 06, Vientiane
☎ (21) 215253
Fax (21) 215250

Malaisie
196 Jalan Ampong,
50450 Kuala Lumpur
☎ (20) 535500
Fax (20) 535501

Myanmar
102 Pyidaungsu Yeiktha Rd,
Yangoon
☎ (0095) 1212178
Fax (0095) 1212527

Philippines
Pacific Star Building, 16th Floor
(à l'angle de Sen Gil Puyat et Makati Ave), Makati
☎ (0063) 8101981/87

Singapour
101-103 Cluny Park Rd,
259595 Singapour
☎ (0065) 8807800
Fax (0065) 8807801

Thaïlande
35 Soi Rong Phasi Kao,
942/170-171 Roma Rd,
GPO Box 1394, Bangkok 10600
☎ (0066) 22339522/4
Fax (0066) 22363511

Viêt Nam
57 rue Tran Hung Dao, Hanoi
☎ (0084) 48252719
Fax (0084) 48264236

EN FRANCE

Ambassade du Cambodge
4, rue A.-Yvon, 75116 Paris
☎ 0145034720
Fax 0145034740

Ambassade d'Indonésie
49, rue Cortambert, 75116 Paris
☎ 0145030760

Ambassade du Laos
7, av. R.-Poincaré, 75116 Paris
☎ 0145530298
Fax 0147275789

Ambassade de Malaisie
32, rue Spontini, 75116 Paris
☎ 0145531185

Ambassade de Myanmar
60, rue de Courcelles,
75008 Paris
☎ 0142255695
Fax 0142564941

Ambassade des Philippines
4 Boulainvilliers, 76016 Paris
☎ 0144145700
Fax 0146475600

Ambassade de la République de Singapour
12, avenue Foch,
75116 Paris
☎ 0145003361

Ambassade de Thaïlande
8, rue Greuze,
75116 Paris
☎ 0156265050
Fax 0156260446

Ambassade du Viêt Nam
62, rue Boileau,
75016 Paris
☎ 0144146400

AMBASSADES BELGES

Thaïlande, Laos, Cambodge et Myanmar
44 Soi Phya Pipat, Silom Rd,
Bangkok 10500
☎ (0066) 22360150
Fax (0066) 22367619

Indonésie
Jalan Imam Bonjol 80,
10300 Jakarta Pusat
☎ (0062) 213162030
Fax (0062) 213162035

Malaisie
8A Jalan Ampang Hilir,
Kuala Lumpur 55000
☎ (0060) 342525733
Fax (0060) 342527922

Philippines
6805 Ayala Ave, 9th Floor,
Salcedo Village, 1227 Makati
☎ (0063) 28451869
Fax (0063) 28452076

Singapour
8 Sherton Way, 1401 Temasek Tower, 068811 Singapour
☎ (0065) 2207677
Fax (0065) 2207679

Viêt Nam
Hanoi Towers, 9th Floor,
49 Mai Ba Ng, Moan Kiem,
Hanoi
☎ (0084) 49346179
Fax (0084) 49346183

En BELGIQUE

Indonésie
Av. de Terveren, 294
Woluwen, Saint-Pierre 1150
☎ (32) 27712014

Malaisie
Av. de Terveren, 41 4A
Woluwen, Saint-Pierre 1150
☎ (32) 27760340
Fax (32) 7625049

Ambassade des Philippines
297 avenue Molière,
1050 Bruxelles
☎ (0) 23403384
Fax (0) 23456435

Singapour
Av. Franklin-Roosevelt 198,
1050 Bruxelles
☎ (32) 26602979

Thaïlande
2, square de Val-de-la-Cambre,
Bruxelles 1050
☎ (32) 26406810

Viêt Nam
130, av. de la Floride,
Uccle 1180
☎ (32) 23792747

Ambassades québécoises

Indonésie
Wisma Metropolitan 1, 5th Floor,
Jl. Jend Sudirman Kav. 29,
Jakarta 12920
☎ (0062) 215250709
Fax (0062) 215712251

Malaisie
15th Floor of Plaza OSK,
172 Jalan Ampang,
Jalan Tun Razak,
Kuala Lumpur
☎ (0060) 34608820
Fax (0060) 34608821

Philippines
Centre Allied Bank, Ave Ayala
Makati, Manille
☎ (0063) 28108861

République de Singapour
80 Anson Rd, ABM Towers,
14th Floor, Singapour 079907
☎ (0065) 3253200
Fax (0065) 3253279

Thaïlande, Laos, Myanmar
Place Abdulrahim, 15th Floor,
990, rue Rama-IV,
Bangrak, Bangkok 10500
☎ (0066) 26360540
Fax (0066) 26360565

Viêt Nam
31 Hung Vuong St, Hanoi
☎ (0084) 48235500
Fax (0084) 48235333

Au Québec

Indonésie
Alberni 16-30, Vancouver
☎ (001) 6046828855

Malaisie
Voix de Commission, Ottawa
☎ (001) 6132415182

Myanmar
Range Road 903, Ottawa
☎ (001) 6132326434

Philippines
1255 University,
Montréal, Québec H3B3WA
☎ (001) 5148769888

République de Singapour
4, Peking St West, 30th Floor,
Suite 3005, Toronto
☎ (001) 4168666134

Thaïlande
Square Victoria, 759 Montréal,
Québec H2Y2J7
☎ (001) 5149850666

Viêt Nam
Wilbrod 470, Ottawa K1N6M8
☎ (001) 6132321957

Ambassades suisses

Cambodge
PO Box 99, Pnom Penh
☎ (0085) 523219151
Fax (0085) 523219150

Indonésie
JI.H.R. Rasuna Said,
Block X 3/2 Kuningan,
Jakarta 12950
☎ (21) 5256061
Fax (21) 5202289

Malaisie
16 Pesiaran Madge (près
de Jalan Uthant),
55000 Kuala Lumpur
☎ (0060) 32480622

Philippines
18th Floor, Global Bank
Building, Manille
☎ (0063) 28922051
Fax (0063) 28150381

Singapour
1 Swiss Club Link,
Singapour 188162
☎ (4) 68 5788
Fax (4) 668245

Thaïlande
35 Wireless Rd, GPO Box 821,
Bangkok 10501
☎ (2) 2530156
Fax (2) 2554481

Viêt Nam
77 B Kim Ma St, Ba Dinh
Dist, Hanoi
☎ (0084) 49346589

En Suisse

Indonésie
Elfenauweg 59, Berne 3000
☎ (0041) 313520983

Malaisie
20, rte de Prébois 1200,
Genève 15
☎ (0041) 227881505
Fax (0041) 227880492

Myanmar
47, av. Blanc, 1202 Genève
☎ (0041) 227384882
Fax (0041) 227317540

Philippines
Kirchen Seld Strassen 73,
Berne 3005
☎ (0041) 313501717

Singapour
20 Rte de Prébois, Genève
1216
☎ (0041) 229296655
Fax (0041) 229296659

Thaïlande
Kirchstrasse 56, 3007 Berne
☎ (0041) 319703030

Viêt Nam
Schlosslistrasse, 26000 Berne
☎ (0041) 313887878
Fax (0041) 31388779

Où s'équiper

Au Vieux Campeur
La référence française
en matière d'équipement,
de matériel et d'accessoires
pour les voyages d'aventure.
Plusieurs boutiques à Paris
et en province :
Paris : 48, rue des Écoles 75005
☎ (33) 01 53 10 48 48
(numéro central)
Lyon : 43, cours de la Liberté
Sallanches : 925, rte du Fayet
Thonon-les-Bains : 48, av. de
Genève
site www.au-vieux-campeur.fr

GAMME DE PRIX HÔTELS ET RESTAURANTS
Quatre catégories de prix :
$moins de 30 $ **$$**entre 30 $ - 50 $ **$$$**entre 50 $ - 70 $ **$$$$**plus de 70$

1 VISITE CHEZ LES TRIBUS DES COLLINES (THAÏLANDE ➤ 20-29)

QUI CONSULTER

Asia Voyages
Building One, 12th Floor, 99 Wireless Rd,
Pathumwan, Bangkok 10330
☎ (2) 2567168/9 **Fax** (2) 2567172
email info@asiavoyagesonline.com
site www.asiavoyagesonline.com
À PARIS
1, rue Dante, 75005 Paris
☎ (33) 144415010 **Fax** (33) 144415019
site www.asia.fr
Asia Voyages est spécialiste de l'Asie, et en particulier de la Thaïlande. Plusieurs formules au choix : pirogue de Chiang Khong à Chiang Saen, visite de Mae Sai et des grottes de Chiang Dao ou de Thom Lod, balade à dos d'éléphant à travers rivières et forêts et une approche de la vie des tribus des montagnes.

East–West Siam Ltd.
Building One, 11th Floor, 99 Wittayu Rd,
Pathumwan, Bangkok 10330
☎ (2) 256-6153 **Fax** (2) 256-6665/256-7172
site www.east-west.com
email songyot@east-west-siam.com
Depuis 1984, East–West Siam défend le concept du tourisme à petite échelle et de qualité. Il vous emmène à la rencontre des tribus des collines, à travers des activités comme les treks d'aventure, des randonnées à VTT, des safaris à dos d'éléphant et du rafting. Il possède également la charmante Lisu Lodge (➤ 259).

Thai Adventure
64 Moo 4, Rangsiyanun Rd, Pai District 58130,
Mae Hong Son
☎ (53) 699111
Fax (53) 699111
email rafting@activethailand.com
Fondé voici quatorze ans par un Français, Guy Gorias, Thai Adventure se spécialise dans le rafting en eaux vives sur pneumatiques, dans la région de Pai/Mae Hong Son (juill.-déc.). Ses expéditions combinent la rencontre des tribus des collines, un parcours à VTT et une randonnée à dos d'éléphant.

Track of the Tiger Tours
PO Box 3, Mae Ai
Chiang Mai 50280
☎ (53) 459328/459355
Fax (53) 459329
email tiger@loxinfo.co.th
site www.track-of-the-tiger.com
Cette compagnie dirigée par Shane Beary, depuis 1986, organise des circuits d'aventure "soft" depuis la ravissante Mae Kok River Lodge de Tha Ton (➤ Comment se loger). Activités possibles : treks dans les collines, rafting, randonnées à dos d'éléphant et à VTT. Consultez leur site internet, il vaut le détour.

OÙ SE RENSEIGNER

Tourist Authority of Thailand (TAT)
105/1 Chiang Mai-Lamphun Rd
Muang
Chiang Mai 5000
☎ (53) 248604/248607
Fax (53) 248602
Contactez-les pour toute information sur votre destination, l'hébergement, les lieux à visiter...
À PARIS
Office national du tourisme de Thaïlande
90, avenue des Champs-Élysées
75008 Paris
☎ (1) 53534700
Fax (01) 45637888
email tatpar@wanadoo.fr

COMMENT SE LOGER

Pour séjourner dans l'un des villages tribaux des collines, il vaut mieux passer par l'un des opérateurs basés à Pai, Mae Hong Son, Chiang Mai ou Chiang Rai. Il est déconseillé de débarquer dans un village par vos propres moyens.

Lisu Lodge $$
Contact East–West Siam
Building One, 11th Floor, 99 Wittayu Rd
Pathumwan, Bangkok 10330
☎ (2) 256-6153
Fax (2) 256-6665/256-7172
email songyot@east-west-siam.com
Construite dans le style traditionnel des tribus des collines, mais confortablement aménagée,

Lisu Lodge, située à 50 km de Chiang Mai, propose diverses activités (➤ East-West Siam Ltd.). Attention : Lisu Lodge n'accueille que les groupes (jusqu'à 12 personnes par nuit).

Rim Pai Cottage $
17-99 Moo 3
Wiang Tai
Pai District 58130
Mae Hong Son
☎ (53) 699133
Bureau de réservation :
☎ (53) 235931
email rimpaicottage@hotmail.com
site www.travel.tu / rimpaicottage
Ces agréables petits cottages traditionnels bordent la berge de la Pai, non loin du marché.

Mountain Blue Guest House $
Chaisongkhram Rd
Pai District 58130
Mae Hong Son
De simples bungalows en bois, situés près de l'hôpital, sont appréciés des globe-trotters en tout genre.

Mae Kok River Lodge $$
PO Box 3
Mae Ai
Chiang Mai 50280
☎ 66-53-459328
Fax 66-53-459329
email tiger@loxinfo.co.th
Située à Tha Ton, à 180 km de Chiang Mai, cette charmante lodge de rivière, de style traditionnel, vous offre toute une gamme de treks et de circuits.

2 L'ÉQUIPÉE SAUVAGE (THAÏLANDE ➤ 30-39)

QUI CONSULTER

North Siam Road Runners
PO Box 3
Mae Ai
Chiang Mai 50280
☎ (53) 459328
Fax (53) 459329
Dirigée par le fameux Ed l'intrépide, cette agence, associée à Track of the Tigers Tours (➤ 259), est spécialisée dans les circuits à moto de 12 à 15 jours dans le nord de la Thaïlande, sur de superbes Royal Enfield 500cc. À la demande, circuits sur mesure dans la région.

Siam Bike Travel Co. Ltd.
PO Box Prah Singh Box 71
50200 Chiang Mai
☎ (53) 409533 / 880579
Fax (53) 409534
email info@siambike.com
site www.asiaplus.com/siambike
Circuits à moto et en Jeep (de type standard ou à la carte), en Thaïlande, au Myanmar (Birmanie) et au Laos. Votre hébergement peut également être pris en charge tout au long du voyage.

Track of the Tiger Tours
PO Box 3
Mae Ai
Chiang Mai 50280
☎ (53) 459328
Fax (53) 459329
email tiger@loxinfo.co.th
site www.track-of-the-tiger.com
Voir détails ➤ 259. Vous serez également mis en relation avec North Siam Road Runners (➤ 260).

OÙ SE RENSEIGNER

Tourist Authority of Thailand (TAT)
105/1 Chiang Mai-Lamphun Rd, Amphoe Muang
Chiang Mai 5000
☎ (53) 248604/248607
Fax (53) 248605
email tatcnx@samart.com
site www.tat.or.tz
Voir détails ➤ 259.

J.K. Big Bike
74/2 Chaiyapoom Rd (en face du Somphet Market)
Chiang Mai
☎ (53) 251830
Location de motos de route ou trails.

POP Service
51 Kotchasarn Rd
Chiang Mai
☎ (53) 276014/206747
Location à la journée de petites motos Honda Dream.

COMMENT SE LOGER

River View Lodge $$
25 Charoen Prathet Rd
Soi 2
Chiang Mai 50100

☎ (53) 271109 / 271110
Fax (53) 279019
Petite mais confortable, River View Lodge est décorée d'un style thaï traditionnel. Située à 10 min du marché nocturne de Chiang Mai, sa vue sur la Ping River (comme son nom laisse l'imaginer !) est très agréable.

Once Upon A Time $
385/2 Charoen Prathet Rd
Chiang Mai
☎ (53) 274932
Fax (53) 271647
"Il était une fois" de belles maisons de teck, avec des chambres pourvues de lits à baldaquin, donnant sur la Ping River et un excellent restaurant thaï à découvrir.

Mae Kok River Lodge $$
PO Box 3
Mae Ai
Chiang Mai 50280
☎ (53) 459328
Fax (53) 459329
email tiger@loxinfo.co.th
Détails ➤ 260.

Saen Poo Hotel $
Ban Thapakan Rd
Chiang Mai
☎ (53) 717300
Fax (53) 717309
Pratique, Saen Poo Hotel est situé au centre-ville.

Boonbundan Guest House $
1005/13 Jet Yot Rd
Chiang Mai
☎ (53) 717040
Fax (53) 712914
Cet ensemble, qui se trouve au centre-ville, vous charmera par la diversité de ses chambres, de ses plats, et par la fraîcheur de son jardin ombragé.

Rim Pai Cottage $
17-99 Moo 3
Wiang Tai
Pai District 58130
Mae Hong Son
☎ (53) 699133
Détails ➤ 260.

Baiyoke Chalet Hotel $$$
90 Khunlum Praphat Rd
Mae Hong Son
☎ (53) 611486
Fax (53) 611533
site www.maesontsontourism.net/baiyokechalet.htm
Les chambres sont assez banales mais la situation de cet hôtel est centrale et l'air conditionné vaut le détour ! Testez les nombreux plats du restaurant.

Sang Tong Huts $
250 Moo 11, Bang Moo
Muang District 58000
Mae Hong Son
☎**/Fax** (53) 620680
email sangtonghuts@hotmail.com
site www.sangtonghuts.com
Belles cabanes à la fois isolées et situées 10 km à l'ouest de la ville. Après dîner, les invités peuvent méditer autour d'un feu de bois.

3 KAYAK ET ESCALADE À PHANG NGA (THAÏLANDE ➤ 40-49)

QUI CONSULTER

East–West Siam Ltd.
60/6-7 Aroosorn Square
Rat-U-Thit Rd
Patong Beach
Phuket 83150
☎ (076) 340912/341209
Fax (076) 341188
email ewshkt@phuket.ksc.co.th
site www.east-west.com
Cette agence locale d'East–West (➤ 259) organise des croisières sur d'élégantes jonques traditionnelles.

Phra Nang Divers
247/7 Moo 2, Dtunbon 09
Amphur Maung
Krabi 81000
☎**/Fax** (075) 637064;
email pndivers@loxinfo.co.th
site www.pndivers.com
Si vous souhaitez faire des stages de plongée ou des croisières en mer avec vie à bord, adressez-vous à cette école de plongée agréée Padi. Vous pouvez laisser votre anglais chez vous : les moniteurs sont francophones.

Pra-Nang Rock Climbers
PO Box 15
Krabi 81000
☎**/Fax** (1) 2128126
Fax (75) 612914

Les stages d'escalade d'une demi-journée comprennent les cours et la location du matériel : baudriers, chaussures, freins, huits, systèmes de rappel, cordes, sacs de magnésie... Vous trouverez également de bons guides descriptifs des voies, destinés aux grimpeurs confirmés.

Santana
222 Tawaewong Rd
Patong Beach 83150
Phuket
☎ (076) 294220
Fax (076) 340360
email info@santanaphuket.com
site www.santanaphuket.com
Trekking en jungle de un à trois jours, combiné avec des excursions en canoë autour d'Ao Phang Nga et du Kao Sok National Park.

Sayan Tour
Phang Nga Bay
☎ (076) 430348
Excursions autour de la baie, à prix très compétitifs. Repas compris !

Sea Canoe
367/4 Yaowarat Rd
Phuket 83000
☎ (076) 212252
Fax (076) 212172
email info@seacanoe.com
site www.seacanoe.com
Expéditions de un à six jours. Les plus longues s'adressent à des kayakistes expérimentés, capables de pagayer 10 à 15 km par jour.

Tex Rock Climbing
Jana Travel Tour
143 Utarakit Rd
Krabi
☎ (075) 622491
Fax 621186
email info@texrockclimbing.com
site www.texrockclimbing.com
Tex Rock Climbing vous propose des stages d'escalade à la demi-journée, comprenant les cours et la location de matériel : baudriers, chaussures, freins, huits, systèmes de rappel, cordes, sacs de magnésie...

Infos

Phuket International Airport
222 Thambon Maikoa
Phuket
☎ (076) 327230/4
Au comptoir d'informations de l'aéroport, situé à 30 km du centre-ville, vous pourrez faire vos réservations d'hôtel, commander un taxi, organiser vos excursions, et même acquérir gratuitement une carte de Phuket.

Tourist Authority of Thailand (TAT)
73–75 Phuket Rd
Phuket 83000
☎ (076) 211036 / 217138
Fax (076) 213582
Le TAT organise des excursions en minibus climatisé pour Phang Nga et Krabi. Service régulier de bateaux "longue-queue" pour Railay Beach, principal centre d'escalade (➤ 259).

4 L'Isan à VTT (Thaïlande ➤ 50-57)

Qui consulter

Bike & Travel
802/756 River Park, Moo 12
Kookot
Lamlookka
Pratumthani 12130
☎ 9900274
Fax 9900374
Depuis sa fondation, en 1995, Bike & Travel est l'un des opérateurs les plus réputés de randonnées à VTT, dans toute la Thaïlande. Son directeur, Tanin Rittavirun, vous réservera un accueil chaleureux et des prix, raisonnables, comprenant la location des vélos, la nourriture, l'hébergement et un véhicule d'assistance. Et les guides parlent français !

Diethelm Travel
Kian Gwan Building II
140/1 Wireless Rd
Bangkok 10330
☎ (662) 2559150/2559170
Fax (662) 2560248/49
email dto@dto.co.th
site www.diethelm-travel.com
Diethelm & Co, opère en Thaïlande depuis cinquante ans et organise, au départ de Bangkok, des circuits tout inclus à destination du Laos, du Cambodge, du Myanmar et du Viêt Nam. Des randonnées à VTT vous permettent de découvrir le nord de la Thaïlande.

One World Bicycle Expeditions
356 Chaikong Rd
Chiang Khan

Loei 42110
☎/Fax (66) 42821825
email info@bikethailand.com
site www.bikethailand.com
Dirigé par Torsak et Katie Murray, One World Bicycle Expeditions est spécialisé dans les circuits à VTT adaptés à votre demande, qui vous emmènent à travers les plus beaux paysages de l'Isan. Étapes de nuit dans des maisons traditionnelles thaïes, et autres découvertes culturelles sont mises en avant.

Contact Travel Co. Ltd.

73/7 Charoen Prathet Rd, PO Box 234
Chiangmai 50000
☎ (53) 277178
Fax (53) 279505
email info@activethailand.com
site www.activthailand.com
Établi à Chiang Mai depuis dix ans, Contact Travel organise des circuits à VTT en Thaïlande, au Laos et en Birmanie. Matériel de qualité et guides locaux parlant français.

OÙ SE RENSEIGNER

Tourist Authority of Thailand (Northeast Office)

16/5 Mukmontri Rd
Udon Thani 41000
☎ (42) 325406/7
Fax (42) 325408
email tatudon@esan.inet.co.th
site www.tat.or.th
Contactez-les pour toute information sur votre destination, l'hébergement, les lieux à visiter... (➤ 259)

COMMENT SE LOGER

Nong Khai Grand Thani $$$

589 Moo 5
Poanpisai Rd
Nong Khai
☎ (42) 420033
Fax (42) 412026
Cet hôtel de luxe bénéficie, entre autres, d'un restaurant et d'une piscine.

Holiday Inn Mekong Royal $

222 Jomanee Rd, Pochai
Muang District
Nong Khai 43000
☎ (42) 420024
Fax (42) 421280
email mekong.royal@hotmail.com
site welcomemekongroyal.com
Bien situé, cet hôtel s'enorgueillit de ses salles de conférence, son restaurant et son bar à cocktails. Point important : chaque chambre possède une vue sur la rivière.

Mut Mee Guest House $

1111/4 Kaeworawut Rd
Nong Khai
Fax (42) 460717
email mutmee@nk.ksc.co.th
Tenu par un Anglais, c'est devenu le repaire favori des globe-trotters. Le jardin a une vue agréable sur la rivière et le restaurant thaï est à découvrir. Une astuce : contactez-les par internet car ils épluchent les messages tous les jours.

Tim's Guest House $

553 Moo 2, Rimkhong Rd
Chiang Mai District
Nong Khai Province 43130
☎/Fax (42) 451072
email timgh@ksk.th.com
site www.geocities.com/timgh-99
Cette guest house, située près du Mékong, est tenue avec simplicité par un Français. Testez son sauna aux herbes et vous ne le regretterez pas !

Sangkhom River Huts $

239 Moo 4
Sangkhom
☎ (42) 441012
Ces agréables bungalows aux toits de chaume donnent sur la rivière. Bonne cuisine concoctée par une propriétaire thaïlandaise.

Pak Chom Guest House $

Soit 1 Rimkhong
Chiang Mai Rd
Pak Chom
☎ (42) 881021
Bien situés, ces bungalows tout simples ont une vue sur la rivière.

OTS Guest House $

Ban Pak Huay
email tatudon@esan.inet.co.th
site www.tat.or.th
Ces bungalows au confort très rudimentaire ont une salle à manger commune qui offre un beau panorama sur la Heung River et le Laos.

Phu Luang Hotel $

55 Charoenrat Rd
Muang Loei
☎ (42) 811532

Fax (42) 821558
Situé près du marché, cet hôtel possède des chambres de qualité médiocre mais qui ont l'air conditionné. Un Coffee-shop et une disco sont à votre disposition : le karaoké vous permettra de chanter jusqu'au bout de la nuit.

5 DÉLICES DE L'E&O EXPRESS (THAÏLANDE ➤ 58-65)

QUI CONSULTER

Eastern & the Oriental Express
100 Beach Road
32–01/03 Shaw Towers
Singapour 189702
☎ 3923500
Fax 3923600
site www.orient-express.com
Réservation :
Paris ☎ (01) 55621800
Belgique ☎ (02) 2232423
Vous pouvez réserver les itinéraires suivants, dans les deux sens : Singapour-Bangkok, Bangkok-Chiang Mai, Singapour-Butterworth. Le tarif inclut les excursions sur la rivière Kwai et la Penang, les repas ainsi que le thé et le café.

COMMENT S'Y RENDRE

Changi Airport Singapore
PO Box 1
Singapour 918141
☎ 5421122
L'aéroport est situé à l'extrémité de l'île, 20 km environ au nord de la ville. Vous y trouverez une gamme complète de services.

OÙ SE RENSEIGNER

Singapore Tourist Promotion Board
2–34 Raffles Hotel Arcade
North Bridge Rd
Singapour
☎ 3341335/6

COMMENT SE LOGER

Albert Court Hotel $$$$
180 Albert St
Singapour 189971
☎ 3393939
Fax 3393253
email sales.mmttg.com@albertcourt.sg
site www.albertcourt.com.sg
Cet hôtel de taille raisonnable se trouve dans un quartier restauré de la ville : c'est pratique pour aller se promener dans Little India, faire du shopping ou sortir le soir.

Goodwood Park Hotel $$$$
22 Scotts Rd
Singapour 228221
☎ 7377411
Fax 7328558
email inquiries@goodwoodparkhotel.com.sg
site www.goodwoodparkhotel.com.sg
Bien situé, cet hôtel de style colonial bénéficie de chambres récentes, de deux piscines et de bonnes prestations.

Raffles Hotel $$$$
1 Beach Rd
Singapour 18673
☎ 3371886
Fax 3397650
email raffles@raffles.com
site www.raffleshotel.com
Le plus célèbre hôtel de Singapour a su préserver une atmosphère typiquement coloniale, avec son architecture et de superbes jardins. Le service et la cuisine sont de premier ordre. Ne manquez pas le déjeuner-buffet du Tiffin, ni le "Singapore Sling" au Long Bar, célèbre cocktail créé par la maison.

The Oriental $$$$
48 Oriental Ave
Bangkok
☎ (2) 2360400
Fax (2) 6590000
email reserve-orbkk@mohd.com
site mandarinoriental.com
Tout le charme et l'élégance d'un Bangkok mythique. À ne manquer sous aucun prétexte : le dîner-buffet barbecue thaï/italien à la Sunset Terrace qui domine le Chao Phraya. Ni le centre de gym ou la piscine !

The Sheraton Royal Orchid Hotel $$$$
2 Captain Bush Lane
Bangkok 10500
☎ (2) 2660123
Fax 2368320
email res171-royal-orchid@sheraton.com
site www.royalorchidsheranton.com
Grand hôtel animé en bordure de rivière, à proximité des sites touristiques. Très bonne cuisine, essayez en particulier le restaurant de spécialités thaïes. Les équipements sportifs sont divers et appréciables : une piscine est ouverte 24h sur 24.

Sol Twin Towers $$$$
88 New Rama VI Rd
Bangkok
☎ (2) 2169555
Fax (2) 216 9544
email solbi@soltwintowers.com
site www.soltwintowers.com
Ce grand hôtel est situé près des principaux sites touristiques, des boutiques et aussi à proximité de la voie express de l'aéroport. Ses quatre restaurants vous permettent de goûter des plats aussi divers que savoureux.

6 Plongée à Phuket (Thaïlande ➤ 66-73)

Qui consulter

Asia Voyages
60/6-7 Aroonsom Square
Rat-U-Thit 200 Year Rd
Patong Beach
Phuket
☎ (076) 340912
Branche locale de Asia Voyages (➤ 259). Circuits à l'île de Phi-Phi et visites des plantations d'hévéas à Phuket.

Plongée

The Phuket Island Access
site www.phuketcom.com/diveasia.htm
Très bien conçu, ce site permet de contacter un certain nombre d'opérateurs de plongée locaux, et présente assez de photos de la vie sous-marine pour vous faire rêver !

Divesafe Asia
231/233 Rat-U-Thit 200 Year Rd
Patong Beach
Kathu
Phuket 83150
☎ (076) 342518
Fax (076) 342519
email sspkk@loxinfo.co.th
site www.sssnetwork.com
Cet organisme enregistre et certifie les centres de plongée. Il gère également le seul caisson hyperbare de Phuket.

Fantasea Divers
219 Rat-U-Thit 200 Year Rd
PO Box 20, Patong Beach
Phuket 83150
☎ (076) 340088/295511
Fax (076) 340309
email info@fantasea.net
site www.fanatsea.net
Fantasea Divers est un centre de plongée (5 étoiles Padi), qui commence à dater, mais qui a toujours excellente réputation. Il propose une gamme complète de stages et de croisières à la journée, à destination, entre autres, des îles Phi-Phi et Rajah. Découvrez également les croisières avec vie à bord de quatre à dix jours, vers la Thaïlande ou le Myanmar, notamment les îles Similan et l'archipel Mergui.

Marina Divers
Marina Cottage
120/2 Moo 4, Papak Rd
Kata-Karon Beach
Phuket 83100
☎ (076) 330272
Fax (076) 330998
email info@marinadivers.com
site www.marinadivingresort.com
Ce grand centre 5 étoiles Padi dirigé par un Français organise des stages et des excursions à la journée à Phi-Phi, aux îles Rajah et à Shark Point. Croisières avec vie à bord aux îles Similan et Surin.

Santana
222 Taweewong Rd
Patong Beach, Phuket 83150
☎ (076) 294220
Fax (076) 340360
email info@santanaphuket.com
site www.santanaphuket.com
Fondé en 1979, Santana est l'un des plus anciens centres de plongée de Phuket. Vous y trouverez toute la gamme des stages de plongée, des croisières à la journée et de trois et sept jours dans la mer des Andaman, ainsi que des circuits en kayak de mer dans la baie de Phang Nga.

South East Asia Divers
PO Box 15, Patong Beach
Phuket 83150
☎ (076) 281299/281128
Fax (076) 281298
email info@phuketdive.net
site www.phuketdive.net
Ce centre de plongée 5 étoiles réputé offre les stages et les excursions habituels. Embarquez sur *Seraph*, superbe goélette datant de 1906 et dotée de cabines climatisées, pour découvrir Phi-Phi, les îles Rajah et Shark Point. Antennes locales aux complexes hôteliers Le Méridien et Kata Tani Beach.

AUTRES ACTIVITÉS À PHUKET

Asian Adventure
237 Rat-U-Thit Rd
200 Pee Rd
Patong Beach
Phuket 83150
☎ (076) 341799
Fax (076) 341798
email info@asian-adventures.com
site www.asian-adventures.com
Sports en tout genre et activités à combiner comme le kayak, le trekking, le VTT et le safari en 4X4. Leur point fort : ils participent à "l'Eco-Challenge Race" de Phuket, une compétition de deux jours qui se déroule sur 101 km.

Siam Safari
70/1 Moo 10, Chao Far Rd
Chalong
Phuket 83130
☎ (076) 280116
Fax (076) 383490
email info@siamsafari.com
site www.siamsafari.com
Circuits d'éco-tourisme de haut niveau, comprenant des promenades de 30 min ou 1 h 30 à dos d'éléphant, des randonnées et des excursions en canoë gonflable dans les marais de mangrove, aux alentours de Phuket. Les tarifs des excursions comprennent les repas et l'hébergement.

The Travel Company
135 Rat-U-Thit Rd
Patong Beach
Phuket 83150
☎ (076) 340232
Fax (076) 340292
email travelco@loxinfo.co.th
Au programme : VTT, randonnée et canoë dans les marais de mangrove. Diverses possibilités de safaris nature d'une journée ou une demi-journée dans l'île avec de petits véhicules tout-terrain. À combiner éventuellement avec des promenades à dos d'éléphant. Randonnées plus longues en forêt, aux chutes de Phang Nga et au Kao Sok National Park, au nord de Phuket.

COMMENT S'Y RENDRE

Phuket International Airport
☎ (076) 327230/4
L'aéroport est situé 11 km au nord de la ville de Phuket. Au comptoir d'informations, vous pourrez faire vos réservations d'hôtel, commander un taxi, organiser vos excursions et même acquérir gratuitement un plan de Phuket.

OÙ SE RENSEIGNER
email info@phuket.net ou info@phuket.com
site de Phuket : www.phuket.com

Tourist Authority of Thailand
73–75 Phuket Rd
Phuket 83000
☎ (076) 211036/217138
Fax (076) 213582
email tathkt@phuket.ksc.co.th
site www.tat.or.th
Détails ➤ 259.

COMMENT SE LOGER
Le principal centre hôtelier se trouve à Patong mais vous trouverez des endroits plus tranquilles, donc moins touristiques, à Karon, Kata, ou même à Phuket City : pas de plages de sable fin, mais shopping de premier choix, et quelques beaux spécimens d'architecture sino-portugaise. Dans toute la région, les tarifs s'envolent durant la haute saison (nov.-avril), et crèvent le plafond à Noël et au Nouvel An ; dates auxquelles il vous faudra réserver bien à l'avance.

The Boathouse $$$
Kata Beach
Phuket 83100
☎ (076) 330015/330017
Fax (076) 330561
email info@theboathousephuket.com
site www.theboathousephuket.com
Cet adorable hôtel traditionnel se trouve sur l'une des plus jolies plages de Phuket. Le Boathouse Wine & Grill sert une cuisine thaïe et européenne excellente (goûtez les fruits de mer), mais chère. L'hôtel organise également des stages de cuisine de deux jours, comprenant le déjeuner et un éventail de recettes thaïes traditionnelles. Et pour vous relaxer, des masseurs et une piscine sont à votre disposition !

Expat Hotel $
163/17 Rat-U-Thit Rd
Patong
Phuket 83150
☎ (076) 342143/344023
Fax (076) 340300
email expat@phuket.com
Situé au cœur du quartier en vogue de Patong, cet hôtel un peu spartiate cultive avec

légèreté une atmosphère très années 1950. Les bâtiments sont alignés autour d'une petite piscine, avec un bar et des restaurant.

Sea, Sun, Sand Guesthouse $
206/24 Rat-U-Thit 200 Year Rd
Patong Beach
Phuket 83150
☎/**Fax** (076) 343047
email seasunsand@hotmail.com
À quelques pas de la plage, dans un site paisible à souhait, cet hôtel propre et spacieux (pour Patong) offre des chambres aménagées avec simplicité. Douches chaudes en prime et accueil chaleureux.

Où boire et manger

The Boathouse $$$
Kata Beach
Phuket 83100
☎ (076) 330015/330017
Fax (076) 330561
email info@theboathousephuket.com
site www.theboathousephuket.com
Campé sur l'une des plus jolies plages de Phuket, le Boathouse Wine & Grill sert une cuisine thaïe et européenne excellente, mais chère. L'hôtel organise également des stages de cuisine de deux jours, comprenant le déjeuner et un éventail de recettes thaïes traditionnelles. Si vous avez décidé d'impressionner vos amis...

Baan Rim Pa $$
223 Kalim Beach Rd
Patong
☎ (076) 340789
Perchée à l'extrémité nord de Patong, sur une colline qui domine la plage, Baan Rim Pa est l'une des meilleures adresses de cuisine traditionnelle thaïe. On y sert également des plats d'inspiration plus cosmopolite. Cadre superbe, mais prix en conséquence.

Pizzadelic $
128 Beach Rd (entre Bangla Rd et Banana Disco)
Patong Beach
email pizzlove@phuket.ksc.co.th
Pour savourer des pizzas croustillantes et bon marché, siroter des boissons à prix raisonnable, ou surfer au web-café.

Le Grand Prix $
114/58 Kata Center
Phuket 83100
☎ (076) 330568
Ouvert tous les jours de 16 h à minuit, Le Grand Prix est tenu par Lionel Ramos, ancien cuisinier des grandes équipes de Formule 1. Bons plats locaux et occidentaux, à prix intéressants.

7 La route de Mandalay (Thaïlande/Myanmar ➤ 74-81)

Qui consulter

The Eastern & Oriental Express
100 Beach Rd
32–01/03
Shaw Towers
Singapour 189702
☎ 3923500
Fax 3923600
International :
☎ (01) 55621800 (Paris)
☎ (02) 2232423 (Belgique)
Luxueux bateau de croisière, *The Road to Mandalay* relie Bagan et Mandalay (trois ou quatre nuits à bord) sur l'Ayeyarwady. En saison, plusieurs croisières supplémentaires sont créées entre Mandalay et l'ancienne cité de Pyi (six à huit nuits). Les croisières partent de Bangkok, Yangon, Mandalay ou Bagan. Bureaux également au Myanmar, au Japon et dans toute l'Europe.

Barani Cruise and Trading Group
10 Thazin Rd
Ahlone Township
Yangon
☎ (1) 223104/225377
Fax (1) 223104/220949
email baranicruise@mptmail.net.mn
site www.cyberway.com/barani
Cette agence propose des croisières sur l'*Ayeyarwady*, à bord des bateaux l'Irrawaddy Princess ou l'*Irrawaddy Princess II*, moins luxueux que The Road to Mandalay (➤ ci-dessus). L'itinéraire emprunté relie Bagan à Mandalay, une fois par semaine.

Insight Myanmar Tourism Company
85/87 Thein Phyu Rd (First Floor)
Botahtaung Township
Yangon
☎ (1) 295224/295499
Fax (1) 295599
email insight@mptmail.net.mn
Pour organiser vos voyages au Myanmar :

circuits, guides francophones, réservations et location de voiture.

COMMENT S'Y RENDRE

Yangon International Airport

Pyay Rd
Mingalardon Township
Yangon
☎ (1) 662811
Situés juste après la zone des arrivées, ces comptoirs hôteliers s'occuperont de votre transfert à Yangon en bus ou en taxi, ce dernier étant sans doute le moyen de transport le plus pratique.

OÙ SE RENSEIGNER

Myanmar Travels and Tours

77/91 Sule Pagoda Rd
Yangon
☎ (1) 243639/243643
Fax (1) 245001
email info@myanmartourismboard.com
site www.myanmar-tourism.com

COMMENT SE LOGER

Yangon Savoy Hotel $$$$

129 Dharmmazedi Rd
Yangon
☎ (1) 526289/526298/526305
Fax (1) 524891/2
email savoy.ygn@mptmeil.net.mm
site www.savoy-myanmar.com
Magnifiquement restauré, ce vieil hôtel de style colonial est à la fois confortable et plein de charme. Faites quelques emplettes au caviste de l'hôtel et arrêtez-vous au coffee-shop.

Inya Lake Hotel $$$$

37 Kaba Aba Pagoda Rd
Meyengon Town Ship
Yangon
☎ (1) 662857/9
Fax (1) 665537/665964
email innyalakeguest@mptmail.net.mm
Ce grand hôtel situé sur les berges du lac Inya est très fréquenté par les groupes touristiques mais le site reste paisible. Réductions possibles.

Sedona Hotel $$$$

1 Kaba Aye Pagoda Rd
Yentim Town Ship
Yangon
☎ (1) 666900/666959
Fax (1) 666911/666356/666333
email bc@sedona.com.mm
Grand hôtel récent, entre l'aéroport et la ville, et face au lac Inya. Deux restaurants vous proposent, selon vos envies, une cuisine traditionnelle ou européenne agréable. Un centre de gym et une piscine sont à votre disposition.

Yuzana Garden Hotel $$

44 Signal Pagoda Rd
Yangon
☎ (1) 240989/248944
Fax (1) 240074
Rénové récemment, ce bâtiment colonial possède de grandes chambres et un jardin ombragé très accueillant. Renseignez-vous : réductions possibles suivant l'époque où vous partez.

Bagan Hotel, Old Bagan $$

☎ (62) 70311
Fax (62) 70313
email baganthande@myanmar-net
Cet hôtel élégant à souhait, construit avec des matériaux traditionnels, est situé à proximité du musée et des principaux sites touristiques.

Thante Hotel, Old Bagan $$

☎ (62) 70144
Fax (62) 70143
Moins classieux que le Bagan (➤ ci-dessus), mais très confortable : chambres avec air conditionné et balcons qui dominent l'Ayeyarwady. Cuisine à découvrir.

Sedona Hotel $$$$

Au coin de la 26th et de la 66th St
Mandalay
☎ (2) 36488
Fax (2) 36499
email bc.shm@sedona.com.mm
Grand hôtel confortable donnant sur le Palais. Prestations d'excellent niveau et personnel très serviable.

Mandalay Swan Hotel $$

44B 26th St
Mandalay
☎ (2) 31591/31619/35678
Fax (2) 35677
email mdyswan@mptmail.net.mm
Cet hôtel, plus ancien, est également voisin du Sedona et du Palais. L'accueil est chaleureux et on peut vous organiser divers circuits et transports.

8 KAYAK DANS LA BAIE DE HA LONG (MYANMAR/VIÊT NAM ➤ 84-91)

(MYANMAR/VIÊT NAM ➤ 84-91)

QUI CONSULTER

Pour explorer la baie de Ha Long, il vaut mieux se joindre à un circuit que partir seul. On peut bien sûr se rendre à Cat Ba Island sans l'aide d'un opérateur mais, encore une fois, ce sera beaucoup plus simple de choisir un circuit : la communication par gestes a ses limites ! De nombreuses agences organisent des circuits sur Ha Long, mais une seule propose du kayak de mer.

Buffalo Tours
11 Hang Muoi
Hanoi
☎ (4) 828 0702
Fax (4) 826 9370
portable 0913573826
email info@buffatours.com.vn
site www.buffalotours.com
Cet opérateur, très professionnel, dispose de 40 kayaks de mer. Les excursions vont de une à sept nuits, et peuvent être modulées selon vos souhaits. Leurs guides sont francophones. Une astuce : allez sur leur site internet.

COMMENT S'Y RENDRE

Noi Bai International Airport, Hanoi
☎ (04) 8271513/8268522
L'aéroport est situé 30 km au nord de la ville. Des navettes et taxis vous permettent de rejoindre le centre-ville.

OÙ SE RENSEIGNER

site www.vietway.com
Toutes les informations pour visiter le Viêt Nam : hôtels, cartes...

COMMENT SE LOGER

Heritage Hotel $$$$
88 Ha Long St
Bai Csay
Ha Long
☎ (33) 846 888
Fax (33) 846 999
Bien situé, cet hôtel 3 étoiles est idéal après une journée de kayak. Les nouilles chinoises, avant ou après la piscine ?

Vuon Dao Hotel $
Bai Chay
Ha Long City
☎ (33) 846 455/846427/846304
Fax (33) 846 287
email vuondaoht.qn@hn.vnn.vn
site www.vietnamhotelinfo.com
Cet hôtel 3 étoiles offre de nombreuses prestations et possède, entre autres, un sauna aux herbes.

Family Hotel & Restaurant $
Cat Ba Island
☎/Fax (31) 888231
Face à la baie, c'est l'un des plus grands hôtels de la ville. Direction efficace et cuisine agréable.

Van Anh Hotel $
Cat Ba Island
☎ 31 888 201
Fax 31 888 325
Voisin du Family Hotel (➤ ci-dessus), et donnant également sur la baie, cet hôtel est apprécié et bien géré : James, le directeur, ancien prof, parle un anglais excellent et peut vous accompagner en tant que guide ou organiser vos excursions sur l'île. Les chambres sont dotées de la TV, du téléphone et de douches chaudes.

Gieng Ngoc 1 $
1/4 St Cat Ba Island
☎ 31 888 286
Fax (31) 888461
Nouvel hôtel dont les chambres (quelques-unes ont l'air conditionné) dominent la baie. Le site, paisible, est très agréable.

Ngoc Mai Hotel $
19 Vuon Dao St
Ha Long
☎ (33) 846123
Fax (33) 846226
Cet hôtel possède un très agréable restaurant situé sur la plage. Avis aux amateurs !

9 LE NORD-OUEST EN 4X4 (MYANMAR/VIÊT NAM ➤ 92-99)

QUI CONSULTER

Buffalo Tours
11 Hang Muoi
Hanoi
☎ (4) 828 0702
Fax (4) 826 9370
portable 0913573826
email info@buffatours.com.vn
site www.buffalotours.com
Jeune agence vietnamienne, dirigée par

des professionnels dynamiques. Les guides sont francophones. On vous propose des Jeep russes ou des Land Cruiser avec chauffeur (➤ 269).

Explorator
16, rue de la Banque
75002 Paris
France
☎ (01) 53458585
Fax (01) 42608000
email explorator@explo.com
site www.explo.com
Visitez Hanoi, la vallée heureuse de Maï Chau, les villages des différentes ethnies ou les paysages superbes menant à Dien Bien Phu. Pendant 18 jours, 1 500 km sont réalisés en véhicules tout-terrain sur routes et pistes. Encadrement français et vietnamien.

Comment s'y rendre

Noi Bai International Airport, Hanoi
☎ (04) 8271513/8268522
Détails ➤ 269.

Où se renseigner

site www.vietway.com
Toutes les informations pour visiter le Viêt Nam : hôtels, cartes...

Comment se loger

Sofitel Metropole Hotel $$$$
15 Ngo Quyen St
Hanoi
☎ (4) 8266919
Fax (4) 826 6920
email res@sofitelhanoi.vnn.vn
site www.sofitel-hanoi-vietnam.com
Idéalement situé en plein centre du Hanoi commercial, c'est un vieil hôtel de style colonial français, dont la rénovation a préservé l'élégance. Prestations, service et cuisine sont de haut niveau : le Sofitel Metropole Hotel est parfait pour se remettre d'un périple aventureux ou sportif.

The Prince Hotel $
88 Hang Bac St
Hanoi
☎ (4) 9260150
Fax (4) 9260149
Hôtel récent, chambres agréables avec téléphone, TV (et satellite), bain et eau chaude, réfrigérateur, air conditionné et balcon.

Victoria Hotel $$$$
Sa Pa Town
Lao Cai Province
☎ (20) 871522
Fax (20) 871539
email victoriasapa@hn.vnn.vn
site www.victoriahotel-asia.com
L'hôtel international de Sa Pa, à quelques pas du marché. Pour l'ambiance : feu de bois, cuisine et vins français. Grand confort, divers équipements sportifs et vue superbe sur la plus haute montagne du pays, le mont Fransipan, quand le temps le permet. Petit plus : on vous achemine de Hanoi à Spa par le wagon de luxe de l'hôtel, le "Victoria Express".

Tam Duong Hotel $
Phong Tho
☎ (23) 875288
Vous n'avez pas besoin de réserver à l'avance pour trouver une chambre dans cet hôtel à petit prix.

Airport Guest House $$
Thansbins St
Dien Bien Phu
☎ (23) 824908
Cet hôtel porte bien son nom : il se trouve à côté de l'aéroport. Il est avant tout fonctionnel et les chambres sont propres. Le petit plus : le transfert à l'aéroport est gratuit.

Phong Lan Hotel $
Son La
☎ (22) 853516
Récemment ouvert, cet hôtel, sans prétention, propose des chambres diverses : climatisation possible.

Où boire et manger

The Lien Tuoi $
27 Hoang Cong Chat St
Dien Bien Phu
☎ (23) 824919
Cuisine traditionnelle vietnamienne excellente et variée.

Dien Bien Phu Airport Hotel $
Thansbins St
Dien Bien Phu
☎ (23) 825052
Fax (23) 826060
Situé près de l'aéroport, cet hôtel est utilisé par plusieurs opérateurs. Bonne cuisine vietnamienne et internationale.

Airport Guest House $

☎ (23) 824908

(Détails ➤ 270)

10 Voyage sur le Nam Ou (Laos ➤ 100-109)

Qui consulter

Diethelm Travel

Kian Gwan Building II
140/1 Wireless Rd
Bangkok 10330
☎ (2) 2559150/2559170
Fax (2) 2560248/9
email dto@dto.co.th
site www.diethelm-travel.com
Organise des voyages sur le Nam Ou (détails ➤ 262).

Mekong Land

Building One
11th Floor
99 Wittayv Rd
Pathumwan
Bangkok 10330
☎ (2) 2567176/25
Fax (2) 2566150
email mekongld@mekongland.com
site www.east-west.com
Mekong Land propose une croisière de luxe de deux jours / une nuit sur le Mékong, de Houei Xai à Luang Prabang.

Sodetour

114 Quai Fa-Ngum
BP 70
Vientiane
☎ (21) 216314/213478
Fax (21) 216313
Sodetour est l'opérateur le plus connu du Laos. Il est spécialisé depuis dix ans dans des "tours à la carte" pour petits groupes ou pour voyageurs indépendants. Palette d'excellents circuits d'aventure, notamment la remontée du Nam Ou. La réservation est vivement conseillée.

Laos Travel Service

08/3 Lanexang Ave
Vientiane
☎ (71) 216603
Fax (71) 216150
email lts@pan-laos.net.la
site www.laosadventure.com
Établi depuis 1992, c'est l'un des opérateurs les plus importants du Laos. Circuit de trois jours dans la région de Vientiane : visite des temples et excursion au Nam Ou.

Comment se loger

Phou Vao Hotel $$$

PO Box 50
Luang Prabang
☎ (71) 212194
Fax (71) 212534
Situé en lisière de la ville, c'est le meilleur hôtel de Luang Prabang : piscine, jardins tropicaux, chambres superbes et excellent restaurant.

Villa Santi $$

Sisavangvong
Luang Prabang
☎ (71) 212267
Fax (71) 252158
Idéalement située, cette charmante demeure royale, âgée de plus de 100 ans, a été rénovée en un hôtel original de 25 chambres.
À découvrir !

Khem Kharn Food Garden $

Nam Khan Rd
Luang Prabang
Les chambres sont ordinaires, mais l'hôtel est situé sur les berges de la Nam Khan et possède une agréable terrasse.

Phongsali Hotel $

Phongsali
Les chambres sont rudimentaires avec des douches et une salle d'eau communes mais vous ne trouverez pas mieux en ville.

Auberge du Temple $$

184/1 Ban Khounta
Vientiane
☎/Fax 214844
Adorable villa reconvertie, dans les faubourgs de la capitale.

Le Parasol Blanc $

263 Sibounheuang Rd
Vientiane
☎ (21) 215090
Fax (21) 222290
email vicogrp@laotel.com
site www.vico-voyage.com
Bungalows dotés de jolis parquets en bois dur local autour d'une piscine, d'un jardin ombragé et d'un restaurant qui sert divers petits plats francais, thaïs et laotiens. Les chambres ont l'air climatisé.

11 Trois jours sur le Mékong (Laos ➤ 110-119)

Qui consulter

Mekong Land
Building One
11th Floor
99 Wittayv Rd
Pathumwan
Bangkok 10330
☎ (2) 2567176/25
Fax (2) 2566150
email mekongld@mekongland.com
site www.east-west.com
Embarquez à bord du *Vat Phou* ou du *Pak Ou* et naviguez pendant trois jours sur le Mékong, de Pakse à Don Khong (aller-retour). Réservez bien à l'avance.

Sodetour
Route 13
Ban Vat Pha Bath
Pakse
☎**/Fax** (31) 212710
email sodeloa@samart.co.th
Branche locale de Sodetour (détails ➤ 271). Circuits aux environs de Champassak et dans tout le pays. Réservation vivement conseillée.

Laos Travel Service
08/3 Lamexang Ave
Vientiane
☎ (71) 216603
Fax (71) 216150
email lts@pan-laos.net.la
site www.laosadventure.com
Détails ➤ 271.

Où se renseigner

Office of Tourism Champassak
13 Rd
Pakse
☎ (31) 212021
Situé au centre-ville.

Comment se loger

Champassak Palace Hotel $
13 Rd
PO Box 718
Pakse
☎ (31) 212263
Fax (31) 212781
Cet immense hôtel, qui surplombe la ville de Pakse et le Sekong, est l'ancienne résidence du premier prince de Champassak, le célèbre Boun Oun. Parmi les prestations haut de gamme : salle de remise en forme, piscine, divers restaurants, bar et jardin avec vue sur le fleuve.

Salachampa Hotel $
10 Rd
Pakse
☎ (31) 212273
Fax (31) 212646
Situé au centre-ville, cet hôtel est une ancienne villa française restaurée. Malheureusement l'entretien est médiocre et les tarifs excessifs.

Sala Wat Phou $$
Champassak
Pakse
☎ (31) 213280
Fax (31) 213274
L'idéal si vous voulez être à proximité du *Wat Phou*.

Auberge Sala Don Khong $
Muang Khong
Don Khong Island
☎ (31) 212077
Cette superbe maison ancienne en teck donnant sur la rivière est tenue par un Français. Si vous avez le mal du pays, les plats français concoctés sont excellents. Location de vélos possible. Réservation à Sodetour ➤ 271.

12 La magie d'Angkor (Laos/Cambodge ➤ 120-129)

Qui consulter

Diethelm Travel
Kian Gwan
Building II
140/1
Wireless Rd
Bangkok 10330
☎ (2) 2559150/2559170
Fax (2) 2560248/49
email dto@dto.co.th
site www.diethelm-travel.com
Voir détails ➤ 262.

East–West Travel Limited (Cambodge)
18, St 302
Sangkat Boeng Kang
Khan Chamcar Mon
Phnom Penh

☎ (23) 216065/216067
Fax (23) 216067
email eastwest@bigpond.com.kh
site www.eastwest-travel.com
Branche d'East–West Siam (➤ 259).

Où se renseigner

Phnom Penh Tourism

313 Sisawath Quay
☎ (23) 426288

Comment se loger

Angkor Village $$

Wat Bo Village
Siem Reap
☎ (63) 963561/963563
Fax (63) 380104
email angkor.village@bigtaon.com.kh
site www.angkorvillage.com
Conçus par un couple d'architectes franco-khmers charmant, ces ravissants bungalows surélevés, reliés par des planchers de différents niveaux autour du restaurant central, vous offriront la retraite idéale après une journée de visites.

Apsara Angkor Guest House $

279, 6 St
Taphul Village
Siem Reap
☎ (15) 630125
Fax (15) 380025
Guest house simple mais agréable, Apsara Angkor bénéficie d'un patio et d'un restaurant à découvrir.

Sofitel Cambodiana $$$$

313 quai Sisowath
Phnom Penh
☎ (23) 426288
Fax (23) 426392
email luxury@hotelcambodiana.com.kh
site www.hotelcambodiana.com
Le plus élégant hôtel de Phnom Penh est doté d'une piscine, de courts de tennis et de deux restaurants. Le petit plus : vous pouvez aussi surfer sur internet.

Renakse $$

40 bd Sothearos
Phnom Penh
☎/**Fax**(23) 722457
email renakse-atl@camnet.com.ka
Cette merveilleuse bâtisse coloniale française vous charmera avec ses planchers grinçants à souhait. Idéalement située.

13 À la découverte du plateau des Boloven (Laos/Malaisie ➤ 130-137)

Qui consulter

Sodetour

Route 13
Ban Vat Pha Bath, Pakse
☎ (31) 212122
Fax (31) 212710
Détails ➤ 271. Réservation fortement conseillée.

Inter-Lao Tourisme

13 Road
Pakse
☎ (31) 212226
email inter-tour@pan-laos.net.la
(site en cours)
Propose des circuits divers de deux jours à deux semaines.

Diethelm Travel

Kian Gwan
Building II
140/1
Wireless Rd
Bangkok 10330
☎ (662) 2559150/2559170
Fax (662) 2560248/49
email dto@dto.co.th
site www.diethelm.com
Détails ➤ 262.

Où se renseigner

Office of Tourism Champassak

13 Rd
Pakse
☎ (31) 212021
Situé au centre-ville.

Comment se loger

Champassak Palace Hotel $

13 Rd
PO Box 718
Pakse
☎ (31) 212263
Fax (31) 21277880
Détails ➤ 272.

Salachampa Hotel $

10 Rd
Pakse
☎ (31) 212273
Fax (31) 212646
Détails ➤ 272.

Tad Lo Resort $
PO Box 04
Salavan
Bungalows tout simples comme posés sur la rivière. Réservation fortement conseillée, surtout en haute saison : c'est souvent complet, malgré des prix excessifs. Réserver via Sodetour à Pakse (➤ Qui consulter).

Sekong Hotel $
Sekong
Le seul hôtel de la ville a des chambres basiques et un restaurant.

Tawiwan Guest House $
Attapeu
Agréable petite guest house, près de la poste, dont le balcon paisible surplombe la rivière. Restaurant conseillé.

Souk Somphone Guest House $
Attapeu
Située au centre-ville, en face de la banque, cette guest house possède de grandes chambres toutes simples.

14 AU COEUR DE LA JUNGLE (MALAISIE ➤ 140-147)

QUI CONSULTER

Kota Baharu Tourist Information Centre
Jalan Sultan Ibrahim
Kota Baharu
☎ 9 748 5534
Fax 9 748 6652
Roselan Hanafiah organise circuits et séjours chez l'habitant dans toute la région.

Taman Negara Resort
À côté de la boutique du centre hôtelier, réservez vos excursions en bateau, votre cabane de pêcheur ou votre emplacement de camping auprès du Parks and Wildlife Department. On peut aussi louer les services de guides. Randonnées guidées tous les soirs à 20 h 30, pour des groupes de dix personnes maximum.

The Family Restaurant
Ce restaurant flottant, amarré côté ouest de la navette qui traverse la Tembeling, propose plusieurs types d'activités, notamment des safaris nocturnes sur la rivière, l'exploration de Gua Telinga (Grotte aux chauve-souris), la visite du village d'Orang Asli, et du tubing. Également, deux fois par jour : excursions à Kuala Tembeling.

COMMENT S'Y RENDRE

Kuala Lumpur International Airport
☎ (3) 87762454
KLIA, principale porte d'accès de la Malaisie, se trouve à Sepang, à 50 km de Kuala Lumpur. Bus et taxis pour la capitale.

OÙ SE RENSEIGNER

MATIC (Malaysian Tourist Information Complex)
Jalan Pesiaran Putra
109 Jalan Ampang
Kuala Lumpur
☎ (3) 21643929
Dans une élégante villa de l'époque coloniale, le principal office de tourisme de KL est ouvert tous les jours. Il vous fournira une quantité d'infos sur la ville, notamment sur les chambres disponibles, mais aussi sur toutes les régions du pays. Réservations pour les parcs nationaux, y compris le Taman Negara.

Office national du tourisme de Malaisie
29, rue des Pyramides
75001 Paris
☎ (33) 142974171
Fax (33) 142974169

Kota Baharu Tourist Information Centre
Jalan Sultan Ibrahim
Kota Baharu
☎ (9) 748 5534
Fax (9) 748 6652
Détails ➤ ci-dessus.

Hotel Sri Emas, Jerantut
Tous les soirs à 20 h, briefings sur les moyens de se rendre au Taman Negara, les lieux de séjour et les activités dans le parc. Réservations pour les activités organisées par le Family Restaurant, sur la Tembeling (➤ ci-dessus).

Taman Negara Resort
Utile comptoir d'informations au bureau d'entrée du complexe. Les bâtiments accueillent une bibliothèque et un centre d'informations, qui passe deux fois par jour une vidéo de 45 min sur les principaux sites du parc.

COMMENT SE LOGER

KUALA LUMPUR

Backpackers Travellers Lodge $

1st Floor
158 Jalan Tun H.S. Lee
Kuala Lumpur 50000
☎ (3) 201 0889
Fax (3) 238 1128
Basique, mais d'une propreté scrupuleuse : excellent rapport qualité/prix. Le Backpackers Travellers est situé en plein cœur de Chinatown et dirigé par une équipe accueillante : pas de couvre-feu, vidéos tous les soirs et bonnes infos sur les choses à voir ou à faire. Le "Travellers Email Center" dépend également de l'hôtel.

Coliseum $$$

100 Jalan TAR
Kuala Lumpur
☎ (3) 292 6270
Savoureuse atmosphère que celle de ce vieil hôtel de style chinois, avec ses meubles imposants et ses ventilateurs géants. Bar convivial (ancienne oasis des planteurs assoiffés) et steakhouse de légende au rez-de-chaussée.

Istana $$$$

73 Jalan Raja Chulan
Kuala Lumpur 50200
☎ (3) 21419988
Fax (3) 21440111
numéro vert 1800-883380
email hotel_istana@histana.po.my
site www.smi-hotels.com.sg
L'un des plus beaux hôtels de KL, idéalement situé dans le secteur du Golden Triangle. Chambres spacieuses, confortables, avec une gamme complète de services : vaste choix de restaurants, hall somptueux, piscine, centre de remise en forme, courts de tennis et de squash.

The Lodge Hotel $

Jalan Sultan Ismail
Kuala Lumpur 50250
☎ (3) 21420122
Fax (3) 21416819
email kllodge@tm.net.my
Face à l'Istana, The Lodge Hotel est une bonne solution si vous ne voulez pas vous ruiner. Les chambres les moins chères sont à l'annexe, et n'ont pas la TV. Café ouvert 24 h sur 24 h, piscine, et restaurant indien musulman Hameeds.

Radisson Plaza Hotel $$$

138 Jalan Ampang
Park Plaza
Kuala Lumpur 50450
☎ (3) 27118866
Fax (3) 27119966
email parkplazakl@po.jaring.my
À quelques pas du centre de shopping Suria KLCC et des Petronas Twin Towers (plus hautes tours du monde), cet hôtel récent, ultra-chic, offre des chambres très confortables, quelques restaurants élégants, une piscine, un jacuzzi, une salle de gym et un centre d'affaires.

KOTA BAHARU

Diamond Puteri Hotel $$$$

Jalan Post Office Lama (section 9)
Kota Baharu
Ketantan 15500
☎ (9) 743 9988
Fax (9) 743 8388
email dphko@tm.net.my
Hôtel haut de gamme, qui se trouve sur le front de mer. Superbes restaurants chinois et occidental prolongés par une terrasse donnant sur la rivière. Piscine et salle de gym.

Menora Guest House $

3338d Jalan Sultanah Zainab
Kota Baharu
☎ (9) 748 1669
Pour les petits budgets, une des meilleures adresses de KB, dirigée par la très accueillante famille Chua. Demandez l'une des chambres du dernier étage : ce sont les plus agréables car elles ont une terrasse. Douche en plein air pour couronner le tout.

Safar Inn $

Jalan Hilir Kota
Kota Baharu 15300
☎ (9) 747 8000
Fax (9) 747 9000
Excellent hôtel à prix raisonnable, situé au centre-ville. Chambres joliment meublées et petit déjeuner inclus.

JERANTUT AND TAMAN NEGARA

Hotel Sri Emas $

Bangunan Muip
Jalan Besar
27000 Jerantut
☎ (9) 266 4499/266 4488
Fax (9) 266 4801
email tamannegara@hotmail.com

site www.tamannegara.com.my
Situation centrale, près des boutiques. Plusieurs types de chambres (certaines sont climatisées), dont des chambrées. Rien d'extraordinaire, mais personnel serviable et accueillant. Tous les jours, un guide vous donne plein d'infos sur les moyens d'accès au parc et les choses à y faire. Bon café à côté, avec la TV, le satellite et internet, pour vous aider à tuer le temps si vous attendez le train de nuit. Ils organisent des circuits et des activités dans la jungle et peuvent s'occuper de votre hébergement dans les villages alentour. Même direction familiale au Jerantut Hotel, 100 m à l'est sur Jalan Besar.

Taman Negara Resort $$
Kuala Tehan
☎ (9) 266 3500/266 2200
Fax (9) 266 1500
Bureau de réservation :
2nd Floor, Hotel Istana
Jalan Raja Chulan
Kuala Lumpur
☎ (3) 245 5585 **Fax** (3) 45 5430
site www.tradestar.com/negara
Dans les limites du parc, vous ne trouverez guère mieux que des chalets à deux lits avec air conditionné et salle de bains, sauf si vous cherchez le très grand luxe, offert par certains appartements en chalets et bungalows. Les chambres standards de guest house, situées dans les bâtiments en brique à l'extrémité orientale du parc, vous en donneront moins pour votre argent, mais pour les petits budgets, l'auberge offre une alternative intéressante avec ses chambrées de huit en lits superposés avec moustiquaires. Vous trouverez également sur le site un terrain de camping (apportez votre tente), un restaurant et un café (➤ 277). Le centre de loisirs propose quelques petites excursions au parc.

Nusa Camp $
16 Jalan Diwangsa
Banda Baru
Jerantu 27000
☎ (9) 266 2369
Fax (9) 266 4369
Kuala Lumpur :
☎ (3) 2305402 **Fax** (3) 262 7682
email spkg@tm.net.my
À 2 km environ plus à l'est sur la Tembeling en partant de Kuala Tahan, sur la rive opposée au parc, vous trouverez un centre d'hébergement forestier plus rudimentaire : chalets de style malais, simples petites huttes, dortoirs de quatre lits, et terrain de camping. Avec sa cafétéria, c'est une bonne solution si vous recherchez un séjour en jungle plus calme que Kuala Tahan, qui est de plus en plus fréquenté. Seul inconvénient : il vous faudra prendre un bateau pour vous rendre dans le parc.

Shorea Motel $
Lot 1010
Kuala Tahan
☎/**Fax** (9) 266 9897
C'est l'idéal si vous séjournez à Kuala Tahan. Chalets en béton avec une véranda, air conditionné et salle de bains attenante. Également : dortoirs climatisés et ventilés. Ils n'ont pas de restaurant mais il y en a un tout près (moins de 5 min à pied). Les réservations peuvent être faites à l'hôtel Sri Emas (➤ 275).

OÙ BOIRE ET MANGER
KUALA LUMPUR
Coliseum Café $
100 Jalan TAR
☎ (3) 292 6270
Nostalgique, en quête d'atmosphère authentiquement coloniale ? Impossible de trouver plus décalé que le Coliseum, avec ses serveurs chenus et ses steaks saisis à point.

Le Coq d'Or $$
121 Jalan Ampang
☎ (3) 2619732
Choix de plats malais, chinois et européens, dans ce restaurant aux splendeurs fanées, aménagé dans l'ancienne demeure d'un nabab chinois. Les spécialités françaises sont à goûter.

Bon Ton $
7 Jalan Kia Peng
☎ (3) 21413611
Dans ce bungalow au style original, on vous servira des plats succulents mêlant les inspirations orientales et occidentales, accompagnés d'une excellente sélection de vins.

Carcosa Seri Negara $
Taman Tasik Perdana
Kuala Lumpur 50480
☎ (3) 22821888
Fax 22827888
Réservation en France :
☎ 0800 553780
email carcosa@tm.net.my

site www.carcosa.com.my
Si vous voulez vraiment vous faire plaisir, allez manger un morceau dans cette ancienne résidence du gouverneur britannique, devenue aujourd'hui le plus chic hôtel de la ville. Rien de plus délicieusement décadent que de venir prendre le thé dans la véranda (à un prix très raisonnable), dans un lieu où le curry "tiffin" du dimanche midi fait figure de légende.

Seri Angkasa $$

Th02 Minara, Jalan Punchak
Kuala Lumpur
☎ (3) 208 5055
Fax (3) 21451755
Idéal pour un bon dîner à la malaise tout en profitant d'une vue exceptionnelle : incroyable mais vrai, le Seri Angkasa est un restaurant tournant perché au sommet du Menara KL. Réservation indispensable.

Ceylon Hill

Dans ce quartier en vogue, plusieurs adresses sont à noter, à commencer par le très décontracté **Bilal** ☎ (3) 2380804, cuisine de qualité, du nord de l'Inde. Plus élégant, mais plus cher, **Little Havana** ☎ (3) 21447170, doté d'un élément essentiel à tout restaurant branché du Sud-Est asiatique : le salon à cigares. Ils servent surtout des plats occidentaux mais, curieusement, sont spécialisés dans la cuisine cubaine.

Chinatown

Ce quartier de Kuala Lumpur redevient lui aussi à la mode, avec son nostalgique **Old China Company Café and Restaurant** (Jalan Traffic Polis) : plats traditionnels "Straits Chinese", servis dans l'ancien hôtel de ville de la Selangor and Federal Territory Laundry Association. Dans l'ultramoderne Kafe Halo voisin, concerts de groupes et de chanteurs pop locaux.

Bangsar

Sautez dans un taxi et allez découvrir Bangsar, banlieue branchée de KL, truffée de restaurants et de bars en tout genre, et rendez-vous favori de tous les vendeurs de rue de la capitale.

Kota Baharu
Qing Lang

Jalan Zainal Abidin
Au premier étage du **Central Market**, vous trouverez quantité de cafés servant des plats locaux fraîchement cuisinés, notamment des salades et des currys de poisson pendant la journée. Pour dîner, rien ne vaut le très animé marché de nuit, situé dans la parking en face de Central Market, qui est ouvert de 18 h 30 à minuit. Essayez le *ayam percik*, poulet grillé et sauce à la noix de coco, ou le *nasi kerabu*, riz multicolore (les violet, bleu ou vert vont vous épater !) accompagné de noix de coco grillées, de germes de soja, d'oignons épicés, d'œufs durs, de poisson séché ou d'ail confit. Le jeu consiste à faire vos achats aux échoppes, puis à vous asseoir à une table voisine, d'où vous pourrez commander boissons ou plats spécialement préparés pour vous. Attention, les carafes d'eau posées sur les tables servent à se rincer les doigts... Si vous souhaitez utiliser des couverts, demandez-les aux serveurs.

Taman Negara Resort

Pour faire un bon repas au Taman Negara, essayez le **Tahan Restaurant**, d'un bon rapport qualité/prix avec ses dîners-buffets, riches en salades et plats locaux ou occidentaux. C'est aussi le seul endroit où vous pourrez acheter de l'alcool à Kuala Tahan. Pour le déjeuner et le petit déjeuner, allez plutôt voir du côté de la **Teresek Cafeteria**, self-service situé à l'extrémité est du centre. Mais la plupart des visiteurs préfèrent traverser la rivière et aller manger un morceau dans l'un des cinq restaurants flottants, beaucoup moins chers. Tous servent des menus à peu près identiques, à base de nouilles et de riz. **The Family Restaurant** (➤ 274)est le plus fréquenté. Le mercredi soir, sur la grand-route de Kuala Tahan, le marché de nuit mérite une petite promenade.

15 D'île en île dans l'archipel de Langkawi (Malaisie ➤ 148-157)

Qui consulter
Dynamite Cruises

198 Kg. Padang Putig, Kibawanan
Langkawi 07000
☎ (12) 4886933
Fax (12) 4761411
email fun@dynamitecruises.com
site dynamitecruises@com
Croisières d'une journée sur un voilier de 18 m, le *Dynamo Hun*. Départ de la marina de Porto Malai. Déjeuner-buffet et boissons

inclus. En saison, et si le temps le permet, découverte des forêts de mangrove et des îlots rocheux de la côte nord-est de Langkawi.

Futuristic Enterprise (Jurgen Zimmerer)

62 Hatiah Villa
B.K. Merang/Kedawang
0700 Pulau
Langkawi
☎/**Fax** (4) 9554744
email juergzim@yahoo.com
site www.emmes.net
Ambiance amicale chez ce petit opérateur, dirigé par l'Allemand Jurgen Zimmerer, qui propose des circuits en jungle et dans la mangrove, dans les régions nord et nord-est de Langkawi.

Wildlife Langkawi

Irshad Mobarak
☎ (4) 9592500
portable (012) 4523122
Randonnées à pied, pour découvrir la nature des environs de Datai (➤ 279). Safaris nature au départ de Tanjung Rhu pour explorer la forêt de mangrove, et circuits d'observation des oiseaux à Gunung Raya. Des circuits peuvent être organisés en français.

Mayflower ACME Tours

18 Jalan Segambut Pusat
Kuala Lumpur 51200
☎ (3) 62521888
Fax (3) 62570416
email inbound@mayflower.com.my
site www.mayflower.com.my
Circuit original à découvrir : après un dîner malaisien, on vous emmène à l'Air Hangat Village Dance Troupe pour une soirée de danse et de musique. Autres circuits thématiques.

COMMENT S'Y RENDRE

Kuala Lumpur International Airport

KUL, principale porte d'accès de la Malaisie, se trouve à Sepang, à 50 km de Kuala Lumpur. Bus et taxis pour la capitale.

Langkawi International Airport

Padang Mat Sirat
Langkawi
☎ (4) 9551311
Le seul aéroport de Langkawi est situé côté ouest de l'île, à 17 km du centre de la ville. Vous y trouverez un comptoir d'information touristique où l'on vous fournira des cartes de l'île.

OÙ SE RENSEIGNER

MATIC (Malaysian Tourist Information Complex)

109 Jalan Ampang
Kuala Lumpur
☎ (3) 21643929
Fax (3) 2621149
Jalan Pesiaran Putra
Détails ➤ 274

Langkawi Tourist Information Centre

Jalan Pesiaran Putra
07000 Kuah
Langkawi
☎ (4) 9667789
Fax (4) 9667889

COMMENT SE LOGER

KUALA LUMPUR

Backpackers Travellers Lodge $

1st Floor, 158 Jalan Tun H.S. Lee
Kuala Lumpur 50000
☎ (3) 201 0889 **Fax** (3) 238 1128
Détails ➤ 274

Coliseum $$$

100 Jalan TAR
Kuala Lumpur
☎ (3) 292 6270
Détails ➤ 275

Istana $$$$

73 Jalan Raja Chulan
Kuala Lumpur 50200
☎ (3) 21419988 **numéro gratuit** 1800-883380
Fax (3) 21440111
email hotel_istana@histana.po.my
site www.smi-hotels.com.sg
Détails ➤ 275

The Lodge Hotel $

Jalan Sultan Ismail
Kuala Lumpur 50250
☎ (3) 2142 0122
Fax (3) 2141 6819
email kllodge@tm.net.my
Détails ➤ 275

Radisson Plaza Hotel $$$

138 Jalan Ampang
Park Plaza
Kuala Lumpur 50450

☎ (3) 27118866
Fax (3) 27119966
email parkplazakl@po.jaring.my
Détails ➤ 275

Langkawi

The Andaman $$$$

PO Box 94
Jalan Teluk Datai
Langkawi 07000, Kidah
Darul Aman
☎ (4) 9591088
Fax (4) 9591168
email anda@po.jaring.my
site www.theandam.com
Des deux hôtels qui se partagent l'exclusivité de la fameuse plage de Pantai Datai, celui-ci respire l'atmosphère la plus familiale. Le hall est impressionnant, les chambres élégantes, le restaurant excellent et la piscine encerclée par la jungle. Nombreux sports aquatiques (non motorisés) à votre disposition.
Un naturaliste peut vous accompagner en excursion dans la jungle.

Bon Ton at the Beach $$$$

Lot 1047
Pantai Cenang
Langwaki Kidah 07000
☎ (4) 9553643
Fax (4) 9556790
email bonton56@hotmail.com
Le Bon Ton est à la fois une boutique d'artisanat et l'un des meilleurs restaurants de l'île. Et en plus, vous pouvez séjourner sur le site dans l'un des deux *kampung* (maisons villageoises) rénovés : aménagement et décoration individualisée avec des meubles d'artisanat local. Selon les cas, vérandas avec hamac, ou salle de bains à ciel ouvert. Piscine, jaccuzzi, salles de massage et, plus original : école de cuisine chinoise, thaïlandaise et malaisienne. Si une envie de large vous prend : yacht à moteur de luxe en location.

The Datai $$$$

Jalan Teluk Datai
07000 Langkawi, Kidah
☎ (4) 9592500 **Fax** (4) 9592600
email case@pc.jaring.my
site www.ghmhotels.com
Difficile de trouver mieux en matière de luxe : cet hôtel est l'un des plus beaux de tout le pays. Divers hébergements possibles. Trois restaurants vous font goûter des spécialités malaisiennes, thaï et méditerranéennes.
Circuits dans la jungle possibles avec un guide-naturaliste.

The Pelangi Beach Resort $$$$

Pantai Cenang
07000 Langkawi
Kidah
☎ (4) 9551001
Fax (4) 9528899
email pelangi.pbl@meritus-hotel.com
site www.meritus-hotel.com
Le doyen des hôtels haut de gamme de Langkawi . atmosphère chaleureuse, chambres confortables et nombreuses prestations : restaurants, piscines, sports aquatiques, gymnase, boutiques et centre d'affaires (avec internet).

Où boire et manger

Kuala Lumpur

Coliseum Café $

100 Jalan TAR
☎ (3) 292 6270
Détails ➤ 276

Le Coq d'Or $$

121 Jalan Ampang
☎ (3) 2619732
Détails ➤ 276

Bon Ton $

7 Jalan Kia Peng
☎ (3) 21413611
Détails ➤ 276

Carcosa Seri Negara $

Taman Tasik Perdana
Kuala Lumpur 50480
☎ (3) 22821888
Fax (3) 22827888
Réservation en France :
☎ 0800 907516
email carcosa@tm.net.my
site www.carcosa.com.my
Détails ➤ 276

Seri Angkasa $$

Th02 Minara
Jalan Punchak
Kuala Lumpur
☎ (3) 208 5055
Fax (3) 21451755
Détails ➤ 277

Ceylon Hill

Détails ➤ 277

Chinatown
Détails ➤ 277

Bangsar
Détails ➤ 277

Langkawi
Pour manger un morceau sur l'île, les habitués se retrouvent généralement à la plage de Pantai Cenang et au environs.

Air Hangat Village $$
Jalan Ayir Hangat
Langkawi
☎ (04) 9591357
Fax (4) 9591246
Principal intérêt de ce parc d'eaux thermales, situé 16 km au nord de Kuah : en soirée, dîners-buffets malais et spectacles de danse (sauf le mardi). Rapatriement aux hôtels de l'île offert par Air Hangat comme par Barn Thai. Réservation indispensable.

Barn Thai $$$
Restaurant et club de jazz situé 10 km au nord de Kuah. C'est cher, mais sa passerelle de 2 km dans la forêt de mangrove vaut le coup d'œil.

Bon Ton at the Beach $$
Lot 1047
Pantai Cenang
Langwaki Kidah 07000
☎ (4) 9553643
Fax (4) 9556790
email bonton56@hotmail.com
Restaurant magnifiquement aménagé et boutique d'artisanat (➤ 279).

The Breakfast Bar $
Sur l'artère principale de Pantai Cenang : essayez son excellent rôti *chanai*.

Charlie's Place $
À proximité du yacht-club, près du quai du ferry à Kuah, ce bar et restaurant moderne à l'ambiance décontractée sert une cuisine occidentale.

Warung Kopi $
Situé sur la route principale menant à Bon Ton, le Warung Kopi est l'étape favorite des habitués en tout genre : thé glacé rafraîchissant, café et gâteau gourmand, nouvelles découvertes comme le *nasi goreng* à l'heure du déjeuner.

16 Dans la furie des rapides (Sumatra ➤ 160-169)

Qui consulter
Pacto Ltd.
Jalan Taman Kemang 2
Blok D 2-4
Jakarta 12730
☎ (21) 7196550
Fax (21) 7196557
email info@pacto.com
site www.pacto.com
Depuis 1967, cet opérateur fiable et solidement établi organise des treks et des parcours de rafting haut de gamme. Un exemple : randonnée de six jours dans la forêt tropicale de Gurah, au cœur du Gunung Leuser National Park, via Brastagi ; et safari-rafting de cinq jours sur l'Alas. Il peut également prendre en charge l'hébergement, les vols, les transferts...

Tobali Tours and Travel Service
Jalan Sisingamangaraga
79 C
Medan
☎ (61) 7324471
Bureau à Bukit Lawang : ☎ (61) 4144604
Fax (61) 7324471
Plusieurs circuits économiques à destination de Bugit Lawang, Brastagi et le lac Toba. C'est surtout intéressant pour les minibus climatisés, qui desservent toutes ces localités, et prévoient des étapes en chemin pour découvrir d'autres sites touristiques. À Brastagi, les minibus partent de la Raymond Steakhouse (➤ 281). Bureaux également à Bukit Lawang et Prapat, sur le lac Toba. Guides francophones.

Où se renseigner
Bukit Lawang Tourist Office
Ce n'est pas compliqué : les bus s'arrêtent devant ! Vous y trouverez des brochures et des infos sur les guides, les possibilités de trekking, les tour-opérateurs. Tous les jours, expositions sur le parc et l'histoire naturelle locale, notamment une vidéo de 55 min intitulée *Orangutans, Orphans of the Forest* (lun., mer. et ven. soir). Également vente de livres.

North Sumatra Tourism Office
Jalan Jend
A. Yani 107
☎ (061) 4538101

Medan Tourist Office
Jalan Katamso 43 E
☎ (61) 4155666
Fax (61) 45112430

HÉBERGEMENT
Sans doute la région la moins onéreuse.

Bukit Kubu Hotel $
Jalan Sempurna 2
Brastagi
☎ (628) 91533
À 1 km de la ville, dans un environnement plein de charme. Des cottages modernes entourent le bâtiment principal, véritable bijou de l'ère coloniale. Seul inconvénient : vérifiez la propreté de la chambre avant d'y installer vos affaires.

International Sibayak $$
Jalan Merdeka
Brastagi
☎ (628) 91301 **Fax** (628) 91307
email sibayak@indosat.net.id
Grand hôtel haut de gamme, d'où vous pourrez rejoindre à pied le marché aux fruits. Chambres confortables, mais sans personnalité.

Sibayak Multinational $
Jalan Perndidikan 93
Brastagi
☎ (628) 91031
Une agréable guest house, pourvue de grandes chambres avec douche chaude et d'un joli jardin. Parfaitement située si vous prévoyez l'ascension du mont Sibayak, car elle se situe près du départ de la piste. En revanche, vous serez assez éloigné du centre-ville.

Wisma Sibayak $
Jalan Udara 1
Brastagi
☎ (028) 91683
Étape idéale pour le voyageur, avec ses chambres à petit prix meublées simplement, son dortoir et son café. Vidéos, TV et, pour la lecture, vente de guides locaux et de cartes.

Jungle Inn $
Bukit Lawang
Campée à l'extrémité ouest du village, près de l'Orangutan Rehabilitation Station, cette guest house mérite amplement sa popularité. Les chambres sont décorées avec originalité, et certaines donnent sur la rivière. Service chaleureux, petits prix et excellent café !

Pongo Resort $
Bukit Lawang
☎ (61) 542574
Fax (61) 549327
À l'intérieur des frontières du Gunung Leuser National Park, Pongo Resort est le seul hébergement donnant à ses clients un accès illimité à l'Orangutan Rehabilitation Station. Ses chalets en bois, ventilés, bénéficient d'un cadre ravissant et très paisible. Les tarifs comprennent le petit déjeuner et le permis d'accès au parc. Attention : le Pongo est uniquement accessible par canoë.

Rindu Alam Hotel $$
PO Box 20774
Bukit Lawang
☎ (61) 4575370
Fax (61) 4145015
Situé à l'extrémité est du village, Rindu Alam Hotel peut être considéré comme du haut de gamme (pour Bukit Lawang, du moins), mais malheureusement ses chalets spacieux sont en béton.

Wisma Bukit Lawang Cottages $
Bukit Lawang
☎ (61) 545061
L'une des meilleures adresses du centre du village. Sa position est idéale : elle surplombe la berge sud de la rivière Bohorok. Chambres agréables, et très bon rapport qualité/prix.

OÙ BOIRE ET MANGER
Raymond Steakhouse $
Jalan Veteran 49, Brastagi
☎ (62) 892160
Bon choix de plats locaux et orientaux, mais aussi quelques succulents gâteaux maison.

Villa Flores $
73 Jalan Veteran, Brastagi
Petit restaurant situé à l'extrémité sud de la grande rue. Avec son décor de batiks imprimés, c'est un vrai bijou. Seth, le cuisinier, est anglais et, avec sa femme indonésienne, ils vous concocteront dans leur minuscule cuisine des pizzas croustillantes, des salades miraculeuses et toutes sortes de plats d'inspiration méditerranéenne. On sert de la bière aux plus assoiffés.

Jungle Inn et Bukit Lawang Cottages (➤ Comment se loger) ont tous deux des cafés attenants, qui servent une vaste gamme de plats locaux ou internationaux, cuisinés avec soin. Pour changer, essayez la Bamboo Pizzeria : outre les pizzas (excellentes) cuites au four, vous pourrez également goûter leurs pâtes et salades.

Bagus Bay Homestay $
Tuk Tuk
Samosir
☎ (625) 41482
Beaucoup de monde au Bagus Bay, mais n'espérez pas grand-chose des chambres les moins chères, carrément miteuses. Bonne ambiance au restaurant, animé par des vidéos et une table de billard. Enfin, c'est le seul endroit où aller le samedi soir : chants batak et spectacles de danse mettent le feu à la salle et les magnétocassettes ne chôment pas.

Carolina's $
Tuk Tuk
Samosir
☎ (625) 41520
Fax (625) 41521
email carolina@psiantar.asantara.net.id
Les plus ravissants et les mieux tenus des cottages de style batak de l'île. Sans parler de la vue magnifique sur le lac Toba, et de la superbe piscine. Seule ombre à un tableau par ailleurs idyllique : la nourriture, sans grand intérêt.

Samosir Cottages $
Tuk Tuk
Samosir
☎ (625) 41050
Fax (625) 451170
email samosir@hotmail.com
Situé sur la pointe nord de la péninsule. Chambres bien tenues et très correctes pour le prix. Ambiance conviviale au café, pour prendre un verre, manger un morceau, regarder la TV, jouer au ping-pong...
Ne manquez pas les danses traditionnelles, les mer. et sam., à 19 h 30.

Tabo Cottages $
Tuk Tuk
Samosir, Sumatra
☎/**Fax** (625) 41614
email tabores@indo.net.id
site www.tabo-cottages.com
Dans un endroit paisible, avec accès direct au lac, le Tabo Cottages n'a que quelques chambres, mais elles sont plus que charmantes. L'excellent restaurant et la boulangerie ne gâtent rien. À l'époque de notre visite, on y trouvait le seul accès public à Internet sur Samosir, mais les tarifs étaient plutôt élevés, car il fallait faire transiter les appels via Medan.

17 GRANDEUR DE BOROBUDUR (BORNÉO ➤ 170-177)

QUI CONSULTER

Paramita Tours
Ambarrukmo Palace Hotel
Jalan Laksola Adisucipto
Yogyakarta
☎/**Fax** (274) 520728
email para@yogya.wasantara.net.id
site www.bise.de/paramita
Ambiance très amicale chez Paramita Tours. Circuits pour groupes ou individuels. Demandez Roswitha.

Nusantara Tours and Travel
66 Poncowinatan St
Yogyakarta
☎ (274) 518088
Fax (274) 517988
email nusyog@ygy.centrin.net.id
Le plus important opérateur de la région centrale de Java. Circuits d'aventure et culturels. Guides francophones.

COMMENT S'Y RENDRE

Yogyakarta Airport
Jalansolo
☎ (274) 563706
Réservations ☎ (274) 522148
Situé 30 min en voiture du centre-ville. Nombreux taxis, et voitures de location à Bali Car Rental.

OÙ SE RENSEIGNER

Tourist Information Office
Jalan Malioboro 16
Yogyakarta
☎ (274) 556000
Ouvert lun.-sam. de 8 h à 20 h.

COMMENT SE LOGER

Jogya Village Inn $$
Jalan Menukan 5
Yogyakarta
☎ (274) 373031
Fax (274) 382202
email gvicko@indo.net.id
Magnifique hôtel plein de caractère. Bien situé (15 min du centre à pied), cuisine agréable et piscine en prime.

Vogels Hostel $
Jalan Astamulya 76
Kaliurang
Yogyakarta
☎ (274) 895208
Fax (274) 895300
Hôtel propre avec au choix : dortoir, chambres doubles et bungalows. Propose 4 circuits différents au mont Merapi.

18 UN SÉJOUR CHEZ LES IBAN (BORNÉO ► 180-187)

QUI CONSULTER

Borneo Adventure
55 Main Bazaar
93000 Kuching, Sarawak
☎ (82) 245175/410569/415554
Fax (82) 422626/234212
email sales@borneoadventure.com
site www.borneoadventure.com
Cet opérateur très recommandable s'acquitte parfaitement de la tâche qu'il s'est fixée : pratiquer un tourisme centré sur la nature. Il organise des circuits à Nanga Sumpa depuis 1987. L'itinéraire type dure trois jours/deux nuits. Vous pouvez le prolonger par un séjour dans les cabanes de jungle de l'opérateur, en remontant la rivière depuis la *longhouse*. Également : circuits découverte des *longhouses* le long de la Baleh, affluent de la Batang Rajang.

Borneo Exploration
76 Wayang St
93000 Kuching, Sarawak
☎ (82) 252137
Fax (82) 252526
email ckkc@tm.net.my
site www.borneoexplorer.tripad.com
Très appréciée des globe-trotters, cette agence est dirigée par le dynamique Chris Kon, qui fait tout pour former des groupes et réduire les coûts pour le voyageur individuel. Circuit de trois jours/quatre nuits à la *longhouse* de Skandis, sur la rivière Lemanak, où une guest house accueille les randonneurs. Programmes de cinq et six jours également, avec de grandes randonnées en jungle et d'autres longhouses.

Seridan Mulu Tour and Travel
1 Lobby Arcade, Rihga Royal Hotel Miri
Jalan Temenggong Datuk Oyong Lawai
Miri 98000, Sarawak
☎ (85) 414300
Fax (85) 416066
email info@seridanmulu.com
site www.seridanmulu.com
Depuis 1987, Seridan Mulu propose des circuits sur mesure ou à la carte de sept jours, dans toutes les régions de Bornéo et diverses activités comme la plongée, l'escalade, la spéléologie, l'observation des oiseaux... Guides qui parlent français.

COMMENT S'Y RENDRE

Kuching International Airport
PO Box 1070
Kuching
☎ (82) 454242
Fax (82) 458587
Situé 11 km au sud de la ville.

OÙ SE RENSEIGNER

Visitors Information Centre, Padang Merdeka
Kuching
☎ Sarawak (82) 410944/410942
Fax (82) 256301
email stb.sarawak@po.jaring.my
site www.sarawaktourism.com
Géré par le Sarawak Tourism Board, le Visitors Information Centre est ouvert tous les jours et diffuse à 10 h et 15 h, des films vidéo sur les parcs. Réservations pour les parcs nationaux, délivrance des permis d'accès et organisation de votre hébergement à Bako, Gunung Gading et Kubah.

Sarawak Tourist Association (STA)
Kuching Waterfront
Main Bazaar 93000
☎ (82) 240620
Fax (82) 427151
email stasarawak@hotmail.com
Tout comme le Visitors Information Centre (► ci-dessus), la Sarawak Tourist Association, fondée en 1963, fournit gratuitement l'*Official Kuching Guide*, de Wayne Tarman et Mike Reed : pratique, révisé tous les ans, ce guide permet de tout savoir sur ce qui se passe en ville et dans les environs.

COMMENT SE LOGER

Kuching Hilton International $$$$
Jalan Tunku Abdul Rahman
PO Box 2396
93748 Kuching
☎ (82) 248200

Fax (82) 428984
email sales@hilton.co
Cet hôtel très haut de gamme donne sur la promenade de Kuching. Chambres vastes et confortables, mais attention, certains étages sont réservés aux non-fumeurs. Parmi les nombreuses prestations offertes, plusieurs excellents restaurants, une piscine, un centre de remise en forme, un web café et une discothèque.

Merdeka Plaza Hotel & Suites $$$

Jalan Tun Abang Haji Openg
PO Box A298
93000 Kuching, Sarawak
☎ (82) 258000
Fax (82) 425400
email mpalace@po.jaring.my
Hôte de luxe tout récemment construit, à proximité du Sarawak Museum et dominant Padand Merdeka. Vaste foyer, mais chambres plutôt exiguës. Piscine, restaurants et centre de remise en forme.

Telang Usan Hotel $$$$

Jalan Ban Hock
PO Box 1579
93732 Kuching
☎ (82) 415588
Fax (82) 425316
email tusan@po.jaring.my
site www.telangusan.com
La meilleure adresse pour séjourner à Kuching à un prix raisonnable. Direction locale, situation pratique (vous pouvez allez au centre à pied) et paisible, chambres agréables et service impeccable.

B & B Inn $

30–1 Jalan Tabuan
(près du Borneo Hotel)
93100 Kuching
☎ (82) 237366
Fax (82) 239189
Mr Goh réserve un accueil souriant et des chambres très propres aux globe-trotters en tout genre qui fréquentent ce B&B, situé au centre-ville. Petit-déjeuner de base inclus dans les tarifs.

Batang Ai ("longhouses" iban)

Pour organiser votre séjour dans une *longhouse,* mieux vaut passer par l'un des tour-opérateurs de Kuching (➤ 283). Ne plantez pas votre tente devant l'un des quais en espérant qu'une offre d'hébergement vous tombera du ciel.

The Hilton International Batang Ai Longhouse Resort $$$$

Jalan Tunku Abdul Rahman
PO Box 2396
93748 Kuching
☎ (83) 584388
Fax (83) 584399
Trois bonnes raisons d'aller au Hilton ! Sa vue, spectaculaire, sur le lac créé par le barrage hydroélectrique de retenue. Son architecture, dans le style *longhouse*, avec piscine, promenade aménagée, mini-bibliothèque et restaurant. Son programme à tournure résolument écologique : l'hôtel a joué un rôle décisif dans l'interdiction des sports motorisés polluants sur le lac, et propose un naturaliste en résidence pour répondre aux questions des clients et les emmener en excursion.

Où boire et manger

À la Carte Food Centre $

Temple St/Wayang St
Kuching
Situé au sous-sol du parking Star, ce grand resto climatisé est surtout fréquenté par des jeunes qui se pressent tout au long de ses échoppes, attirés à juste titre par des prix très raisonnables.

Denis' Place $

80 Main Bazaar
Couleurs vives et style occidental décontracté pour manger sur le pouce de petits plats, snacks ou sandwichs.

Life Café $

108 Ewe Hai St
Kuching, Sarawak
☎ (82) 411754
Cette charmante maison de thé chinoise, située dans la vieille ville, vous servira une délicieuse cuisine végétarienne, accompagnée d'un très grand choix de boissons.

See Good $

Ban Hock Rd
☎ (82) 251397
Spécialité de ce café chinois : poissons et fruits de mer. Le poisson sauce soja est excellent, mais vous pourrez aussi tester quelques recettes plus originales, comme les nouilles de la mer. Impressionnante carte des vins.

Top Spot Food Court $
Jalan Bukit Mata
Kuching
En plein air, et sur le toit d'un parking ! Pour la vue bien sûr, et se rassasier de nouilles, de saté ou de poulet mijoté en cocotte.

19 Sur la piste des coupeurs de têtes (Bornéo ➤ 188-197)

Qui consulter

Borneo Adventure
55 Main Bazaar
93000 Kuching
☎ (82) 245175
☎ À Miri: (85) 414935
Fax (82) 422626
email sales@borneoadventure.com
site www.borneoadventure.com
Détails ➤ 283

Borneo Exploration
76 Wayang St
93000 Kuching, Sarawak
☎ (82) 252137
Fax (82) 252526
email ckkc@tm.net.my
site www.borneoexplorer.tripad.com
Programme de circuits aux pinacles, et parcours de cinq jours/quatre nuits sur la piste des coupeurs de têtes avec des guides locaux (détails ➤ 283).

Endayang Enterprise
2nd Floor, Judson Clinic
171 a Jalan Brooke
Miri
☎ (85) 414935 **Fax** (85) 438740
email endaya@pd.jaring.my
site www.borneoadventure.com
Dirigée par Thomas Ngang, d'origine berawang, cette agence, plus que sympathique, est spécialisée dans les forfaits à petits prix, destinés aux voyageurs qui souhaitent explorer le parc par leurs propres moyens.

Seridan Mulu Tour and Travel
1 Lobby Arcade, Rihga Royal Hotel Miri
Jalan Temenggong Datuk Oyong Lawai
Miri 98000, Sarawak
☎ (85) 414300
Fax (85) 416066
email info@seridanmulu.com
site www.seridanmulu.com
Détails ➤ 283

Tropical Adventures Tours
Lot 907 Ground Floor Mega Hotel
Jalan Merbav
98000 Miri, Sarawak
☎ (85) 419337
Fax (85) 414503
email hthee@pc.jaring.my
site www.tropicaladventuremart.com
Opérateur important, qui organise bien sûr les circuits traditionnels au Mulu, mais aussi des treks le long de la rivière Baram, jusque dans les collines de Kelabit.

Comment s'y rendre
☎ (85) 6154333
La piste d'atterrissage du Gunung Mulu se trouve à quelques minutes en amont du QG du parc et à 9 km du centre de Miri. Service régulier de bateau pour rejoindre le parc. Vols depuis l'aéroport de Miri.

Où se renseigner

Kuching Tourist Office
Padang Merdeka
Kuching
☎ (82) 410 944
Fax (82) 256301
email stb@sarawaktourism.com
site www.sarawaktourism.com
Ouvert tous les jours, le Kuching Tourist Office délivre le permis d'accès au Gunung Mulu National Park. On peut également vous fournir un guide, et réserver votre hébergement dans le parc.

Miri Tourist Office
Lot 452
Jalan Melayu
98000 Miri
☎ (85) 434181
Hébergement : ☎ (85) 434184
Fax (85) 434179
email stb@po.jaring.my
Permis d'accès, guide, et réservation d'hébergement dans le Gunung Mulu National Park.

Comment se loger
Vous n'avez guère de raisons de traîner à Miri, principal accès au Gunung Mulu National Park, à moins d'avoir raté le train de nuit. Dans ce cas, essayez :

Rihga Royal Hotel $$
1 Lobby Arcade
Jalan Temenggong Datuk Oyong Lawai

98000 Miri
☎ (85) 421121
Fax (85) 416066
site www.seridanmulu.com
Hôtel haut de gamme entouré d'innombrables jardins. Vaste palette de prestations.

Telang Usan Hotel $$

Lot 2431
Block 1
2,5 km Airport Rd
98000 Miri
☎ (85) 411433 **Fax** (85) 419078
email tusan@po.jaring.my
Hôtel très correct pour le prix, dirigé par des locaux chaleureux. Testez le restaurant.

Gunung Mulu National Park

Le National Parks and Wildlife Office (détails ➤ 285) propose plusieurs options d'hébergement économique à l'intérieur et aux environs du parc. À proximité du centre d'accueil du parc, vous trouverez des chalets à quatre lits, modernes et sobrement meublés, ainsi qu'un hébergement en dortoir. Mais vous aurez encore mieux pour le même prix au Kuala Mentawai Ranger Post, à l'extrémité nord du parc. Le tarif d'accès au parc comprend l'utilisation des terrains de camping sur la piste du Gunung Mulu ou celle des coupeurs de têtes.

Endayang Inn $

☎ (85) 438740
L'une des meilleures auberges de base qui jalonnent la rivière Melinau.

Royal Mulu Resort $$$$

CDT 62
Miri, Sarawak
☎ (85) 790100
Fax (85) 790101
email royalmulu@rihgamulu
site www.rihgamulu.com
Relativement proche de l'aéroport de Mulu et du centre d'accueil du parc, ce complexe hôtelier est le seul à proposer un hébergement haut de gamme dans le parc. Conçues pour s'intégrer dans la jungle environnante, les chambres semblables à des chalets sont reliées par des passerelles en bois. Accueil agréable, piscine et petit magasin de produits de première nécessité, snacks et divers souvenirs. À découvrir : un calao installé à demeure, seul oiseau resté fidèle au lieu, après qu'un arbre s'est effondré sur la volière.

Où boire et manger

Royal Mulu Resort $

CDT 62
Miri, Sarawak
☎ (85) 790100
Fax (85) 790101
email royalmulu@rihgamulu.com
site www.rihgamulu.com
Cuisine inégale. Lot de consolation : une carte des vins correcte.

Sipan Bar $

Ce bar, qui appartient à Endayang Enterprise (➤ 285), est situé près du pont qui traverse la Melinau pour accéder au centre d'accueil du parc. Après une journée de trekking dans la jungle, c'est l'idéal pour se rafraîchir avec une bonne bière glacée et goûter à une ambiance sympathique.

Tradmu Café $

À côté des chalets du QG du parc, ce café sert quelques petits plats de nouilles et de riz maison, et des boissons sans alcool.

20 Sipadan, reine du Sabah (Bornéo / Sulawesi ➤ 198-207)

Qui consulter

Borneo Divers

9th Floor, Menara Jubili
53 Jalan Gaya
Kota Kinabalu 88000, Sabah
☎ (88) 222228
Fax (88) 221550
email diving@bdivers.po.my
site www.jaring.my/bdivers
Cette école de plongée très réputée, agréée Padi, propose des croisières à Sipadan et loue du matériel.

Pulau Sipadan Resort

1st Floor, 484, Block P
Bandar Sabindo
PO Box 61120
91021 Tawau, Sabah
☎ (89) 765200
Fax (89) 763563/763575
email prst@po.jaring.my
site www.sipadan-resort.com
L'un des opérateurs basés sur l'île.

Sipadan Dive Centre

A1103, 11th Floor
Wisma Merdeka
Jalan Tun Razak

Kota Kinabalu 88300, Sabah
☎ (88) 240584
Fax (88) 240415
email sipadan@po.jaring.my
site www.jaring.my/sipadan
Tour-opérateur de Sipadan qui organise des stages de qualité avec des moniteurs aggrés Padi.

Comment s'y rendre

Kota Kinabalu International Airport
88618 Kota Kinabalu, Sabah
☎ (88) 238555
Fax (88) 219081
Situé à 7 km de la ville, l'aéroport est desservi par des bus, des minibus et des taxis.

Où se renseigner

Sabah Tourism Promotion Corporation (STPC)
51 Jalan Gaya
Kota Kinabalu 88000, Sabah
☎ (88) 219400/212121
Fax (88) 212075
email info@sabahtourism.com
site www.sabahtourism.com
Fermé le dimanche.

Comment se loger

Les forfaits de plongée incluent l'hébergement sur place et tous les repas.

21 À l'ascension du Kinabalu (Bornéo/Sulawesi ➤ 208-215)

Qui consulter

Borneo Divers
9th Floor
Menara Jubili
53 Jalan Gaya
Kota Kinabalu 88000, Sabah
☎ (88) 222226
Fax (88) 221550
email diving@bdiver.po.my
site www.jaring.my/bdivers
Cet opérateur de plongée est également une école hautement qualifiée. On s'occupera aussi bien de votre hébergement que de vous trouver des guides pour l'ascension du mont Kinabalu.

Sabah National Parks Office
Block K
Jalan Tun Fuad Stephens
Kota Kinabalu, Sabah
☎ (88) 211881
Réservations et guides pour l'ascension du mont Kinabalu.

Où se renseigner

Sabah Tourism Promotion Corporation (STPC)
51 Jalan Gaya
Kota Kinabalu 88000, Sabah
☎ (88) 219400/212121
Fax (88) 212075
email info@sabahtourism.com
site www.sabahtourism.com
Fermé le dimanche.

Comment se loger

Hotel Holiday Pack $
Penampang Road
88300 Kota Kinabalu, Sabah
☎ (88) 712311
Fax (88) 717866
email borneo-online.com.my/hotel/holidaypark
Hôtel modeste mais confortable, niché dans un faubourg paisible, à 6 km du centre.

Shangri-La Tanjung Aru Resort $$$$
Locked Bag 174
Kota Kinabalu 88744, Sabah
☎ 225800
Fax 244871
email tah@shangri-la.com
site www.tanjung-acru-resort.com.my/info.htm
Complexe moderne de 500 chambres avec piscine et services en tout genre : courts de tennis, centre de remise en forme...

Où boire et manger

Sri Malaka $
9 Jalan Lainan, Diki Kgair
Kota Kinabalu 88000
☎ (88) 255136
Situé en plein centre. Vous y pourrez y goûter, selon vos envies, une cuisine malaise ou chinoise plus que correcte.

22 Les tarsiers de Tangkoko (Sulawesi ➤ 216-223)

Qui consulter

Adventure Indonesia
Burmi Serpong Damai Estate
Sector 1-3, Block BK 32
Tangerang 15310
Jakarta Barat
☎ (21) 5383222/5384352

Fax (21) 5384352
email info@adventureindonesia.com
site www.adventureindonesia.com
Circuit de 15 jours qui vous fait parcourir le Sulawesi du sud au nord. Découverte de la forêt de Kerinci Seblat.

COMMENT S'Y RENDRE

Sam Ratulangi Airport

Manado
☎ (431) 814336/814322
Situé à 13 km de la ville.

Pelni

Jalan Sam Ratulangi 7
☎ (431) 855115/862844/860908
Fax (431) 867737
site www.pelni.com
Ce service maritime d'État dessert de nombreuses destinations au départ de Bitung, le grand port de Manado : Sulawesi, Jakarta, et Surabaya.

OÙ S'INFORMER

North Sulawesi Tourist Office

Jalan 17 Augustus
Manado
☎ (431) 864911

COMMENT SE LOGER

Ranger Homestay, Batuputih $

Pour réserver dans l'une de ces cinq maisons, passez par Froggies Divers (➤ ci-dessous). Restauration possible.

23 LES CORAUX DE MANADO (SULAWESI ➤ 224-233)

QUI CONSULTER

Barracuda Dive Club

Molas Village
Dusun 2
Manado
☎ (431) 854288
Fax (431) 864848
email dive-manado@gmx.net.com
site www.divex-indonesia.de
Barracuda Dive Club propose des forfaits de plongée pour Bunaken, et dirige un centre de plongée de qualité, à 8 km environ de la ville, où hébergement et stages sont possibles.

Froggies Divers

Liang Beach
Pulau Bunaken
Manado
☎ (62) 8124301356/8124301464
Fax (1) 5306846038
email manado@divefroggies.com
site www.divefroggies.com
Stages Padi, et plongée en eau peu profonde (30 m max.) ou snorkelling. Plongée autonome en profondeur sur demande. Moniteurs qui parlent français.

Nusantara Diving Center (NDC)

Molas Beach
PO Box 1015
Manado 95242
☎ (431) 863988/860638
Fax (431) 860368/845668
email info@ndc-manado.com
site www.ndc-manado.com
Établi en 1975, le Nusantara Diving Center a reçu en 1995 le Adikarya Award pour sa contribution au développement du tourisme dans cette région. Il organise des circuits de plongée pour de petits groupes.

COMMENT S'Y RENDRE

Sam Ratulangi Airport, Manado

☎ (431) 814336/814322
Détails ➤ ci-dessus

Pelni

Jalan Sam Ratulangi 7
☎ (431) 855115/862844/860908
Fax (431) 867737
site www.pelni.com
Détails ➤ ci-dessus

OÙ SE RENSEIGNER

North Sulawesi Tourist Office

Jalan 17 Augustus
Manado
☎ (431) 864911
Ils ont aussi un comptoir à l'aéroport.

COMMENT SE LOGER

Hotel Mini Cakalele $

Jalan Korengkeng 40
Manado
☎ (431) 852942
Fax (431) 866948
Bon rapport qualité/prix. Le petit plus : les chambres sont dotées de vérandas.

Bastiong Cottages $

Bunaken
☎ (431) 853566

Cet hébergement en bungalows comprend les repas et le transfert Manado-Bunaken (aller-retour).

Happy Flower Homestay Tomohon $
Desa Kakaskasen II.
☎ (431) 352787
Diverses possibilités d'hébergement : bungalows, cottages, dortoirs... Restauration possible.

24 À la rencontre des T'boli (Philippines ➤ 236-447)

Qui consulter
Asiaventure Services Ltd.
Room 305, Devilla Building
1153 Mike Hotel
Del Pilar St
Ermita
Manille
☎ (2) 5237007 **Fax** (2) 5251811
email asiaventure@blueball.net
site www.asiaventureservices.com
Opérateur de qualité dirigé par un Français, Sylvain Gianni.

T'boli Tribe Trekking
Fiesta sa Barrio
J. Catolico Senior Ave
9500 General Santos
☎ (83) 5522512
Fax (83) 5527221
Pour trouver un guide local qui vous fera rencontrer les T'boli, contactez Fernando Boy Santiago.

Comment s'y rendre
General Santos City Airport
☎ (83) 5531042
À 20 min du centre-ville en taxi.

Pelni Lines
☎ (431) 855115/862844/860908
Fax (431) 867737
site www.pelni.com
Liaison hebdomadaire entre Bitung (Sulawesi) et General Santos. Et, tous les quinze jours, liaison entre Davao et Bitung ou Manado.

Comment se loger
Sleep Best Home Hotel $$$$
Pioneer Ave
General Santos
☎ (83) 5527219
Prestations correctes, chambres climatisées et situation centrale.

Punta Isla Resort $
Lake Sebu
Chambres simples, mais charmantes et donnant sur le lac. Poisson frais au menu.

25 Les épaves de Coron (Philippines ➤ 248-256)

Opérateurs
Asiaventure Services Ltd.
Room 305
Devilla Building
1153 Mike Hotel
Del Pilar St.
Ermita
Manille 1000
☎ (2) 5237007
Fax (2) 5251811
email asiaventure@blueball.net
site www.asiaventureservices.com

Discovery Divers
5316 Barangay 5
Coron
Palawan
☎ (2) 6817745
Fax (2) 912486
email info@ddivers.com
site www.ddivers.com
Demandez Gunter Bernert, qui vous organisera un forfait plongée complet, avec tout le matériel.

Comment s'y rendre
Air Ads Inc.
Andrew's Avenue Domestic Airport
Pasay City
Manille
☎ (2) 8333264
Fax (2) 8314939
email airads@evoserve.com
site www.flyaai.com
Vols quotidiens au départ de Manille pour la petite piste d'atterrissage située en dehors de Coron.

Comment se loger
Kubo Sa Nagat $
Coron
Palawan
Pas de téléphone
Construit sur pilotis au mileu de la baie, à 30 min en bateau de Coron.

INTRODUCTION

Nous espérons que ce guide a aiguisé votre goût de l'aventure.
Les "Pages Bleues Activités" vous fourniront un carnet d'adresses des diverses activités possibles dans chacun des pays. Le choix est vaste et couvre tout type de loisirs allant du rafting au safari photo en passant par le trekking et le travail bénévole pour la sauvegarde des espèces protégées.
La plupart des périples impliquent la participation des autochtones et beaucoup sont directement liés à l'écotourisme : de sévères contrôles sont effectués afin de préserver l'environnement du nombre de visiteurs toujours croissant dans les zones sensibles. Gardez à l'esprit que de nombreuses régions citées connaissent un climat et/ou une situation politique instables. Tenez compte de tous ces paramètres ; renseignez-vous auprès des autorités compétentes sur la destination que vous avez choisie. Laissez-nous vous conseiller sur les équipements nécessaires.

ALPINISME

À une exception près, les montagnes d'Asie du Sud-Est n'ont rien de vertigineux, et il ne faut pas plus de trois jours pour en gravir les sommets. Mais l'expérience vaut largement d'être tentée : l'ascension de pentes volcaniques dans la fraîcheur de l'aube vous laissera un souvenir inoubliable.
Ne sous-estimez pas les risques pour autant : l'hypothermie et le mal des montagnes, par exemple, peuvent avoir des conséquences dramatiques. Assurez-vous d'emporter les vêtements appropriés, y compris de bonnes chaussures de randonnée : n'hésitez pas à prendre conseil auprès de votre opérateur. Les grimpeurs débutants ne doivent jamais s'aventurer sans guide. Indispensable : la boussole et les cartes, et surtout savoir les interpréter correctement !

GUNUNG KERINCI

Il faut deux jours pour gravir ce volcan actif de 3 805 m, point culminant de Sumatra. La plupart des grimpeurs passent une nuit au camp installé à 3 000 m. Même si les sentiers sont bien signalés, mieux vaut prendre un guide.

Club Aventure
18, rue Séguier
75006 Paris
France
☎ (33) 144320930
Fax (33) 144320959
site www.clubaventure.fr
21 jours loin des sites touristiques : ascension du mont Kerinci, marche dans la vallée de l'Alas et découverte du lac Toba.

PUNCAK JAYA, IRIAN JAYA, INDONÉSIE

Couronné de neiges, le sommet du Puncak Jaya, ou pyramide de Carstensz, émerge majestueusement de la forêt tropicale de Nouvelle-Guinée. Avec ses 5 029 m, c'est le plus haut sommet d'Asie du Sud-Est. Cette ascension difficile est réservée aux alpinistes expérimentés. Baudrier, cordes et matériel spécialisé sont de rigueur. Il vous faudra en outre acquérir un *surat jalan* (permis) auprès du commissariat de Jayapura, de Sentani ou de Biak. Sachez également que la situation politique de la région demeure très incertaine, et que l'accès à la montagne n'est autorisé que depuis peu. Renseignez-vous avant de partir.

Adventure Indonesia
Bumi Serpong Damai Estate
Sector 1–3
Block BK 32
Tangerang 15310
Jakarta Barat
Indonésie
☎ (021) 538 222/5384352
Fax (021) 5384352
email info@adventureindonesia.com
Les guides employés par cette agence ont accompagné la première expédition indonésienne sur l'Everest. Comptez deux jours de marche en jungle pour arriver au camp de base : une bonne condition physique est indispensable. Organise également trekkings et ascensions sur demande dans tout l'Irian Jaya.

MONT APO, DAVAO, PHILIPPINES

Vous n'aurez pas besoin d'équipement particulier pour gravir les pentes relativement faciles de ce volcan actif de 2 954 m, le plus haut sommet des Philippines. En chemin, vous découvrirez sources thermales, cascades, et peut être l'aigle des Philippines. Venez plutôt entre mars et mai.

Tourist Office

Door 7
Magsaysay Park Complexe
Santa Ana District
Davao City 8000
☎ (82) 2216955
☎/Fax (82) 2210070
email dotr11@mozcom.com
On vous fournira guides et conseils pour l'ascension.

GUNUNG RINJANI, LOMBOK, INDONÉSIE

Le troisième plus haut sommet d'Indonésie (3 726 m) domine Lombok. Attendez-vous à une rude ascension de trois jours, mais un grand lac de jade, des sources chaudes, le magnifique panorama offert par l'immense cratère vous récompenseront amplement de vos efforts. Guides conseillés.

Terra Incognita

CP 701-36, quai Arloing
69256 Lyon cedex 09
France
☎ (33) 472532490
Fax (33) 472532481
email ti@terra-incognita.fr
site www.terra-incognita.fr
Pendant 21 jours, le volcanisme terrestre vous dévoile ses secrets avec un passionné de volcanologie : Mérapi, Bromo, Semeru, Rinjani... À ciel ouvert, découvrez ces nombreux volcans.

À LA DÉCOUVERTE

FAUNE

Certaines des espèces les plus exotiques de la planète résident encore dans les jungles d'Asie du Sud-Est. Partez à la rencontre du tigre, de l'éléphant, ou du rhinocéros de Java, espèce en voie de disparition. Autre star gravement menacée du monde animal, l'orang-outan, qui survit dans les sanctuaires de Sumatra et de Bornéo, tandis que Komodo abrite toujours son terrifiant et préhistorique dragon. Pour observer la faune, déplacez-vous lentement et silencieusement en petits groupes, et portez des vêtements discrets, de manière à vous fondre dans le décor. Jumelles indispensables pour faire des observations dans la jungle, et pensez à prendre des sacs étanches pour garder votre équipement au sec.

KOMODO NATIONAL PARK, INDONÉSIE

Un voyage s'impose dans cette petite île volcanique de l'archipel de Nusa Tengarra, pour découvrir le plus proche survivant des dinosaures. Ce varan géant, appelé dragon de Komodo (ou localement *ora*), atteint 3,20 m de long : capable de s'attaquer à l'homme, il se contente habituellement d'oiseaux et de petits mammifères. Meilleure période d'observation : la saison sèche, entre mai et octobre.

Grand Komodo Tours

Jalan Hang Tuah 26
Sanur
Denpasar 80034
Bali
Indonésie
☎ (361) 287166/287121
Fax (361) 287165
email gkomodot@indosat.net.id
Choix de croisières à Komodo et vers d'autres îles dans l'archipel de Nusa Tengarra. Cet opérateur propose également des croisières plongée avec vie à bord.

Smailing Tour

By Pass Ngurah Rai
Sanur Denpasar
Bali
Indonésie
☎ (361) 288224
Fax (361) 288738
email smailing@denpasar.wasantara.net.id
site www.mysmailing.com
Gros opérateur spécialisé dans les voyages en Indonésie. Excursions à la journée sur Komodo.

TANJUNG PUTING, INDONÉSIE

Ce parc national recouvre une péninsule qui s'avance dans la mer de Java. C'est l'une des plus importantes réserves naturelles de la région. Résidants les plus connus : les orangs-outans, que vous pourrez découvrir au centre de recherche de Camp Leakey. Mais le parc abrite également quantité d'espèces rares, comme la panthère longibande, la civette, l'ours malais, et 220 variétés d'oiseaux.

Mesra Tours
Pahlawan 1 Samarinda
Kaltim
Indonésie
☎ (541) 738787
Fax (541) 741017
email mesratours@smd.mega.net.id
site www.mesra.com
Trekkings de jungle et excursions en bateau à travers le parc, avec étape à Camp Leakey pour observer les orangs-outans. Hébergement en lodges.

Adventure Indonesia
Bumi Serpong Damai Estate
Sector 1–3
Block BK 32
Tangerang 15310
Jakarta Barat, Indonésie
☎ (021) 5383222
Fax (021) 5384352
email info@adventureindonesia.com
site www.adventureindonesia.com
Circuits de trois à dix jours. Le long de la rivière, observation de la faune et de la flore. Vous suivrez des pistes d'animaux et rencontrerez les tribus dayak qui habitent le long de la rivière Mahakan.

Sandakan, Sabah, Malaysian Borneo
Sandakan n'offre pas grand intérêt en soi, mais vous fournira une base parfaite pour découvrir la faune des environs, d'une richesse exceptionnelle. Au large, le Turtle Islands National Park accueille les tortues géantes qui viennent y pondre leurs œufs. À 25 km, vous trouverez le "Sepilok Orangutan Rehabilitation Centre", où se réfugie également le rhinocéros de Sumatra. Et vous devriez facilement apercevoir nasiques et autres espèces moins farouches le long de la rivière Kinabatangan.

Crystal Quest Sdn Bhd
Wisma Khoo Siak Chiew, 12th Floor, Room 1201
Sandakan 90709
Sabah
Malaisie
☎ (6) 089212711/221657/230777
Fax (6) 089212712/230777
email cquest@tm.net.my
Leurs bureaux prennent vos réservations pour le Turtle Islands National Park et vous fourniront des infos sur le "Sepilok Orangutan Rehabilitation Centre".

Borneo Adventure
55 Main Bazaar
93000 Kuching
Sarawak
Malaisie
☎ (82) 245175/410569/415554
Fax (82) 422626/234212
email sales@borneoadventure.com
site www.borneoadventure.com
Organise circuits et forfaits tout inclus dans la région, centrés sur la découverte de la nature.

Jungle
Vous souhaitez visiter les grandioses forêts tropicales de la région, mais n'appréciez que modérément les treks à la dure ou l'ornithologie ? Cette rubrique vous concerne. Portez pantalon et manches longues pour vous protéger des insectes, et ne partez jamais sans une bouteille d'eau ou une gourde. Des chaussures de marche montantes devraient vous éviter les sangsues, qui apparaissent après la pluie. Si vous partez sans guide, prenez une carte des pistes et une boussole.

Ujung Kulon National Park, Java, Indonésie
Dernière forêt tropicale humide de basses terres à Java, cette jungle abrite une espèce menacée, le rhinocéros de Java. Suivez les traces des animaux, et observez les oiseaux dans les prairies. Pour fuir les chaleurs de la jungle : plongée en apnée et baignade sur des plages parfaitement préservées.

Adventure Indonesia
Bumi Serpong Damai Estate
Sector 1–3
Block BK 32
Tangerang 15310
Jakarta Barat
Indonésie
☎ (021) 5383222
Fax (021) 5384352
email info@adventureindonesia.com
site www.adventureindonesia.com
Guides expérimentés et enthousiastes pour ces circuits de découverte, d'une durée de quatre à sept jours.

Khao Sok National Park, Thaïlande
Située à mi-chemin entre Phuket et Surat Thani, cette superbe forêt tropicale abrite

un flore d'une diversité stupéfiante, et notamment la *Rafflesia*, célèbre pour sa fleur géante. Faune également abondante, avec le gaur, le banteng, le serow, le tapir malais et l'ours du soleil qui hante encore les zones les plus reculées du parc. Quelques éléphants, des tigres et des léopards survivent également, mais en petit nombre. Hébergement rudimentaire à l'intérieur du parc, sous forme de miradors et de lodges.

South Nature Travel
63/247 Moo 4 Chaofaroad
Phuket 83000
Thaïlande
☎/**Fax** (76) 248219
email southntr@loxinfo.co.th
site www.nature-travel.org
Circuits de deux jours avec hébergement en lodges de jungle. Peut également vous arranger un circuit sur mesure. Guides qui parlent français. À noter : l'accent est mis sur la protection de l'environnement.

Parc national de Bako, Malaisie

Ce parc de 27 km² est situé sur une péninsule dans l'estuaire de la Sarawak. Tout le long du littoral alternent des plages sablonneuses, bordant la mangrove et des falaises colorées. L'intérieur est couvert d'une luxuriante forêt tropicale humide, ponctuée de tourbières, où fleurissent les népenthès. Il abrite toute une flore exotique, orchidées sauvages et plantes carnivores, et une colonie rare de nasiques, espèce végétarienne que l'on peut voir se nourrir de feuilles dans les arbres, au crépuscule.

Sarawak Tourist Information Centre
6th et 7th Floor
Bangunan Yayasan
Jalan Masjid
93400 Kuching
Sarawak
Malaisie
☎ (082) 410944/423600
Fax (082) 416700
email stb@sarawaktourism.com
site www.sarawaktourism.com
Permis d'accès et guides pour le parc.

Active Travel Eco Adventures
PO Box 5779
342 George Street Dunedin
New Zealand
☎ (64) 34778045
Fax (64) 34778802
email irene@activeco.co.nz
site www.activeco.co.ne
Spécialiste des voyages dans la région. Propose une croisière en "longboat" en mer de Chine du Sud jusqu'au parc. Dirige également une école de survie en jungle, qui permet aux randonneurs de vivre dans une *longhouse* avec les communautés iban, et de se plonger dans leur vie quotidienne.

Oiseaux

Il n'y a guère que l'Amazonie qui puisse rivaliser avec l'Asie du Sud-Est aux yeux des ornithologues, amateurs ou experts en la matière. Les parcs nationaux offrent quantité de circuits de découverte des oiseaux, trekkings ou excursions en rivière, et fournissent toutes les infos nécessaires à ceux qui souhaitent voyager en indépendant. Jumelles indispensables bien sûr (un grossissement x7 devrait suffire). Si vous prévoyez de prendre des photos, n'oubliez pas de demander un permis spécial. Des vêtements légers, pantalons et manches longues, vous protégeront des insectes. Évitez les couleurs voyantes dans la mesure du possible et, si vous partez seul, prenez une boussole et une bonne carte.

Taman Negara National Park, Malaisie

Le parc national le plus ancien de Malaisie et aussi le plus spectaculaire. Il abrite également un splendide éventail d'oiseaux, notamment le hibou pêcheur et le "sharma", à la queue blanche et à la voix mélodieuse.

Taman Negara
Wildlife Department
Kuala Tahan
Jerantu 27000
Pahang Darul Makmur
Malaisie
☎ (9) 2661122/2666200
Fax (9) 2663400
L'entrée du parc est payante et vous avez besoin d'un permis. L'équipe du QG du parc vous aidera à préparer votre itinéraire grâce à, notamment, des séances diapos d'information assez utiles. Vous pouvez aussi y réserver vos excursions en bateau. Hébergement en chalets et auberges. Quelques restaurants de l'autre côté de la rivière feront votre bonheur.

SPKG Tours Sdn Bhd

16 LKNP Building
Bandar Baru
27000 Gairanhut
Pahang
☎ (09) 2662369
Fax (09) 2664369
email spkg@tm.net.my
site www.macroworld.com/tnegara/ncamp.htm
Opérateur spécialisé dans les trekkings de jungle (marches de nuit possibles), le rafting en rivière et l'observation des oiseaux.
Les forfaits comprennent l'hébergement et les repas. Ils font partis de Nusa Camp (► 275).

Khao Yai National Park, Thaïlande

Le plus ancien parc national du pays, et plus de 1 000 espèces d'oiseaux à découvrir, dont l'immense calao bicorne qui vaut le coup d'œil. Si vous venez en décembre ou en janvier, vous assisterez en prime au spectacle des oiseaux migrateurs originaires de Chine et de Sibérie, qui hivernent en Thaïlande. Le parc ne propose plus d'hébergement, mais on vous fournira infos et cartes pour effectuer des parcours d'une journée.

Khao Yai Garden Lodge

Hong Ahan Ying Yong
135 Thanon Thannarat (St 2090)
Km 7, 30130 Pak Chong
Thaïlande
☎ (044) 365178
Fax (044) 365179
email khaoyaigarden@hotmail.com
site www.khaoyai-garden-lodge.de
Lodge confortable, en lisière du parc. À noter : son propriétaire allemand organise également des circuits spécialisés sur mesure dans le Khao Yai.

Friends of Nature

133/21 Rachaprarope Rd
Makkasan
Rachatavee
Bangkok 10400
Thaïlande
☎ (02) 66264244268
Fax (02) 6626424428
email friendof_nature@hotmail.com
Cette structure créée en 1993 offre des circuits de découverte ornithologique, culturels ou archéologiques particulièrement marqués par la volonté de protéger l'environnement.

Archipel Mergui, Myanmar

Plus de 800 îles inhabitées : un véritable paradis pour les oiseaux ! Découvrez de nombreuses espèces exotiques, notamment les calaos, les perroquets et les aigles.

In Depth Adventures

PO Box 22
Karon Po
Karma
Phuket 83130
☎ (076) 383 105
Fax (076) 383 106
email indepth@loxinfo.co.th
site www.indepthadv.com
Des écolos sérieusement entraînés et compétents vous accompagnent au cours de circuits qui peuvent se centrer uniquement sur l'observation des oiseaux, en mer ou sur terre, ou se combiner avec d'autres activités.

Tangkoko Batuangas, Indonésie

L'Indonésie abrite 17 % des espèces d'oiseaux connues dans le monde. Autant dire que les amateurs atteindront le nirvâna. Quant au Tangkoko, fabuleuse réserve naturelle, il compte parmi ses résidants la plus dense population de calaos de la planète. Vous pouvez accéder au parc en Jeep ou en taxi depuis Girian, sur l'axe Manado-Bitung. Permis délivrés aux bureaux du PHPA/KSDA, soit à Manado, soit à l'entrée de Batuputih, où vous trouverez également des guides. Trois possibilités de séjour à Batuputih (basiques) : Mama Ros, Londa Linda, et Ranger. Et le Cagar Alam Homestay à l'intérieur de la réserve.

Kungkungan Bay Resort

PO Box 16
Bitung 95500
North Sulawesi
☎ (0438) 30300 **Fax** (0438) 31400
email: info@kungkungan.com
site www.kungkungan.com
Cette station de vacances située à 30 km du parc propose des excursions à la journée dans des véhicules climatisés. Les guides parlent uniquement anglais.

À DEUX ROUES

Moto

Voyager à moto offre bien des avantages, qui ne se limitent pas à la griserie du vent et de la vitesse. La liberté d'abord et, avant tout, de découvrir un pays à votre rythme, sans dépendre de transports locaux souvent anarchiques et désespérément lents. Inconvénient majeur : la moto est un sport dangereux, et de nombreux touristes meurent chaque année sur les routes. Portez casque et vêtements protecteurs en toute circonstance. Certains opérateurs proposent des forfait tout compris avec guides, mais vous pouvez aussi louer une moto dans la plupart des agglomérations importantes. Avant de payer, faites un essai, vérifiez les pneus, les lumières, le klaxon, les freins et la direction. Attention au vol, pratique très répandue : prenez une bonne chaîne et un cadenas sérieux.

Péninsule Malaise

Pour explorer la forêt tropicale du Taman Negara, respirer la brise rafraîchissante de Fraser's Hill, et longer le littoral spectaculaire de la côte ouest : un panorama d'une admirable diversité. Vous ne devriez pas rencontrer de grandes difficultés sur ces routes bien entretenues et peu fréquentées.

Asian Motorbike Adventures

site www.asianbiketour.com
Voilà dix ans que Reed Resnikoff, fondateur de l'agence, sillonne à moto les routes de Thaïlande, du Laos, de Malaisie et du Myanmar. Ses circuits sont conçus pour des séjours de deux semaines.

Fleuve Mékong, Laos

Le réseau routier du Laos, passablement chaotique, s'adresse aux motards confirmés, accompagnés d'un guide. Vous aurez surtout de la piste à faire, et dans des conditions parfois très délicates. En récompense, un pays largement épargné par le virus touristique, et de vastes zones de forêts tropicales luxuriantes. Les circuits qui longent le Mékong vous permettront de pénétrer dans la jungle.

Siam Bike Travel Company

PO Prah Singh Box 71
50200 Chiang Mai
Thaïlande
Fax (053) 409534
email info@siambike.com
site www.siambike.com
Choix de motos, de la petite 125 à la puissante 750cc. Véhicule d'assistance avec pièces de rechange et sièges passagers. Les participants qui ne suivraient pas le rythme sont rapatriés en Thaïlande via le Mékong. Les forfaits incluent la moto, l'essence, les hôtels, les visas, les guides et les transports par ferry. Circuits également en Thaïlande et au Myanmar.

Hauts Plateaux, Nord Viêt Nam

Gagnez la fraîcheur des montagnes qui s'élèvent à l'ouest et au nord de Hanoi, profitez du panorama sur les vallées, partez à la rencontre des tribus montagnardes. Si vous voyagez indépendamment, il vous faudra peut-être guide et permis pour les régions qui bordent la frontière chinoise, zones militaires et donc sensibles. La situation évoluant constamment, renseignez-vous auprès de l'office de tourisme de Hanoi.

Green Bamboo Travel

2A Duong Thanh St
Hanoi
Viêt Nam
☎ (84) 48286504
Fax (84) 49231210
email infor@greenbambootravel.com
site www.greenbambootravel.com
Propose des circuits moto de cinq à six jours, sur un parcours de 550 km environ. Loue également des 125 à la journée pour les voyageurs indépendants.

Vélo

Le vélo vous permet de parcourir de grandes distances en relativement peu de temps, avec un impact minime sur l'environnement. C'est une excellente façon de découvrir les paysages spectaculaires et variés de la région. Avantage appréciable : vous ne devriez pas avoir trop de côtes à grimper ! En revanche, et même si nombre d'opérateurs incluent des vélos de bonne qualité dans leurs forfaits, le matériel loué par les boutiques locales ne convient pas vraiment aux longues distances : mieux vaut apporter votre machine avec vous si vous prévoyez de rouler par vos propres moyens. Les vélos voyagent parfaitement par avion, mais la compagnie vous demandera probablement de démonter les roues (achetez des housses) et les pédales pour faciliter le transport. Vérifier à l'avance ! Absolument indispensable : un kit de réparation complet, et toutes pièces de rechange utiles, car vous ne trouverez pas grand-chose sur place. VTT préférable sur les routes en assez mauvais état, et bien sûr incontournable si vous pensez emprunter pistes ou chemins.

Thaïlande du Nord

Le vélo est particulièrement bien adapté à la découverte de ces paysages hors du commun. Suivez les pistes les moins fréquentées jusqu'aux villages isolés, explorez les fameuses grottes de Chiang Dao, ou filez en roue libre le long de la Mae Kok. Quelques pentes assez rudes demandent une condition physique correcte.

Contact Travel Co. Ltd.

73/7 Charoen Prathet Rd
PO Box 234
Chiangmai 50000
Thaïlande
☎ (053) 277178
Fax (053) 279505
email info@activethailand.com
Cet opérateur propose des parcours de difficulté modérée, de 15 à 60 km par jour. Véhicule d'assistance disponible en permanence. Matériel de qualité et personnel thaï parlant français.

Phuket, Thaïlande

Les collines abruptes de Phuket rendent ce parcours assez délicat. Mais si vous êtes en pleine forme, le Kao Sok National Park n'est qu'à deux jours de route, et vous serez récompensé par une faune et une flore superbes.

Asian Adventures

237 Rat-U-Thit 200 Pee Rd
Patong Beach
Kathu
Phuket 83150
Thaïlande
☎ (076) 341799
Fax (076) 341798
email info@asian-adventures.com
site www.asian-adventures.com
Destiné aux cyclistes expérimentés et aventureux, ce circuit débute par un tour de l'île, puis se prolonge par une grande boucle incluant le Kao Sok National Park et Krabi.

Hanoi–Saigon, Viêt Nam

Terrain généralement peu accidenté, routes principales en bon état, paysages variés et souvent magnifiques : un cycliste peut-il rêver mieux ? Qui plus est, vous passerez pratiquement inaperçu : au Viêt Nam, tout le monde roule à bicyclette, même si la circulation dans les grandes villes prend parfois des airs de cauchemar. Les tour-opérateurs proposent, en général, des circuits de 9 à 12 jours, avec véhicule d'assistance et transport par le train pour faciliter votre voyage.

Velo Asia Cycling Adventures

43 Bui Vien St
District 1
Ho-Chi-Minh-Ville
Viêt Nam
☎/Fax (084) 88367682
email info@veloasia.com
site www.veloasia.com
Velo Asia a été la première société à organiser des circuits à vélo au Viêt Nam. Depuis, ses destinations se sont élargies à la Thaïlande ou à la Turquie. Leur "Circuit de l'été" est au départ de Hanoi et dure 14 jours. Il inclut une aide médicale d'urgence, l'hébergement, les repas et est ouvert à tous, du débutant au confimé.

Butterfield and Robinson

70 Bond St
Toronto
Ontario
Canada M5B 1X3
☎ 416/864-1354
Fax 416/864-0541
En France
5, rue des Citeaux
Beaune 21200
☎ 0380250404
Fax 0380241940
email info@butterfield.com
site www.butterfield.com
Cette agence organise un circuit de dix jours/dix nuits avec véhicule d'assistance. Bonne condition physique indispensable : prévoyez des trajets de 15 à 60 km par jour. La plupart des repas et des excursions additionnelles sont inclus dans le forfait.

VTT

Îles Riau, Indonésie

Vous ne trouverez absolument aucun trafic sur cet archipel de petites îles semées au large de la côte orientale de Sumatra : pour le cycliste, un rêve. Les bateaux de l'opérateur local vous serviront de base pour partir à la découverte de cet univers magnifiquement sauvage.
Pas de routes, mais les pistes cyclables vous faciliteront considérablement la tâche.
Il existe des pistes plus ardues, pour les vététistes endurants et passionnés.

Riau Island Adventures
c/o PT Bahari Riau Tualang
Blok D 10
Komplex Batam Plaza, Nagoya
Batam
Indonésie
☎ (778) 425640
Fax (778) 425639
email iabookings@post1.com
site www.riau-islands.com
Cette agence a de quoi satisfaire le débutant comme l'enthousiaste le plus téméraire. Location de VTT de bonne qualité.

Thaïlande du Nord

Le vélo est particulièrement bien adapté à la découverte de ces paysages hors du commun. Suivez les pistes les moins fréquentées jusqu'aux villages isolés, explorez les fameuses grottes de Chiang Dao, ou filez en roue libre le long de la Mae Kok. Quelques pentes assez rudes demandent une condition physique correcte.

Planet Scuba and Wild Planet
9 Thonglor 25, Sukhumvit 55
Klong Toey
Bangkok
Thaïlande
☎ (2) 7128188
Fax (2) 7128748
email dive@loxinfo.co.th
site www.wild-planet.co.th
Des cyclistes thaïs ou occidentaux, qualifiés en secourisme, accompagnent des groupes de 6 à 12 personnes. Parcours plus difficile sur demande pour les cyclistes confirmés. On fournit des VTT 21 vitesses et un véhicule d'assistance, que les accompagnants non cyclistes peuvent emprunter pour profiter du circuit sans effort.

Bali oriental, Indonésie

De la végétation luxuriante d'Ubud aux plages immaculées de Tulamben, l'est de Bali offre un panorama naturel et culturel d'une exceptionnelle richesse. Bien asphaltées, les routes ne devraient pas vous poser de problème ; en revanche, les pentes du Gunur Catur vous coûteront quelques litres de sueur.

Bali Adventure Tours
Adventure House
J1. Bypass Ngurah Rai
Pesanggaran
Bali
Indonésie
☎ (0361) 721480
Fax (0361) 721481
email info@baliadventuretours.com
site www.baliadventuretours.com
Fondé en 1989 par l'Australien Nigel Mason qui propose des circuits de VTT de 25 km au départ de Mayungan. Culture balinaise et ses coutumes mêlée à l'effort physique. Pique-nique compris.

DANS LES AIRS

Deltaplane / parapente

L'homme ne s'est jamais autant approché de l'oiseau et de son rêve le plus cher : impossible d'y goûter sans devenir accro. Le but de la manœuvre consiste surtout à localiser les colonnes d'air et à en profiter. Les débutants restent assez près des falaises, tandis que les plus expérimentés peuvent véritablement voir du pays. Imbattable pour découvrir les paysages, toujours variés en Asie du Sud-Est. Certains opérateurs donnent des cours, mais vous profiterez plus pleinement de l'expérience si vous faites un stage avant de partir. Des deux techniques, celle du parapente est la plus simple à acquérir, et le matériel est facile à transporter. Mais le deltaplane offre plus de résistance par temps agité.

Noen Krapok Mountain, Banchang, Rayong, Thaïlande

Sur cette montagne du sud de la Thaïlande, deux sites où l'on peut voler toute l'année. Une première aire d'envol, versant est de la montagne, à 80 m au-dessus de la mer, convient aux débutants. Celle du côté sud demande une certaine expérience du pilotage, mais offre un superbe panorama sur la mer de Banchang.

Thaïland Glider Club
30 Bangjak Rd
Cheongnoen
Moung Rayong
Thaïlande
☎ portable (66-1) 880439
Fax (66) 38601260
site www.thaigliderclub.com
Depuis 1998, Narint Lohathong développe ce club avec succès. Stages complets qui couvrent tous les domaines : matériel, sécurité, règles et législation, environnement, conditions météo, et un cours pratique. Autres sites en Thaïlande à découvrir.

Ulu Watu, Bali

Prenez votre envol du haut de ces falaises vertigineuses, et planez au-dessus du littoral. Vue aérienne spectaculaire du temple d'Ulu Watu. Meilleure période pour les vols : juin-septembre.

Bali Adventure Tours
Adventure House
J1. Bypass Ngurah Rai
Pesanggaran
Bali
Thaïlande
☎ (0361) 721480
Fax (0361) 721481
email info@baliadventuretours.com
site www.baliadventuretours.com
Pour voler 20 minutes en tandem avec un moniteur parfaitement qualifié. Le forfait inclut les transferts hôtel, le moniteur, le vol et l'assurance. Moniteurs qui parlent français.

Lac Toba, Nord Sumatra

Les collines qui entourent le lac Toba offrent une bonne aire d'envol pour planer au-dessus de l'un des plus grands lacs d'Indonésie. Vue superbe sur les cascades.

Anten Wisata
Ir. H. Juandra 5
Bekasi 17141
Indonésie
☎ (021) 8841915
Fax (021) 7970924
email info@paragliding-indonesia.com
site www.paragliding-indonesia.com
Cet opérateur allemand organises des circuits parapente et deltaplane à Maninjau, à l'ouest de Sumatra ou au Lac Toba. Circuits et cours en allemand ou en anglais. Agréé "Hand-gliding Association Pilot Licence". Un plus : on vous prendra gratuitement à l'aéroport.

EN EAUX VIVES

Les eaux chaudes et les paysages magnifiques des côtes d'Asie du Sud-Est se prêtent admirablement à la navigation en kayak, sous toutes ses formes : de la promenade tranquille sur le miroir d'une baie abritée à la lutte contre les vagues pour découvrir les grottes marines les plus éloignées. Pour les circuits les plus aventureux, une certaine expérience est indispensable, y compris la connaissance des vents et des courants. Les opérateurs se chargent généralement de former les débutants. Gilets de sauvetage, cirés et casques sont normalement fournis. Prenez des vêtements synthétiques, qui sèchent rapidement, et chaussez-vous de sandales ou de tennis.

Canoë

Coron, Philippines

Sur cette superbe île calcaire située au large de la côte de Busuanga, une population indigène est pratiquement coupée du monde extérieur. Pour découvrir son littoral ceinturé de falaises à pic, et ses eaux cristallines riches en coraux.

Sea Canoe
367/4 Yaowarat Road
Phuket 83000
Thaïlande
☎ (076) 212252
Fax (076) 212172
email info@seacanoe.com
site www.seacanoe.com
Sea Canoe est l'opérateur le plus important d'Asie du Sud-Est. Ses guides locaux permettent d'accéder à des zones relativement peu fréquentées. Au programme également : circuits en Thaïlande, au Viêt Nam et au Laos.

Baie de Ha Long, Viêt Nam

Rien ne vaut le kayak ou le canoë pour explorer les quelque 3 000 îles qui parsèment les eaux émeraude de la célèbre baie. Partez à la découverte de ses grottes spectaculaires, de ses plages et de ses criques paisibles.

Green Bamboo Travel
2A Duong Thanh St
Hanoi
Viêt Nam
☎ (084) 48286504
Fax (084) 49231210
email infor@greenbambootravel.com
site www.greenbambootravel.com
Excursions de canoë de deux jours. Hébergement sur un bateau et trois/quatre heures de canoë par jour dans la baie.

Kayak

Coron, Philippines

Sur cette île calcaire située au large de la côte de Busuanga, une population indigène est pratiquement coupée du monde extérieur. Pour découvrir son littoral ceinturé de falaises à pic, et ses eaux cristallines riches en coraux.

Atalante
10, rue des Carmes
75005 Paris
☎ (33) 155428100
Fax (33) 155428101
email atalante@atalante.fr
site www.atalante.fr
Pendant dix jours, séjour nature et balnéaire sur Busuanga et les îlots environnants : Tangat, Coron, Culion. Le kayak permet de découvrir un merveilleux labyrinthe d'îles, de plages, de falaises et de corail, ainsi que les jungles tropicales.

Nusa Dua, Bali

Station balnéaire nichée au sud de Bali. Côtes superbes, bordées par les hautes falaises d'Ulu Watu. Pour la promenade et le plaisir, plutôt que l'aventure.

Club Med
PO Box 7
Lot 6, Nusa Dua
Bali
Indonésie
☎ (0361) 771521
Fax (0361) 771835
site www.clubmed.com
Station à vocation luxueuse, où le kayak fait partie des nombreuses prestations offertes, un forfait journalier vous permettant d'épuiser maintes possibilités. En revanche, pas de cours.

Kwai Noi, Thaïlande

Située dans la région de Kanchanaburi, la rivière Kwai Noi se prête idéalement aux débutants frileux qui veulent s'entraîner un peu avant de se lancer dans un parcours en eaux vives. La rivière creuse son lit sinueux à travers le Sai Yok Yai National Park, avant d'atteindre les ruines khmères de Prasat Muang Sing.

Planet Scuba and Wild Planet
9 Thonglor 25
Sukhumvit 55
Klong Toey
10110 Bangkok
☎ (02) 7128188
Fax (02) 7128748
email dive@loxinfo.co.th
site www.planetscuba.net
Guidés par des moniteurs qualifiés, parcours en kayak de difficulté et de longueurs variables : circuits historiques sur la rivière Kwai, ou descente des eaux vives de la Mhae Khong. Tous les circuits sont accompagnés par un véhicule ou un raft d'assistance.

Rafting

Les mordus de sports en eaux vives, et de rafting notamment, devraient trouver leur bonheur en Asie du Sud-Est, avec plusieurs descentes de rivières très spectaculaires. La difficulté des parcours est classée selon une échelle corespondant à des normes internationales : du niveau I (balade pour amoureux) au niveau V (séjour prolongé en machine à laver). Le niveau VI n'est généralement pas couvert pas les assurances-vie. Vous avez deux types de rafting : soit tout le monde se met à l'ouvrage avec des pagaies, le chef de bord gouvernant à l'arrière ; soit ce sont les rameurs qui dirigent le raft, tandis que les passagers se contentent de s'agripper. Vérifiez que l'opérateur fournit bien casques et gilets de sauvetage, et que les guides sont qualifiés.

Alas River, Gunung Leuser National Park, Indonésie

Le descente en rafting du cours supérieur de la rivière est classée niveau III, puis se calme en aval, ce qui vous permettra de découvrir la faune et la flore du parc. Durant la saison sèche, les éléphants viennent se désaltérer dans le courant.

Suma Terra Holidays
Taman Terra Budi, Indah, Block A-6
Medan 20122
Indonésie
☎ (061) 8201868/8201867
Fax (061) 8216681/8284025
email sumatra@sumatera.com
site www.sumatera.com
Cet opérateur mi-italien, mi-suisse, propose des safaris rivière de un à trois jours sur l'Alas River et dans toute l'Indonésie. Le parcours peut être combiné avec du rafting ou du trekking.

Rivière Asahan, Sumatra, Indonésie

Cette rivière rapide mais praticable rejoint le lac Toba, dans une région reculée de l'ouest de Sumatra. Nombreuses cascades et végétation luxuriante concourent à la magie de cet étroit canyon. Le parcours comprend un bivouac à Parhitean, départ du parcours commercial.

Tracks Outdoor
14 BU 11/2 Bandar Utama
47800 Petaling Jaya
Selangor
Malaisie
☎/**Fax** (60) 192248285
email tracks@mol.net.my
site www.tracksoutdoor.com
Tous les guides sont sauveteurs qualifiés en eaux vives (Swiftwater Rescue). L'opérateur propose des circuits camping en Malaisie et en Indonésie, avec descente de rivières de niveau II à V. À noter : le Taman Negara National Park est accessible à tous, même au débutant.

TELOM RIVER, MALAISIE

Cette descente rivière de niveau III/V débute à 2 200 m d'altitude, au cœur des montagnes des Cameron Highlands et de leurs jungles riches en papillons. Des affluents viennent grossir son cours dans la Kuala Terla Valley. Plusieurs parcours, selon votre niveau d'expérience.

Tracks Outdoor
14 BU 11/2 Bandar Utama
47800 Petaling Jaya
Selangor
Malaisie
☎/**Fax** (60) 192248285
email tracks@mol.net.my
site www.tracksoutdoor.com
Détails ➤ 300.

RIVER AYUNG, BALI, INDONÉSIE

Pour un voyage dans un sublime décor de jungle, et plonger dans les gorges de cette rivière sans danger. Le niveau II est adapté à toute la famille.

Mountain Travel Sobek
Jalan Tirta Ening 9
By Pass Ngurah Rai
Sanur Denpasar
Bali
Indonésie
☎ (0361) 287059
Fax (0361) 289448
email sales@mtsobekeu.com
site www.mtsobeck.com
Guides-sauveteurs en eaux vives qualifiés. Présents aux championnats du monde, et membres de l'équipe nationale indonésienne. L'opérateur propose surtout des parcours à la journée.

Bali International Rafting
J1. By Pass Ngurah Rai 5
Padang Galak
Sanur Denpasar
Bali
Indonésie
☎ (0361) 281408 **Fax** (0361) 281409
email info@bali-interaft.com
site www.bali-interaft.com
Forfaits journaliers à Telaga Waja, au pied du Gunung Agung. Le prix comprend l'acheminement en véhicule climatisé au départ de votre hôtel, l'équipement, des guides hautement qualifiés, un briefing sécurité et un buffet balinais. Guides qui parlent français.

SAIDAN RIVER, TANA TORAJA, SULAWESI, INDONÉSIE

Montagnes et rizières en terrasses surplombent cette descente de rivière spectaculaire, de niveau III/IV. Les villages torajan environnants vous replongeront quelques siècles en arrière.

Mountain Travel Sobeck
Jalan Tirta Ening 9
By Pass Ngurah Rai
Sanur, Bali
Indonésie
☎ (361) 287059
Fax (361) 289448
site www.mtsobeck.com
De Rantepao, transfert en 4X4, puis marche de 30 min jusqu'aux rives de la Maulu. Descente de la rivière dans la forêt entre cascades et falaises. Vision originale des paysages des villages toradjas.

EN MER

La géographie de l'Asie du Sud-Est, avec ses milliers d'îles et d'archipels, son climat généralement clément et la température des eaux de l'océan Indien ou Pacifique, se prêtent admirablement à l'exploration par bateau. D'autre part, rien ne vaut une excursion en mer pour se livrer à toute une gamme d'activités comme la plongée autonome, en apnée (snorkelling), la pêche ou l'exploration d'îles et de côtes isolées par un épais manteau de jungle. Vous aurez l'embarras du choix, de la petite embarcation locale à la goélette luxueuse à l'ancienne. Sur les plus petits bateaux, vous dormirez sur le pont, ou débarquerez pour camper sur une plage. Les bateaux plus luxueux bénéficient de cabines climatisées avec salle de bains. Méfiez-vous du soleil, et protégez-vous avec soin, la brise de mer pouvant masquer les premiers effets de coups de soleil sévères.

Croisières

Tioman Island, Malaisie

Située sur la côte orientale de la péninsule malaise, Tioman et les îles qui l'entourent abondent en plages étincelantes de sable blanc, en récifs coralliens et en vie marine. Un véritable paradis pour les adeptes du snorkelling ! En outre, belles randonnées de jungle sur Pulau Sibu, et le volcan éteint de Pulau Tinggi mérite largement d'être découvert.

Sulawesi Charters
11 Duxton Hill
Singapour 089595
Malaisie
☎ 3223204
Fax 2270168
site www.seacon.com.sg/sulawesi/index.html
Le *Sulawesi*, bateau indonésien traditionnel, propose des croisières dans l'archipel de Riau, juste au sud de Singapour, ainsi que dans l'archipel lointain des Anambas.

Nusa Tenggara, Indonésie

Cette chaîne d'îles située à l'est de Bali bénéficie d'une diversité naturelle et culturelle incroyable. Partez à la découverte des spectaculaires lacs volcaniques de Florès, des dragons préhistoriques de Komodo, et des pierres tombales de Sumba.

Song Line Cruises of Indonesia
Jalan Danau Tambingan 77
Sanur
Bali
Indonésie
☎ (0361) 283192
Fax (0361) 285440
email info@songlinecruises.com
site www.songlinecruises.com/
Croisières de luxe sur des voiliers traditionnels indonésiens. Cette société, associée à la Sea Trek Sailing Adventures, loue également des bateaux de plongée aux particuliers.

Terre d'Aventure
6, rue Saint-Victor
75005 Paris
☎ 0153737773
Fax 0143256937
email terdav@terdav.com
site www.terdav.com
En Belgique
Vitamin Travel
rue Van Artevelde 48, 1000 Bruxelles
☎ (32) 025127464 **Fax** (32) 025126960
En Suisse
Néos Voyages
50, rue des Bains, 1205 Genève
☎ (41) 223206635 **Fax** (41) 223206636
Découverte de Bali. Au programme : volcans, rizières et gamelans. Voyage qui est à la fois une exploration des lieux les plus représentatifs de l'île et une rencontre avec les Balinais.

Continents Insolite
1, rue de la Révolution
B-1000 Bruxelles
Belgique
☎ (32-2) 2182484
Fax (32 2) 2182488
email info@insolites.be
site www.insolites.be
Découverte, entre autres, de l'île de Florès, l'archipel de Komodo ou l'île de Sumba. Vous naviguez essentiellement la nuit et une bonne partie de chaque journée est consacrée à la randonnée, aux visites et à l'observation des fonds marins. Petits groupes internationaux avec un guide francophone.

Palawan, Philippines

Cet immense archipel est constitué de 1 768 îles verdoyantes, aux eaux d'une pureté incomparable. Plages vierges, rivières souterraines et formations rocheuses spectaculaires telles les falaises de marbre d'El Nido : un but de croisière original et féerique.

Palawan Tourist Travel & Tours Agency (PTTTA)
Rizal Ave
Puerto Princesa City 5300
Palawan
Philippines
☎ (048) 4333877
Fax (048) 4333554
email cocoloco@pal-onl.com
Croisières diverses et cours de plongée Padi : 40 sites de plongée sont à votre disposition. À savoir : la presque totalité du personnel parle français.

KAYAK DE MER

ARCHIPEL MERGUI, MYANMAR

Cette constellation de petites îles, qui couvre 16 000 km^2, abrite une faune d'une exceptionnelle richesse, notamment des tigres, des rhinocéros, des perroquets et des aigles-pêcheurs. Interdites au public pendant 50 ans, jusqu'en 1997, les îles ne sont habitées que par les Moken, une tribu de gitans de la mer, dont le mode de vie a peu évolué au fil des générations.

South East Asia Liveaboards Co.
225 Rat-U-Thit 200 Rd
Patong
Phuket 83150
Thaïlande
☎ (076) 340406/340932
Fax (076) 340586
email info@sea-asia.com
site www.seal-asia.com
SEAL organise des safaris en mer accompagnés de guides qualifiés, d'une durée de six jours/sept nuits, avec véhicules d'assistance équipés de radios et kayaks doubles pour les débutants.

PÊCHE

La limpidité cristalline des eaux et l'abondance de la faune marine font ici le bonheur de tous les pêcheurs de mer. Vous aurez l'embarras du choix, entre le thon, le voilier, la bonite et bien d'autres espèces encore. Certains opérateurs proposent des croisières avec option pêche, solution intéressante si vous voyagez avec un ou une partenaire qui ne pêche pas (➤ Croisières). Mais pour les passionnés mieux vaut partir avec des opérateurs spécialisés qui vous garantiront guides expérimentés et techniques sophistiquées. Ces croisières se pratiquent généralement à la journée ou avec une nuit à bord (ou sous la tente). Vérifiez qu'il y a bien une radio à bord et tout le matériel de sauvetage nécessaire.

ÎLES SIMILAN, THAÏLANDE

Ce parc national océanique, situé dans la mer des Andaman, comprend 9 îles couvertes de jungle, 90 km au nord-ouest de Phuket. Population abondante de thons, voiliers, bonites, poissons-dauphins et *tenggiri*. Essayez également la pêche au requin en nocturne, ou, au petit matin, celle du poisson-dauphin au lancer.

Andaman Hooker Sport Fishing Charter
6/6 Soi Suki Moo 9
Tambool Chalong, A. Muang
Phuket 83130
Thaïlande
☎ (66) 18947161
Fax (66) 76282036
email uweschittek@yahoo.com
site phuket-sportfishing.com
Toute l'année, charters de un à cinq jours avec matériel fourni, appâts, nourriture et boissons. Les trois membres de l'équipage parlent l'anglais et le français. L'opérateur est un adepte résolu du "no kill" pour les espadons.

Blue Water Anglers Co. Ltd.
35/7 Sakdidet Rd
Amphur Muang
Phuket 83000
Thaïlande
☎ (076) 391287
Fax (076) 391342
email info@bluewater-anglers.com
site www.bluewater-anglers.com
Équipe enthousiaste et très compétente dans les techniques de pêche les plus variées. Croisières avec vie à bord de 2 à 14 jours en Thaïlande, au Myanmar et en Indonésie. Français parlé.

BALI, CÔTE SUD, INDONÉSIE

Les eaux chaudes de l'océan Indien qui baignent la côte orientale balinaise regorgent de thons, de bonites et de *mai mai*. Vous pourrez peut-être aussi y apercevoir des dauphins.

Bali Deep Blue
J1. Bypass Ngurah Rai 490
Blanjong-Sanur
Denpasar 80238
Bali
Indonésie
☎ (0361) 289308
Fax (0361) 287872
email info@bmsdivebali.com
site www.bmsdivebali.com
Sautez dans un bangka (pirogue à balancier) et partez pour la journée pêcher en eaux profondes, au large de la côte sud-est de Bali.

ARCHIPEL MERGUI, MYANMAR

Les eaux birmanes ne connaissent pas encore la pêche commerciale intensive : les marlins, voiliers, maquereaux, thons et autres bonites abondent. Quant au pêcheur de fonds, énormes mérous et toxotes ne lui laisseront guère le temps de s'ennuyer.

Blue Water Anglers Co. Ltd.

35/7 Sakdidet Rd
Amphur Muang
Phuket 83000
Thaïlande
☎ (076) 391287
Fax (076) 391342
email info@bluewater-anglers.com
site www.bluewater-anglers.com
Détails ➤ 299.

Planche à voile

Contrairement à ce qu'on croit, un à deux jours suffisent pour apprendre à tenir sur une planche mais il vous faudra bien plus longtemps pour maîtriser ce sport exigeant. Si vous débutez, vous passerez un certain temps dans l'eau : raison de plus pour apprécier les températures tropicales et la transparence des eaux d'Asie du Sud-Est. Beaucoup de stations offrent matériel en location et leçons, et disposent parfois d'un simulateur. Les planches pour débutants doivent être de grande taille, pour un meilleur équilibre, mais les petites planches sont plus flexibles. En général, préférez la période qui va de décembre à mars, même si en Thaïlande les vents tiennent jusqu'en septembre. Combinaison en principe inutile, un haut en Lycra suffit pour vous protéger du soleil. Pensez aussi à prendre des bottines en caoutchouc, vous éviterez les piqûres d'oursins. Il est impératif de pouvoir couvrir 50 m minimum à la nage.

Pattaya, Thaïlande

Pattaya, en thaï, signifie "vent de sud-ouest". C'est la plus grande station balnéaire du pays, et le centre de l'équipe nationale de planche à voile. En été, durant la mousson de sud-ouest, le vent souffle du large. Meilleures périodes : mars-avril et juillet-août. Les véliplanchistes fréquentent surtout Jomtien Beach, à 10 min en voiture de Pattaya. La station accueille également deux compétitions annuelles majeures de longboard, en avril-mai, et novembre-décembre.

Club Loong Chat

Dongtarn Beach, Jomtien
Pattaya
Chonburi
Thaïlande
☎ (1) 3402180/8219110
Fax (01) 232932
email pop@clubloongchat.com
site www.clubloongchat.com
Abri pour les planches et stockage des voiles, pelouse pour gréer le matériel et eau courante pour le rinçage. Location de planches et leçons.

Boracay, Philippines

Cette île superbe située au large de Panay abrite un grand lagon, protégé par le récif. Vents de 25 nœuds ou plus durant la mousson de nord-est (en hiver). Ces eaux peu profondes conviennent également très bien aux débutants.

Tribal Adventure Tours

Boracay Office
Boracay Sand Castles Beach Retreat
White Beach, Balabag
Boracay Island
Aklan
Philippines
☎ (36) 2883207/2883208
Fax (36) 2883449
email info@tribaladventures.com
site www.tribaladventures.com
Tribal Adventure organise sur cette île paradisiaque de nombreuses activités : planche à voile, kayak de mer, ski nautique, jet-ski, plongée... Excursions pour découvrir l'île.

Bintan Island, Indonésie

Île paradisiaque, accessible depuis Singapour. Mais vous y rencontrerez des vagues hachées : la côte nord de l'île est exposée à la mousson de nord-est qui déboule sur la mer de Chine du Sud. Pour les pros de la planche à voile, la meilleure période couvre novembre à mars. Longboards tout le reste de l'année.

Mana Mana Beach Resort

39 Stamford Rd
03-11 Stamford House
Singapour 178885
☎ 3398878
Fax 3397812
email manamana@pacific.net.sg
Ce moniteur qualifié utilise des simulateurs pour apprendre les rudiments de la planche aux novices. Analyse sur vidéo pour améliorer la technique des véliplanchistes confirmés. Location de matériel de bonne qualité.

SURF

On ne pense pas forcément à l'Asie du Sud-Est pour faire du surf. La région, et notamment l'Indonésie, compte pourtant nombre de plages paradisiaques, dotées de vagues superbes. Venez plutôt durant la saison sèche, entre juin et octobre, pour avoir les meilleures conditions possibles. Certains opérateurs incluent les cours et la location de matériel dans leurs forfaits. Si vous surfez seul, renseignez-vous auprès d'un loueur compétent pour connaître le matériel le mieux adapté. Emportez deux planches plutôt qu'une, casque, combinaison légère et autres bricoles, car vous risquez de ne pas trouver grand-chose sur place. Et si vous êtes novice, prenez quelques cours avant de partir, vous ne profiterez que mieux de votre séjour.

PULAU ASU, SUMATRA, INDONÉSIE

Ces îles bénéficient de vagues constamment hautes, générées par les immenses zones de basses pressions qui prévalent dans le sud de l'océan Indien. En quelques minutes, une embarcation vous emmènera sur un break que certains comparent à la Sunset Beach de Hawai.

True Blue Travel

Box 4181 Cape Town 2000
☎ (27) 214260881
Fax (27) 214264335
email greg@truebluetravel.co.za
site www.truebluetravel.com
Pour trouver les meilleures vagues, mais aussi découvrir l'intérieur des îles. Circuits à Asu, Sumatra et Siarago Island. True Blue Travel organise aussi vol et hébergement.

GRAJAGAN (OU G-LAND), JAVA

Break de légende, le G-Land se trouve à l'ultime pointe sud de Java. Vagues de 2 m garanties entre mai et novembre. Autres breaks sur la zone, Tiger Trails et 20/20s sont plus tranquilles, mais tout aussi magiques.

G-Land Jungle-Beach-Village

Pt. Plenkung Indah Wisata
Andhika Plaza Building
Simpang Dukuh 38–40
Surabaya 60275
East Java
Indonésie
☎ (031) 5314752/5314753
Fax (031) 5313073
email g-land@rad.net.id
site www.g-land.com/
Bienvenue au Jojo's camping ! Formules d'hébergement, restaurants, aménagements de loisirs, moniteurs de surf et transferts des hôtels de Bali : vous trouverez à peu près tout ici.

Bobby's G-land Surf Camp

Wanasari Wisata Surfing Tour and Travel
8 b Kuta Beach St
Kuta Bali 80361
☎ (361) 755588
Fax (361) 755690
email reservation@grajagan.com
site www.grajagan.com
Très bien situé, c'est le plus réputé des camps de surf de Grajagan. Vous pouvez vous loger sur place et croiser des champions de surf si vous avez un peu de chance.

SIARGAO, PHILIPPINES

Spot le plus populaire de cette île située au large de Mindanao (nord-est) : "Cloud 9", classé parmi les dix meilleures vagues du monde. Pour l'instant, aucune boutique de surf dans les parages : emportez tout le matériel de rechange et de réparation nécessaire, et une deuxième planche si possible.

Green Room Surf Camp

General Luna
Siargao Island
Philippines
☎ (032) 3401785/3405726
Fax (032) 3405726
email emmarcon@usa.net
Situé à moins de 2 min du break "Cloud 9". Peut vous organiser des forfaits au départ de l'Europe. Autres activités possibles : planche à voile, voile...

MENTAWAI ISLANDS, INDONÉSIE

Poignée d'îles pittoresques, situées au large de la côte ouest de Sumatra, de plus en plus prisées. Dépêchez-vous si vous voulez profiter de ses breaks impressionnants en toute tranquillité.

Turquoise Surf Travel

8, rue Neuve Saint-Martin
Marseille 13001
☎ 06 83831275
Fax 0491565560
email tst@turquoise-voyage.fr
Demandez Jean-Christophe, qui est le responsable de cette agence et un surfeur de

surcroît ! Pour info, c'est le seul opérateur de surf en France.

VOILE

Les plages désertes et les eaux turquoise de vos rêves (et des cartes postales) existent bel et bien : elles vous attendent en Asie du Sud-Est. La navigation, en temps normal, ne pose pas de problèmes majeurs mais, si vous êtes débutant, ne sortez jamais seul en mer. Si vous n'avez pas de bateau, la meilleure solution consiste à traîner dans les marinas ou les yacht-clubs (certains sont ouverts aux non-membres). Vous y trouverez stages de voile et yachts à louer et, avec un peu de chance, un skipper cherchant à compléter son équipage.

TAAL LAKE, PHILIPPINES

L'un des plus beaux lacs des Philippines. C'est aussi le site du volcan Taal, ce qui explique la présence de nombreux cratères sous la surface. Les sports motorisés sont interdits sur le lac.

Taal Lake Yacht Club

Barrio Santa Maria
Talisay
Batangas
Philippines
☎ 0912-332-9550
Bureau :
Corinthian Plaza
Paseo de Roxas, Makati
Philippines
☎ (02) 8113183 **Fax** (02) 8113236
email peter@sailing.org.ph
site www.sailing.org.ph/tlyc
Ouvert aux non-membres, ce club prestigieux mais convivial propose des stages de voile et des bateaux en location. Kayaks et planches à voiles également à louer. Camping autorisé.

PHUKET, THAÏLANDE

Phuket offre une base de départ idéale pour aller explorer le Myanmar, la Malaisie, la Bornanie, et les splendeurs des parcs océaniques de la mer des Andaman.

Asian Adventures

237 Rat U Thit 200 Pee Rd
Patong Beach
Kathu
Phuket 83150
Thaïlande
☎ (076) 341799
Fax (076) 342798
email info@asian-adventures.com
site www.asian-adventures.com
Location simple de voiliers pour une à deux semaines dans la mer des Andaman et excursions dans la baie de Phang Nga. Équipage en option.

KUAH, LANGKAWI, MALAISIE

Cette station balnéaire haut de gamme offre de nombreuses activités aquatiques. Mais le marin d'eau douce pourra visiter les nombreuses grottes, partir à la recherche des cascades ou se relaxer dans les sources thermales.

Royal Langkawi Yacht Club

Jalan Dato Syed Omar
07000 Kuah
Kuah 07000
Langkawi
Malaisie
☎ (604) 9664078
Fax (604) 9665078
email info@langkawiyachtclub.com
site www.langkawiyachtclub.com
Le club réserve 44 postes de mouillage pour les visiteurs. Les non-membres peuvent également louer des yachts. Stages de voile, croisières pêche, et location de matériel de plongée. On vous aidera aussi à trouver un hébergement dans la région.

Sail Asia Yacht Charters

35 Sakdidet Rd
Amphur Muang
Phuket 83000
Thaïlande
☎ (076)391287
Fax (076) 391342
portable 01-8914756
email archiadven@hotmail.com
site www.sail-asia.com
Pour louer sans équipage un "Maraija", catamaran de 7 couchettes confortables et facile à manœuvrer. Équipement de pêche et de snorkelling inclus dans le prix.

PLONGÉE

Eaux calmes, chaudes et limpides, vie marine abondante et diversifiée, la plongée est une activité presque incontournable en Asie du Sud-Est, d'autant plus que les centres de plongée y abondent, et pratiquent des tarifs plutôt bas. Mais attention, tous ne jouissent pas d'une réputation irréprochable. Assurez-vous que votre centre est agréé Padi (Professional Association of Diving Instructors) ou Naui (National Association of Underwater Instructors). Vous pourrez alors choisir entre un forfait plongée basé à terre ou à bord d'un bateau. Certaines stations sont qualifiées pour donner des cours. Attention aux épreuves écrites, presque aussi exigeantes que les sections pratiques. Mieux vaut passer la partie théorique de stage chez vous, avant votre départ.

Archipel de Sangihe-Talaud, Indonésie

Au large de ces 40 îles volcaniques semées au nord-est de Sulawesi, vous trouverez des eaux qui comptent parmi les plus profondes du globe. Leur situation isolée vous garantit d'y trouver une vie marine abondante et relativement épargnée par le tourisme.

South East Asia Liveaboards Co. Ltd.

225 Rat-U-Thit 200 Year Rd
Patong
Phuket 83150
Thaïlande
☎ (076) 340406/340932
Fax (076) 340586
email info@seal-asia.com
site www.seal-asia.com
Pionniers des opérateurs couvrant Sangihe-Talaud. Ils organisent également des croisières aux archipels Mergui (Myanmar) et Sangihe, aux îles Similan et Komodo. La compagnie possède trois yachts permettant la vie à bord, un centre Padi 5 étoiles, et détient le statut d'école internationale BSAC.

Blue Lagoon

81, rue Saint-Lazare
75009 Paris
France
☎ 0144636410
Fax 0140230143
site www.blue-lagoon.fr
Le forfait plongée comprend 2 plongées par jour depuis le bateau. Sortie à la journée avec pique-nique inclus.

Koh Samui, Thaïlande

La troisième plus grande île de Thaïlande bénéficie d'un littoral souvent superbe, et notamment de nombreuses plages de sable blanc. Les eaux paisibles qui baignent le nord-est de l'île se prêtent particulièrement bien à la baignade et aux sports aquatiques en tout genre.

Abyss Dive Center

129/1 M.1 Maenam
Koh Samui
Thaïlande
☎/Fax(077) 247 038
portable (01) 6774251
email abyss@sawadee.com
site www.amazingsamui.com/abyss.htm
Ce petit centre de plongée dirigé par un Hollandais délivre un enseignement plongée de haute qualité, et le plongeur est couvert par une assurance très complète. De manière à encadrer au mieux chaque élève, on n'accepte pas plus de 4 personnes à la fois, mais avec une certaine flexibilité dans le cas de groupes d'amis ou de familles.

Bohol, Philippines

En plein cœur des Visayas, Bohol et les îles environnantes abritent quelques superbes sites de plongée, qui offrent une visibilité jusqu'à 30 m. Pour découvrir des forêts de coraux noirs, des tortues géantes et le fabuleux requin-marteau, sans parler de l'habituelle profusion de poissons multicolores.

Dive Buddies Philippines

Manila Tour Center
L&S Building, Grand Floor
1414 Roxas Bd
Manila
Philippines
☎ (0632) 5219168/5219169
Fax (0632) 5219170
email offices@divephil.com
site www.divephil.com
Établi en 1993, Dive Buddies fait partie du "Philippines Tour Operator Association" (Philtoa). Forfaits de plongée de qualité dans diverses destinations : Bohol, Anilao, Coron, El Nido, Davao...

Makati Office

Makati Dive Center
G/F Robelle Mansion
877 J.P. Rizal St
Makati
Philippines
☎ (0632) 8997388
Fax (0632) 8997393
Cet opérateur établi de longue date propose des séjours dans les centres de plongée accrédités dans toute la région, notamment El Nido, Cebu et Batangas. École de plongée

et annuaire de "binômes", pour trouver un partenaire aux plongeurs solitaires.

Seven Skies South China Sea, Indonésie

Ce navire de 98 000 t coula en 1987 suite à une explosion. L'épave constitue maintenant un énorme récif artificiel, recouvert d'une stupéfiante palette de coraux mous. Résidence habituelle des barracudas, poissons-dauphins et autres poissons chauves-souris, l'une des plus belles épaves plongée d'Asie reçoit également la visite de requins-baleines et de raies manta.

Arini Dive Center

Jalan Bangau 14
Makassar
Ujung Padang
Indonésie
☎ (411) 858762
Fax (411) 831003
email jansoon@indosat.net.id
site www.arinidiving.com
Ce confortable yacht de croisière propose des plongée à Ujung Pandang, Sulawesi et autour des îles à l'est de Bali. Stages en biologie et photographie marine sur demande préalable. Couchettes pour 15 personnes. Agréé BSAC.

RAIDS

En 4X4

Si le temps vous est compté, ou si vous tenez à votre confort, la voiture est sans doute le meilleur moyen de visiter un pays. On peut maintenant louer des véhicules assez facilement dans la région, et beaucoup d'agences proposent des circuits guidés avec chauffeur ou pas. Dans les pays moins développés, vous aurez du mal à louer un véhicule sans chauffeur. Les circuits en 4x4 offrent des programmes très variés, de la simple excursion touristique au parcours sur pistes accidentées avec nuit sous la tente. Dans tous les cas, vérifiez les freins, les pneus et l'état général du véhicule avant de prendre la route.

Lombok, Bali

Le 4x4 constitue sans doute le moyen de transport idéal pour découvrir les splendeurs très peu connues de cette île de l'archipel de Nusa Tenggara, à l'est de Bali. Le réseau routier est embryonnaire, mais le conducteur aventureux trouvera ici quantité de pistes, dont beaucoup serpentent à travers les rizières en terrasses.

Novotel Coralia Lombok

Mandalika Resort
Pantai Putri Nyale
Pujut
Lombok Tengah
Mataram 83001
Nusa Tenggara Barat
Indonésie
☎ (0370) 653333
Fax (0370) 653555
email info@novotel-lombok.com
site www.novotel-lombok.com
Circuits guidés d'une journée complète en Jeep sans chauffeur. Destinations : Kaliantan, Telukmanuk et Garuda. Certaines excursions comprennent une partie en trekking "soft".

Hauts Plateaux du Centre, Viêt Nam

Pour explorer le cœur profond du Viêt Nam, ses superbes paysages de montagnes, ses cascades, ses rivières et ses lacs. Climat d'une fraîcheur agréable, et une multitude de minorités ethniques à découvrir.

Green Bamboo Travel

2A Duong Thanh St
Hanoi
Viêt Nam
☎ (084) 48286504
Fax (084) 49231210
email infor@greenbambootravel.com
site www.greenbambootravel.com
Circuits en 4x4 sur mesure, avec guide et chauffeur parlant français, dans le centre et le nord du pays.

Péninsule Malaise

Si les routes sont généralement en bon état dans la région, les pistes en revanche demandent un réel savoir-faire, voire du talent ! Le 4x4 vous permettra d'explorer les coins les plus reculés de la péninsule, notamment les forêts tropicales et un littoral de toute beauté.

Impressions Holidays

Suite 1104, 11th Floor
Selangor Complexe
Jalan Sultan 55000
Kuala Lumpur
Malaisie
☎ (3) 2308667
Fax (3) 2019698

email impressions@impressions.com.my
site www.impressions.com.my
Multiples modèles : économiques et luxueux. Impressions Holidays s'occupe également des transferts et de l'hébergement. Il est spécialisé dans les circuits d'aventure.

Mud Trekker Adventure Travel

806 Kelana Business Centre, 97, SS7/2
Petaling Jaya
Selangor 47301
Malaisie
☎ (603) 7054284
Fax (603) 7044662
email admin@mudtrekker.com
site www.mudtrekker.com
Avec Mud Trekker, excursions de deux jours dont une nuit sous la tente. On peut aussi vous arranger un itinéraire sur mesure. Leur priorité : ne pas mettre l'environnement en danger.

SAUVEGARDE DES ESPÈCES PROTÉGÉES

Les circuits à vocations écologiques enrôlent des volontaires payants pour les assister dans un certain nombre de programmes, qu'il s'agisse de l'étude des espèces menacées ou de fouilles archéologiques. Tout en apportant un service appréciable aux communautés locales, ces circuits vous offrent une occasion unique d'enrichir vos connaissances. Certains projets accueillent les volontaires déjà compétents dans un domaine, comme la charpente ou les sciences de l'environnement. Tous exigent un bon niveau de condition physique, du dynamisme et une aptitude à travailler en équipe. Dans certains circuits il vous faudra aussi participer à la cuisine et à la vaisselle, bref aux tâches ménagères. Hébergement parfois spartiate : préparez-vous à vivre sans eau chaude, ni douche ou toilettes. Attention : les projets cités ci-dessous sont sujets à changement.

Donsol, Sorsogon, Philippines
Étude du requin-baleine

On ne l'a découverte qu'en mai 1998, et pourtant, la colonie de requins-baleines qui écume le Pacifique, au large de ce petit village de pêcheurs, serait l'une des plus importantes du monde. Malheureusement, et malgré une interdiction au niveau international, ces requins (ou "butanding" ainsi qu'on les appelle localement) sont victimes d'un braconnage intensif. Des opérateurs locaux, en association avec le WWF Philippines, recrute des volontaires pour aider à surveiller les requins et à entrer en contact avec eux. Il s'agit de nage, plus que de plongée, et les non-nageurs peuvent aider à enregistrer les données recueillies à bord.

WWF (Philippines)

69 Masikapt
Ext corner Marunong St
Dilliman
Ouezon City
☎ (2) 4333220/3221/3222
Fax (2) 4263927
email kkp@wwf-phil.org.ph
site www.wwf.fr
À Paris
188, rue de la Roquette
75011 Paris
☎ (33) 155258467
Mise sur pied de divers programmes écologiques locaux. Prendre contact pour plus amples détails.

Bicol Adventure & Tours

Suite 20, VNO Building
Quizon Avenue
Legaspi City
Philippines
☎ (52) 4802266
☎/Fax (52) 8201483
email bicoladventure@digitelone.com
Ils font partis de la BSDFI (Bicol Scuba Divers Foundation) et prennent des volontaires pour travailler sur leurs projets écologiques. Circuits pour observer, entre autres, les baleines et les requins.

Nakhon Ratchasima Province, Thaïlande
Iron Age Excavation

Rejoignez une campagne de fouilles dans la campagne thaïlandaise et participez à la mise au jour des origines de la civilisation angkorienne. Il vous faudra fouiller manuellement pour chercher des vestiges qui seront ensuite analysés en laboratoire, à proximité. Aucune expérience préalable n'est demandée, Earthwatch prenant en charge votre formation sur place.

Earthwatch

email info@earthwatch.org.uk
site www.earthwatch.org
Vous pouvez vous proposer comme volontaire,

membre ou donateur. Possibilité de parler à du personnel français.

Kalimantan, Bornéo Environnement marin

Le déboisement et certaines méthodes de pêche menacent gravement les coraux et la vie marine d'Asie du Sud-Est. Des volontaires travaillent en étroite collaboration avec les communautés locales pour constituer des zones de protection marine. Pour Bornéo, une solide expérience de la plongée est indispensable, mais pas dans les autres régions. Stages de plongée autonome et de biologie marine offerts sans supplément.

Coral Cay Conservation

The Tower, 13th Floor
125 High Street, Collers Wood
London SW192JG
UK
☎ (870) 7500668
Fax (870) 7500667
email jas@coralcay.org
site www.coralcay.org
Créé en 1982, Coral Cay Conservation a pour but de préserver et restaurer les récifs de corails et les forêts tropicales, et réduire la pauvreté en employant la population locale. Elle a gagné des prix prestigieux comme le "Tourism for Tomorrow" et l'"International Marine Environmental" et organise des circuits écologiques marins aux Philippines. Attention : il n'y a pas de société similaire en France.

SPÉLÉOLOGIE

L'Asie du Sud-Est compte quelques-unes des plus belles grottes souterraines du monde. Certaines apparaissent dans la plupart des circuits touristiques, d'autres ont conservé une fonction religieuse. Hormis les grottes les plus accessibles, certains réseaux souterrains ne peuvent être explorés que par des spéléos confirmés ou accompagnés par des guides. Emportez une paire de chaussures solides à semelles anti dérapantes, et une lampe torche. Les circuits guidés fournissent casques et lampes si nécessaire.

Grottes de Niah, Niah National Park, Sarawak, Malaisie

Les plus anciens vestiges humains de l'Asie du Sud-Est ont été découverts dans la spectaculaire "Grande Grotte" de Niah. Cette grotte, l'une des plus vastes de la planète, abrite également des myriades de chauves-souris et de salanganes, ces dernières fournissant un ingrédient très prisé pour le fameux "nid d'hirondelle", l'un des mets les plus recherchés de la gastronomie chinoise traditionnelle. À proximité, la "Grotte Peinte", partiellement ouverte à la lumière du jour, servait jadis de site funéraire et recèle de superbes peintures rupestres. Un sentier parcourt les grottes, mais la lampe torche reste de rigueur. Actuellement, on ne la visite qu'avec un guide et muni d'une autorisation émanant de l'Office des parcs nationaux, à Kuching.

Miri Tourist Office

Lot 452, Jalan Melayu
98000 Miri
Sarawak
Malaisie
☎ (085) 434181 **Fax** (085) 434179
email stb@po.jaring.my
Délivre les permis d'accès au parc, fournit des guides et fait les réservations pour un séjour dans le Niah National Park.

Mulu National Park, Sarawak

Les 562 km² de Mulu abritent au moins 15 types de forêts vierges. Sur ce massif de grès et de schiste croissent, jusque vers 1 200 m, des forêts diptérocarpes. Les sentiers et les grottes sont bien balisés et entretenus, mais la réserve est assez grande pour que l'on s'y perde : aucune visite ne peut s'effectuer sans la présence d'un guide. Le Mulu est réputé pour son labyrinthe de grottes souterraines, notamment la Chambre de Sarawak et la grotte des Eaux-Claires. Cette dernière, très spectaculaire avec ses 51 km de long, tout comme la grotte du Vent, n'est accessible que par bateau.

Virgo Travel & Tours

33 Jalan 2/76 C
Desa Pandan
Kuala Lumpur 55100
Malaisie
☎ (60-3) 9832388
Fax (60-3) 9832525
email virgo-travel@hotmail.com
site www.virgotravel.com
Associée à Impressions Holidays, cette compagnie est spécialisée dans les circuits de petits groupes. Multiples excursions aux grottes combinées au rafting ou au trekking.

À noter : une part de ses bénéfices est reversé à des projets de conservation de la nature.

Sagada Caves, Bontoc, Philippines

Une petite ville bien tranquille, mais réputée pour ses grottes funéraires et ses cercueils suspendus aux rochers selon les traditions des anciennes tribus igorot. Les voyageurs de passage peuvent visiter les grottes de Lumiang et de Sugong sans difficulté, même non accompagnés d'un guide. En revanche, il est nécessaire, en plus d'expérience et d'un éclairage adéquat pour les grottes de Sumaging et Latipan. Vous pourrez louer les services d'un guide auprès de la Sagada Environmental Guides Association au Tourist Information Centre.

Interisland Travel and Tours Inc.
Suite 12
Manila Midtown Arcade
M. Adriatico St
Ermita
Manila
Philippines
Postal Address : CPO Box 4058 Manila
☎ (0632) 5222434/5221405
Fax (0632) 5224795
email interis@pworld.net.ph
site www.pworld.net.ph/user/interis
Cet opérateur organise des excursions à la journée à Sagada, et arrange des circuits dans toutes les Philippines.

Phong Na Cave, Dong Hoi, Viêt Nam

Des kilomètres de tunnels et de rivières souterraines sillonnent cet immense réseau. Certaines grottes, tapissées de stalactites et stalagmites spectaculaires, firent fonction de sanctuaires bouddhistes durant les IXe et Xe siècles. L'exploration des grottes se fait à pied et par bateau. Réservez un guide auprès de l'office de tourisme de Dong Hoi.

Toan Vinh
N104 To Hien Thanh St
District 10
Ho-Chi-Minh-Ville
Viêt Nam
☎ (084) 88645041
Fax (084) 88652348
site www.toanvinh.com
Circuits de trois jours au départ de Hue, sur la côte est. Hébergement qui se fait dans l'un des hôtels luxueux de Dong Hoi. Excursions aux grottes par bateau.

TREKKING

La variété des paysages déployés à travers toute la région, des jungles luxuriantes aux villages tribaux des collines, se prête bien sûr à toutes les formes de trekking. Mais il vous faudra souvent affronter la chaleur, cinq à six heures de marche quotidiennes pendant plusieurs jours, sur des itinéraires de difficultés très variables : vérifiez le niveau de condition physique requis avant de prendre le départ. En moyenne, prévoyez de parcourir environ 16 km par jour : bonne chaussures de randonnées indispensables. Si vous séjournez en habitations traditionnelles, renseignez-vous auprès de votre guide sur les coutumes locales. Rappelez-vous que le trekking peut sérieusement endommager l'environnement : choisissez de préférence un opérateur qui se préoccupe de ces questions.

Kelabit Highlands, Sarawak, Malaysian Borneo

Relativement inexplorée, la forêt tropicale de cette région offre un panorama culturel d'une rare richesse. Enfoncez-vous dans la pénombre de ces jungles épaisses pour rencontrer la dernière tribu nomade subsistant par la chasse et la cueillette : les Penan. Découvrez aussi les Kelabit et leurs superbes tatouages dessinés sur le corps entier.

Symbiosis Expedition Planning
email info@symbiosis-travel.com
site www.symbiosis-travel.com
Opérateur très actif, spécialisé dans l'Asie du Sud-Est. Ils sont actuellement en train de déménager en Asie : consultez leur site internet pour connaître leur nouvelle adresse.

Borneo Exploration Tours & Travel Sdn Bhd
76 Wayang St
93000 Kuching
Sarawak
Malaisie
☎ (082) 252137/252526/410577 (outside office hours)
Fax (082) 252526
email bett55@hotmail.com
site www.borneoexplorer.tripod.com

Circuits sur mesure accompagnés par des guides expérimentés, pour vous faire découvrir la région.

BALIEM VALLEY, IRIAN JAYA, INDONÉSIE

Paysages absolument inouïs, traditions farouchement préservées des tribus Dani : vous n'êtes pas prêt d'oublier pareil voyage. Réservé quand même aux randonneurs vraiment aventureux, car les itinéraires ne sont pas de tout repos. Il vous faudra un *surat jalan* (permis) délivré à Biak, Jaya Pura et Sentani, pour pénétrer dans la zone. Les agences de voyages basées à Wamena pourront vous aider à trouver des guides locaux.

Nusantara Tours and Travel

Poncowinatar 66
Wamena
Jogyakarta
Indonésie
☎ (274) 518088
Fax (274) 518010
email nusjog@ygy.centrin.net.id
Cet opérateur local a une excellente connaissance du terrain et des minorités. Il propose des circuits originaux, captivants, et se montre sensible aux questions d'écologie.

Terra incognita

CP 701-36, quai Arloing
69256 Lyon cedex 09
France
☎ (4) 72532490
Fax (4) 72532481
email ti@terra-incognita.fr
site www.terra-incognita.fr
Expédition en Papouasie Ouest pour découvrir les Koroway, les Komba et la splendeur de leur monde. Camp fixe pour partager la vie quotidienne des Koroway. Encadrement par un guide francophone spécialiste de la région.

THAÏLANDE DU NORD

Cette région recèle de véritables trésors pour le trekkeur aventureux, notamment sa faune et sa flore, ses tribus des collines et leur mode de vie traditionnel. Mais sachez tout de même que certaines zones, et surtout Chiang Mai, sont littéralement écumées par les tour-opérateurs : l'aventure y a donc perdu une part de sa magie.

Asian Adventures

237 Rat-U-Thit 200 Pee Rd
Patong Beach
Kathu
Phuket 83150
Thaïlande
☎ (076) 341799
Fax (076) 341798
email info@asian-adventures.com
site www.asian-adventures.com
Trek difficile d'une durée de 15 jours, loin des itinéraires touristiques, jusqu'au cœur des montagnes et des jungles du nord et de l'ouest de la Thaïlande, et à la rencontre des tribus des collines. L'expédition idéale, si vous êtes en excellente forme physique et cherchez un expérience véritablement authentique.

SA PA, VIÊT NAM

Fuyez la chaleur tropicale et partez en trekking dans cette superbe vallée qui longe la frontière chinoise. Attention, glacial en hiver (0° C). Sa Pa et les montagnes environnantes, les Alpes Tonkinoises, abritent des tribus traditionnelles, nommées les “Montagnards”.

Terres d'aventure

6, rue Saint-Victor
75005 Paris
France
☎ 01 53 73 77 73
Fax 0143256937
email terdav@terdav.com
site www.terdav.com
Paysages forts et variés des Alpes Tonkinoises. Baie de Halong hors des sentiers battus. Rencontre des minorités thaïes. Accompagnateur venu de France connaissant parfaitement le Viêt Nam.

Green Bamboo Travel

2A Duong Thanh St
Hanoi
Viêt Nam
☎ (084) 48286504
Fax (084) 49231210
email infor@greenbambootravel.com
site www.greenbambootravel.com
Détails ➤ 298.
Fondé en 1990, Green Bamboo propose des circuits dans les zones montagneuses les plus reculées : nord et centre du Viêt Nam, notamment Buon Ma Thuot, Cao Bang et Bac Ha. Circuits organisés sur demande uniquement.

INDEX GÉNÉRAL

F

G

H

I

J

Q

R

S

T

V

W

X-Y-Z

INDEX GÉOGRAPHIQUE

N

O

P

Q

R

S

T

U

V

W

X-Y-Z

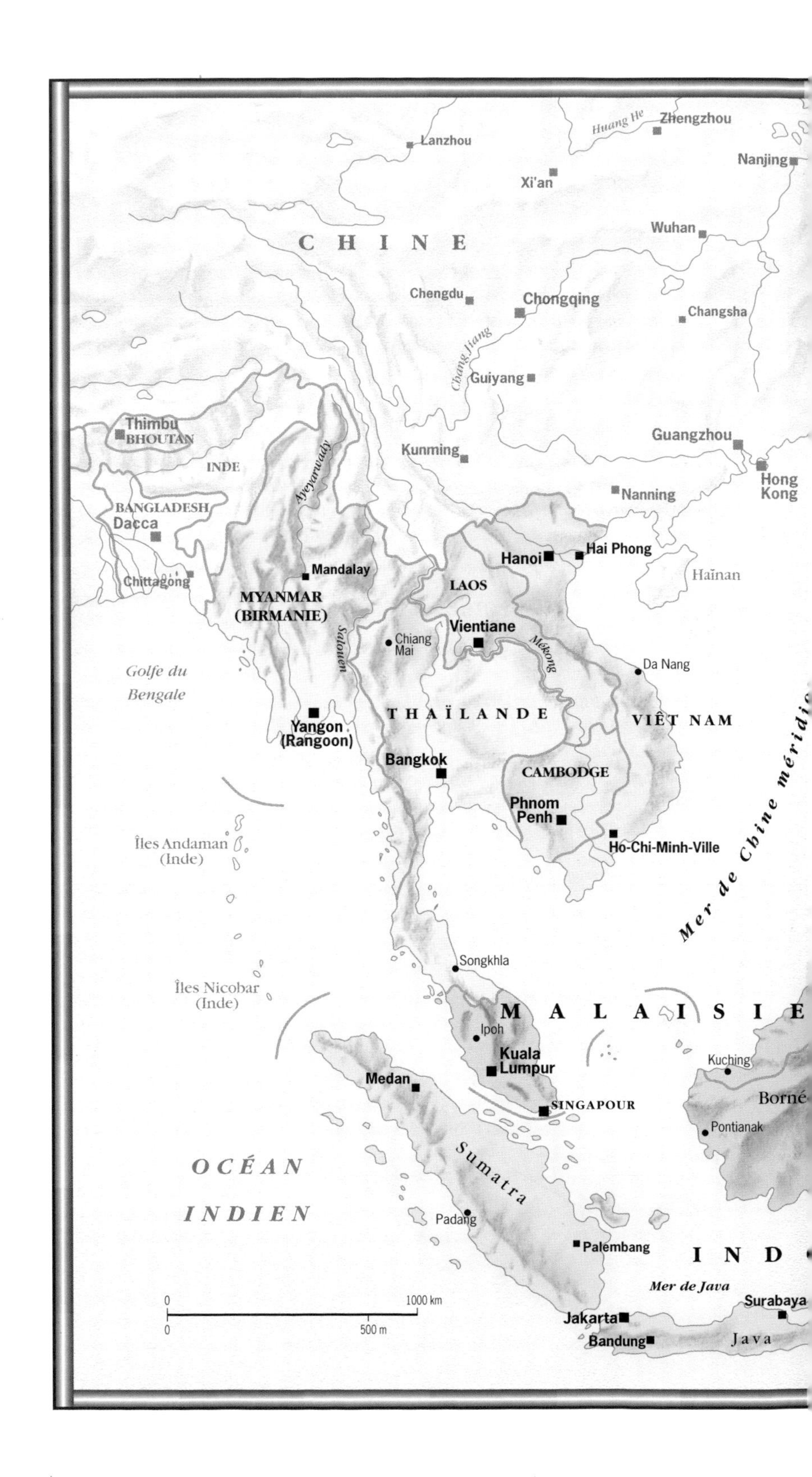

Huang He
Zhengzhou
Lanzhou
Nanjing
Xi'an
CHINE
Wuhan
Chengdu
Chongqing
Changsha
Chang Jiang
Guiyang
Thimbu
BHOUTAN
INDE
Ayeyarwady
Kunming
Guangzhou
Hong Kong
Nanning
BANGLADESH
Dacca
Hanoi
Hai Phong
Haïnan
Chittagong
Mandalay
LAOS
MYANMAR (BIRMANIE)
Vientiane
Saloueu
Chiang Mai
Mékong
Da Nang
Golfe du Bengale
THAÏLANDE
VIÊT NAM
Yangon (Rangoon)
Bangkok
CAMBODGE
Phnom Penh
Îles Andaman (Inde)
Ho-Chi-Minh-Ville
Mer de Chine mérid
Songkhla
Îles Nicobar (Inde)
MALAISIE
Ipoh
Kuala Lumpur
Kuching
Medan
SINGAPOUR
Borné
Pontianak
Sumatra
OCÉAN INDIEN
Padang
Palembang
IND
Mer de Java
0
1000 km
0
500 m
Jakarta
Surabaya
Bandung
Java